李 文 信 考 古 与 文 博 辑 稿

学术著述卷

李文信　著　李仲元　辽宁省博物馆　整理

北方联合出版传媒(集团)股份有限公司

万卷出版公司

ⓒ 李文信　李仲元　辽宁省博物馆　2019

图书在版编目（CIP）数据

李文信考古与文博辑稿.学术著述卷 / 李文信著；
李仲元，辽宁省博物馆整理. — 沈阳：万卷出版公司，
2019.10

　　ISBN 978-7-5470-5215-0

　　Ⅰ. ①李… Ⅱ. ①李…②李…③辽… Ⅲ. ①考古学
—中国—文集　Ⅳ.①K870.4-53

　　中国版本图书馆CIP数据核字（2019）第228389号

出 品 人：刘一秀
出版发行：北方联合出版传媒（集团）股份有限公司
　　　　　万卷出版公司
　　　　　（地址：沈阳市和平区十一纬路25号　邮编：110003）
印 刷 者：辽宁奥美雅印刷有限公司
经 销 者：全国新华书店
幅面尺寸：170mm×240mm
字　　数：285千字
印　　张：20
出版时间：2019年10月第1版
印刷时间：2019年10月第1次印刷
图书统筹：李仲元　冯顺利
责任编辑：赵新楠
责任校对：张希茹
装帧设计：冯顺利　张　莹
ISBN 978-7-5470-5215-0
定　　价：115.00元
联系电话：024-23284090
传　　真：024-23284448

常年法律顾问：李　福　版权所有　侵权必究　举报电话：024-23284090
如有印装质量问题，请与印刷厂联系。联系电话：024-44871130

专家及编辑委员会

李文信先生（1903—1982）

30 年代在美术学校任教时留影

30 年代与夫人姜云乡女士及子女在一起

序一 李文信在东北考古文博事业中的先导地位

李文信（1903—1982），辽宁复县（今瓦房店市）人。考古学家和博物馆学家。毕业于奉天美术专科学校。历任东北博物馆研究员、东北文物工作队队长、辽宁省博物馆馆长、东北人民大学（今吉林大学）教授、辽宁省历史学会副理事长、辽宁省考古博物馆学会名誉理事长、中国考古学会理事、中国博物馆学会名誉理事。又曾任中国科学院考古研究所学术委员、《考古》杂志编委。李文信是东北地区以现代科学手段开展考古工作的先驱，研究领域广泛，注重田野考古与历史文献的结合，在东北地区考古学、古代史、历史地理等方面业绩卓著。在博物馆工作中，创建馆藏文物保管与整理登记的范本，开新中国博物馆建设之先河；在古器物学方面，对铜器、玉器、陶瓷、牙角木雕，以及书画、杂项等无所不精。他悉心培养人才，长期在博物馆内讲授学术专题，又曾在吉林大学、辽宁大学授课，门墙桃李，遍于各地。他心系祖国、忠于职守，在战乱环境下，多次不顾个人安危，保护了国有文物的安全，再三把自己早年珍藏的文物图书资料捐献给国家，是文博界德艺双馨的事业楷模。

一、成长经历

李文信，字公符，祖籍河北省乐亭县，1903年（清光绪二十九年）10月23日出生在辽宁省复县（今瓦房店市）土城子乡李家大屯一个世代务农的家庭。由于家境清贫，长辈中少有读书之人。李文信的父亲为家中长子，很早便由亲戚带领外出谋生，最终成为一名农村医生。李文信有兄弟四人，他排行最末。当时因小学在较远的邻村，求学不便，又因家境窘迫无力进入私塾，12岁时他才在本村亲戚家的农闲短期私塾里就读一冬。1918年15岁时，举家迁居吉林省城（今吉林市）西较为富庶的大绥河村，李文信始有幸入小学四年级读书，后蒙校长提挈在校内从事杂役，经历半工半读的生涯。1921年高小毕业后，为担负家庭生计，他做过一段时间的初小和高小教师。此后李文信刻苦自学，爱好文学和史学，努力寻求深造之路。他曾走奉天、赴北平，先后进入奉天美术学校的国画科和北平某私立美术学校学习，直至1927年毕业。

1928年，26岁的李文信就职吉林市第二中学，先教美术，后改教国文、历史及音乐课程，并兼任教导主任。在奉天美术学校学习期间，他开始接触原始的绘画艺术，逐渐养成专注于历史和古器物学的兴趣，又自学有关现代考古学的英文、日文文献。这时，他利用课余暇时在松花江两岸进行田野调查，发现了包括吉林市周边的东团山、西团山、龙潭山、帽儿山等地的古代文化遗存。此前这些遗迹、遗物无人知晓，时代不明，李文信经过系统梳理研究，相继发表《吉林龙潭山遗迹报告》《苏密城址踏查记》等考古调查报告，李文信之名也因此而为世人所知。1938年，李文信离开吉林到奉天，进入伪满洲国中央博物馆奉天分馆，和罗福颐等人一起从事东北地区的考古调查和发掘。1945年东北地区光复后，成立由金毓黻任主任的沈阳博物院筹备处，李文信和罗福颐、孙作云、傅振伦、佟柱臣等任职，共同进行战后博物馆的建设和研究工作。

李文信酷爱考古和博物馆事业，他一生经历了几次时局动荡，但研究祖国历史、保护文物安全的信念从未改变。1945年8月沈阳光复，苏联红军率先占领沈阳，曾拟进驻博物馆，李文信为保护馆舍与文物的安全，予以强烈的反对。恼羞成怒的苏联红军，将他用吉普车拉到北陵旷野，欲加戕害，幸有随车的翻译从中斡旋，才得免于厄难。1948年沈阳解放前夕，沈阳博物院拟全员迁往北平，机票已经发到每个人的手中，若就此离开，馆舍和文物将处在无人保护的状态，良知与事业心让李文信感到不安，于是在其他人纷纷离开沈阳时，他却放弃了带领全家离开沈阳的安排。一念之间涉及全家人的安危，这需要多大的勇气！又是何等刚毅的举动！此后，即便在炮火连天、社会动荡的环境中，他仍每天坚守在博物馆内，尽心保护、看管文物。馆中数以万计的藏品得以完整地回到人民的手中，成为共和国的珍贵财产，李文信居功至伟。

李文信除对馆藏文物热心守护外，还将早年个人收藏的珍贵文物悉数捐赠给博物馆。如宋元祐五年版《藏经》一函、明天启胡正言《十竹斋画谱》木刻套印精本、胡永年藏泉及其拓本《匏斋泉考》四卷本、宋景德镇影青瓷碗、宋定窑白瓷印花云鹤纹碟、辽三彩印花扁壶、白玉雕花螭耳瓶、碧玉雕花鸟巧作双环瓶、白玉雕人物山子，以及张问陶、邹一桂诸人书画扇面等，总计达116件。其拳拳爱国之心慨然可见。

东北地区的考古、博物馆工作起步较早，各项工作都是在李文信亲自带领下开展起来的，这些成就的取得，无不倾注了他的大量心智和心血。1948年东北解放后不久即在沈阳成立了东北博物馆，这是新中国的第一所博物馆。李文信就任研究室主任，在缺少考古、博物馆专业人员的情况下，他担负起了藏品的整理、登记及展览设计工作。在李文信和有关工作人员的共同努力下，完成了博物馆的通史展览陈列设计，展览于1949年7月7日正式对外开放。当时，博物馆藏品的鉴定任务非常繁重，藏品包括原馆藏文物、解放战争时期征集的文物、私人捐献文物、发掘出土文物等，他都写出了详细的鉴定意见，做成保管卡片，以方便研究和陈列时提取。同时，还亲自主持并带队进行田野工作，发掘了沈阳市小西边门辽李进墓、阜新县腰衙门村辽晋国夫人墓、北票莲花山辽墓、义县辽萧慎微祖墓群等，并写出报告。1950年10月，朝鲜战争爆发，为保证文物安全，1952年博物馆全部藏品撤离沈阳，疏散到黑龙江省北安县，李文信等专业人员对馆藏文物进行了彻底的清点，完成对全部藏品的整理，并建立一整套博物馆藏品的保管制度。

中华人民共和国成立后，李文信曾任辽宁省多届人大代表、全国政协第二届会议特邀代表、辽宁省第二届政协委员等职。

二、主要研究领域与学术成就

李文信学识渊博、品格正直、思想深邃，在许多领域都取得了很大的成就。作为学术核心，他培养、团结、领导一批专业人才，将中国东北地区的考古、博物馆、文物保护事业，推进到了一个前所未有的新高度。李文信在考古学方面的贡献主要有以下几点。

（一）中国东北地区考古研究的奠基人

在五十多年的考古生涯中，李文信的足迹遍及东北和内蒙古东部地区，研究领域上溯远古，下迄明清，旁及壁画、陶瓷、工艺美术和历史地理等方面，可谓贯通古今。几十年前，在尚无完整和系统的中国考古学专著问世时，他的《中国考古学通论纲要》清晰地表明了李文信是一位熟谙中国考古学的学者，再如他的《辽阳三道壕西汉村落遗址》《辽阳北园画壁古墓记略》《义县清河门辽墓发掘报告》《中国北部长城沿革考》等，进一步表明了他是一位具有极高理论素养的资深考古学家。在他主持东北文物工作队期间，对各时期考古发现普遍重视，绝无偏废。

李文信重视原始社会遗存，凡有发现，或亲自前去或立即派人前往调查或发掘。沈阳新乐、朝阳长立哈达等新石器时代遗址的发掘他都倾注了相当的精力。沈阳新乐新石器时代遗址发现后，他曾亲临发掘现场，及时了解情况，观察、分析这处考古发现的巨大意义，而对遗存的深入分析也取得了非凡的成果。新中国刚成立不久，他就主持发掘了黑龙江依兰倭肯哈达洞穴遗存，在发掘报告中将遗物与人们的生存状态联系起来，据出土遗物和遗址环境推测当时的人类以狩猎为主，年代为新石器时代晚期。在当时极少同类遗存发现的情况下得出这样的结论，发"透物见人"之先声，对这一地区的历史与考古研究具有重要的意义。李文信对史前社会的关注在《古代的铁农具》一文中也有体现，他将这一容易为人忽视的器物纳入研究的范畴，强调农具是研究中国农业经济史的重要资料，指出农具对历史的作用，较之其他文物更为重要。

李文信对战国至魏晋时期考古致力尤多，对这一时期的遗存做了大量的调查和发掘工作。遗址方面，1953年调查发现鞍山羊草庄战国遗址，1955年主持发掘了辽阳三道壕西汉村落遗址。发掘采用了全面揭露的方法，发掘面积达两万多平方米，清理出分散的七个农户的居住址、铺石大路和其他相关遗存，充分展示了西汉时期辽东郡首府襄平近郊一个农村的生产生活面貌，对当时农民生活方式、社会性质的研究具有很高的学术价值。主持发掘了辽阳鹅房、大林子、徐往子、三道壕、棒台子、袁家堡子、北园、南林子、唐户屯、桑园子、沈阳南湖及西丰西岔沟等墓葬。所发掘者以辽阳汉魏壁画墓最为著名，这类墓葬地域性很强，他处未见，是极具特点的考古发现。对其研究后，李文信连续写了多篇文章，如《辽阳北园画壁古墓记略》《辽阳发现的三座壁画墓》《辽阳三道壕两座壁画墓的清理简报》《辽阳市棒台子二号墓壁画》等。他旁征博引，结合历代相关文献记载，对壁画中的"礼仪制度"——车舆名称、冠服、仪仗、名物一一辨别，解决了许多名存实亡、早已失传或搞不清楚的器物名称问题；就壁画墓的外形与结构、壁画与题字、画艺与用色，均做过细致的考察与说明；对墓葬的编年序列也都做了精辟论断，构建了辽阳地区汉、魏、晋壁画墓发展演变的较为清晰的脉络。

李文信对辽金考古取得的成就最为令人瞩目。辽金时期是中国历史上的第二次南北朝，此时北方得到进一步开发，草原城市大批涌现出来，留下了众多的城址、遗址、墓地等遗存。他调查过巴林左旗林东镇的辽上京、宁城大明镇的辽中京、巴林右旗白塔子的辽庆州、林西的四方城和小城子，以及其他地方数十计的辽代城址，还发掘过巴林左旗石房子的辽祖州城。在其所编著的《辽宁史迹资料》一书中，对辽宁境内十数个辽代重要州城都做了详细记述，如辽州（新民辽滨塔村）、咸州（开原老城镇）、成州（阜新红帽子）、榆州（凌源十八里铺）、利州（喀左大城子）、懿州（阜新塔营子）、辽早期的韩州（昌图八面城）、铜州（海城析木城）等。李文信还发掘了辽宁沈阳、辽阳、阜新、建平、内蒙古巴林左旗、喀喇沁旗、巴林右旗等地的辽墓，墓葬中出土的棺铭和墓志，包括契丹文墓志，都是非常重要的发现。他根据考古发现撰写了《义县清河门辽墓发掘报告》，依据残存墓志考证出清河门西山村辽墓群多葬于重熙年间，为两次出使高丽的萧慎微的家族墓地。进而提出辽萧氏后族的分布地域，指出义县、阜新为萧氏所属投下州的史实，对以后辽墓的发掘与研究产生了很大的影响。此外，李文信对辽陵的调查和研究也很关心，他曾亲自调查过位于巴林左旗大布拉格山中的辽祖陵，发掘过巴林右旗白塔子庆云山中的辽庆陵；对位于北镇医巫闾山中不明地点的乾陵和显陵也十分关注。对金代的考古与研究，他同样做出很大贡献，其亲自主持的鞍山陶官屯金代农家遗址发掘，揭示出了中古时期辽河平原上一户农家的生产生活面貌。

（二）东北历史地理研究的集大成者

李文信对较少有文献记载的东北历史地理有精深的研究和独到的认识，他最早关注并调查发现了东北地区的古代长城。《史记·匈奴传》云"燕亦筑长城自造阳至襄平"，短短数字记载了燕长城的走向，但落到实地，长城行经何处？形态如何？千百年来无人知晓。1943年，李文信在内蒙古地区进行考古调查时，于赤峰撒水坡和建平黑水等地发现不同线段的早期长城遗迹，第一次揭开覆盖在长城上的神秘面纱。他在20世纪50年代写有《中国北部长城沿革考》，从考古调查入手，结合文献记载，将分布在中国北方战国时期的魏、秦、赵、燕长城，与统一六国后的秦长城，以及西汉、东汉、西晋、北魏、北齐、北周、隋和唐代的长城等，都分别加以考证，为中国古代长城的重要组成部分——东北历代长城做了明确清晰的界定。更重要的是，长城研究从此时起，摆脱了过去在书斋里研究的习惯和方法，用考古调查发现的遗迹说话，受到学术界的高度重视，使中国历代长城的研究面貌焕然一新。他还发表了长篇论文《金临潢路界壕边堡址》，这是第一次根据考古调查资料进行金代长城的研究，对临潢路长城的走向、结构、现状、边堡特点、出土遗物及山川河流、交通道路等，做了详细考察，记录靡遗，与仅据书本上的片言只语去研究完全不同，使人得以真正了解金长城的客观存在。

李文信关注东北历代城址的历史地理研究，曾调查了许多东北战国至汉代城址，编著了《辽宁史迹资料》《周汉魏晋时代的辽宁史迹》《西汉右北平郡治平刚考》等，得出了许多有创见性的结论，解决了不少历史研究中遇到的难题。经他考证台安孙城子村城址应为汉险渎县址、辽阳亮甲山村古城为汉居就县址、抚顺劳动公园古城为玄菟郡第三郡治址、丹东瑷河尖古城为西安平县址、北镇大亮甲古城址为无虑县址、宁城县黑城村古城址为西汉右北平郡治及倚郭平刚县址等，这些都是此前未曾有人调查和探讨过的，填补了汉代东北历史地理建置研究上的空白，对战国到汉代建置的确定弥足珍贵。中央民族学院赵展等人承担《中国历史地图集》（谭其骧主编）东北地区历代建置沿革的编稿任务，曾多次专程来沈阳向李文信请教，他都罄其所知地无私相告，终使历史地图集更臻完美。

李文信对边疆地区的少数民族及其建制等也非常关注。两汉及以后，东北民族随着社会的发展进步，相继建立地方政权，这是中国历史的重要组成部分，也是边疆史地研究中不可缺少的内容。但过去由于文献资料很少，又没有考古调查发现，因此一般多不涉及，进展缓慢。李文信从考古调查入手，做出了很大的贡献。李文信调查了许多高句丽山城，如新金吴姑山城、复县得利寺龙潭山山城、岫岩娘娘城山山城、桓仁五女山山城、吉林龙潭山山城等，在他主编的《辽宁史迹资料》一书中，对调查过的一些山城做了详细考证，提出沈阳陈相屯塔山山城是盖牟城址、西丰城子山山城是扶余城址、海城英城子山山城是安市城址、盖县高丽城山山城是建安城址、金县大黑山山城是卑沙城址、抚顺高尔山山城是新城城址、凤城凤凰山山城是乌骨城址、辽阳城门口村石城山山城是白岩城城址等，这些调查或考证结论现在已为学术界所承认。李文信还调查和发掘了很多渤海时期的城址，如桦甸苏密城、珲春半拉城和龙西古城等；考证吉林东团山下的平地城为渤海涑州。这些成果直到现在仍为学术界认可。

《辽宁史迹资料》简要地勾画了辽宁省境内几千年来史地变迁的轮廓，并明确指出了历史上一些郡、州、府、县的治所，元明时期的驿站、卫所，辽东边墙、马市、柳条边、盛京牧厂等的所在，为《中国历史地图集》提供了东北地区历代建置沿革的重要基础资料。

20世纪60年代时，李文信曾与友人提及《辽史》的疏误，尤以《地理志》为甚，拟将多年积累的考古和文献资料写成一部《辽史地理志笺证》，作为对东北历史地理研究系统的总结。但这一设想却因"文化大革命"耽搁了下来，"文化大革命"过后，他已是病弱难支。这一愿望虽未能实现，但从遗留的笔记资料中可以见到他对东北历史地理的认识与见解。《李氏〈辽海丛书〉批注》一文涉及唐张楚金《翰苑》、宋洪皓《松漠纪闻》、金王寂《辽东行部志》、元《大元大一统志》、明李辅《全辽志》、清曹廷杰《东三省舆地图说》和《西伯利东偏纪要》、清杨同桂及孙宗翰《盛京疆域考》等18部文献，批注计达635条，庞大浩繁，所指之地范围广阔。李文信将亲身调查与文献记载相结合，批文精彩异常，言简意赅，一语中的；新见发明，鱼贯迭出。《〈水经注〉批注》一文，则指疵匡谬，比证释疑，对鲍邱水、濡水、大辽水、小辽水、浿水等水系与相关的古代城址等，做出了精细的梳理和考证。《手录〈开原图说〉批注》《手录〈瓮中人语〉〈宣和奉使金国行程录〉批注》《〈北蕃地理——武经总要边防一·文溯阁本〉手录批注》《手抄〈古今图书集成·职方典〉批注》《辽宁省市县建置沿革》等，都反映出李文信治东北史地之学的成就。

（三）陶瓷史专家，辽代陶瓷研究的拓荒者

李文信在陶瓷研究方面很有建树。他对瓷窑址的田野工作非常重视，先后调查和发掘过辽阳江官屯瓷窑址、抚顺大官屯瓷窑址、巴林左旗林东镇南山三彩窑址、白音高洛茶绿釉窑址、辽上京故城内瓷窑址，以及赤峰缸瓦窑村瓷窑址等，都有极为重要的发现。他的《林东辽上京临潢府故城内瓷窑址》，全面报道了辽上京城址内这处以烧制精美白瓷和瓷胎黑釉瓦为代表的窑址的发掘情况和研究成果。

早期学术界普遍认为，中国陶瓷的出现时间为汉代或魏晋以后。李文信则根据1954年在北京故宫举办的"全国基本建设出土文物展览"所展出的几件早期带釉器物，写成《关于我国陶瓷的几种新资料》一文，最早提出"商周高温硬质釉陶是瓷器的原始阶段"，郑州南郊二里岗商代遗址出土的褐绿釉尊，"实已具备了一些瓷器应有的条件，所以说它是我国瓷器发展过程上的原始阶段"。该文将中国制作和使用瓷器的历史向前推进了一千多年，而周代灰青釉豆的发现，"给中国瓷器由殷商到周代的发展史上，添了一个重要链环"。这个精辟的论断，为后来大量的考古发现所证实。

李文信在另一本著作《陶瓷概说》中，特地对学术界持否定态度的"柴窑"问题，做了独到的论述。他依据文献资料和考古发现，认为"柴窑"的存在是不容抹杀的事实。他列举了《格古要论》《清秘藏》《五杂俎》等19种记载"柴窑"的文献资料，指出中外学者所举的"五条理由"并不能证明柴窑根本就不存在。

李文信对辽瓷的研究贡献尤大，除上面所述调查、发掘辽代瓷窑遗址外，还有《辽宁省博物馆藏辽瓷选集》《辽瓷简述》，及前述关于辽上京故城内瓷窑址等论著，提出了许多重要论点，如辽瓷与中原各窑器的区别、辽瓷的特点、鸡冠壶的演变形式，以及辽代确有官窑等。这些都是此前未曾有人论及的，从而把辽瓷研究推向一个前所未有的新阶段，补充和丰富了中国陶瓷史的重要内容。几十年来，李文信在大量的陶瓷鉴定与博物馆展览陈列

等工作中，都有定谳之功，特别是他为辽瓷研究打下了坚实深厚的基础，从而确定了他在中国陶瓷研究领域的历史地位。

（四）精湛的博物馆学和古器物学造诣

李文信精于博物馆学。1948年，中华人民共和国诞生前夕，东北博物馆即已成立，如何建立新型的博物馆尚无先例，面临着相当大的困难，既无现成经验，又缺乏专门人才。于是，艰巨繁难的任务，便落在了李文信的肩上。为了完成任务，他和馆内的同志一起，夜以继日地奋战，清点全部藏品，拟定设计方案，编写陈列大纲，组织布置展览。终于在1949年7月7日，建成以马克思主义为指导、以社会发展史为主线的新型博物馆，正式对群众开放。此后20多年间，李文信又主持完成数十个固定展览、专题展览、临时特展和流动展览，并且将各种小型展览送到城区街道、工厂、矿山、农村及偏远城镇，受到广大群众的热烈欢迎。

李文信带领工作人员费时年余，完成了对东北博物馆藏品的清点整理。首先是对文物逐一鉴定真伪，确定级别；然后是进行分类，将文物分成书画、丝绣、铜器、漆器、古地图、货币等19类，资料分成标本、模型等六类；最后是登记、建账。整个工作进行得井井有条，达到"安全保管、取用方便"的目的，取得了博物馆藏品科学管理的成功经验。由李文信等执笔写成的《东北博物馆清理文物工作的一些办法和经验》一文，被作为先进经验在《文物参考资料》公开发表，向全国各地的博物馆推广。

李文信长于文物鉴定。凡是熟悉和请教过他的人都会感到他学识渊博，知识领域极为宽广，他对中国历史文献，从官修史书到私家著述皆有了解，知识典故信手拈来。1969年，北票县西官营子发现一座墓葬，该墓没有出土墓志，文字资料仅见金质与铜质鎏金的四颗印章，印文分别是"车骑大将军章""大司马章""辽西公章""范阳公章"。李文信得知情况后指出：这是一座晋代的墓葬，出在辽西地区，且身任四职的，只有北燕的冯素弗。其论断之精湛，令人叹服。

李文信的古器物学造诣，突出地表现在对多种类别器物都有深刻认识。东北博物馆建馆之初，原藏清宫的织品梁贞明二年款"金刚经"和另一件"仪凤图"入馆收藏，原均作"刻丝"，经他仔细观察认为是通纬所织，应属于织锦一类，不同于刻丝的通经断纬，应更名为"织成"，并将"仪凤图"的时代由宋改订为元。博物馆的书画藏品主要都是经他鉴定的，至今在"东北博物馆藏品鉴定卡片"上"鉴定者"一栏，都是签署"李文信"印章。在博物馆业务人员专业学习课堂上，李文信除讲考古、陶瓷等外，也讲古代书画课程。现在保存下来的《奇情逸趣，信手而得——评析高其佩指画》一文，就体现了他对古代书画研究的功力。

李文信担任馆长后，日常管理事务明显增加，他仍利用有限的时间从事学术研究，撰写了一系列高水平的论文，例如《沈阳清故宫卤簿仪簿物小记》《上京款大晟南吕编钟》等，都写得很有深度。

此外，李文信还是中国最早一批考古学教授之一，为中国特别是东北地区考古和文博事业的发展培养了一批优秀的人才。1948年辽宁省博物馆成立之初专业人员奇缺，李文信便开始了在工作中对青年人的培养。1953年、1954年东北文化局举办了两届"东北区文博干部训练班"，李文信作为主要的讲课人员负责历史、考古和博物馆等各类专业课程，并带领学员到鞍山沙河东地村、羊草庄、灵山等地进行考古调查和发掘，在较短的时间内为东北地区各地培养了一批业务骨干。1956年以来，李文信先后被吉林大学、辽宁大学聘为教授，自编教材，为历史系创办的博物馆专业和考古专业讲授专业课程。教学工作一直坚持理论与实践的紧密结合，将生命中大部分的时间投入了他所钟爱的考古事业当中，不断学习、总结经验并且将他的经验无私地传授给后辈学者。虽然因很多的论著未及发表，他的学术理念未能完整地展现出来，但他对后辈无私的帮助却让曾经跟从他一起工作以及经他教导的学生受益匪浅。经过实际工作的锻炼，这些曾跟从李文信学习的人，都成为各地考古、博物馆学界的中坚力量和学术带头人。

三、李文信主要论著

李文信. 1937. 吉林龙潭山遗迹报告. "满洲"史学，1（2，3）.

李文信. 1938. 吉林龙潭山遗迹报告. "满洲"史学，2（2）.

李文信. 1947. 金临潢路界壕边堡址. 辽海引年集. 北平：北京和记印书馆.

李文信. 1947. 沈阳清故宫卤簿仪簿物小记. 东北文物展览会集刊.

李文信. 1947. 辽阳北园画壁古墓记略. 国立沈阳博物馆筹委会汇刊，（1）.

李文信. 1951. 阜新契丹萧氏墓调查报告. 文物参考资料，2（9）：121—122.

李文信. 1951. 义县奉国寺调查报告. 文物参考资料，2（9）：120—121.

李文信，等. 1953. 东北博物馆清理文物工作的一些办法和经验. 文物参考资料，（4）：47—67

李文信. 1954. 依兰倭肯哈达的洞穴. 考古学报，（7）：61—75.

李文信. 1954. 义县清河门辽墓发掘报告. 考古学报，（8）：163—202.

李文信. 1954. 古代的铁农具. 文物参考资料，（9）：80—86.

李文信. 1954. 关于我国陶瓷的几种新资料. 文物参考资料，（10）：58—62.

东北博物馆（李文信执笔）. 1957. 辽阳三道壕西汉村落遗址. 考古学报，（1）：119—126.

李文信. 1958. 林东辽上京临潢府故城内瓷窑址. 考古学报，（2）：119—126.

李文信，许道龄. 1958. 关于辽代懿州城址的讨论. 考古通讯，

（8）：56—61.

辽宁省博物馆编（李文信主编）. 1962. 辽宁省博物馆藏辽瓷选集. 北京：文物出版社.

李文信. 1978. 辽阳市棒台子二号墓壁画. 艺苑掇英，（3）.

李文信. 1978. 中国北部长城沿革考. 社会科学辑刊，（1）：144—153.

李文信. 1978. 中国北部长城沿革考. 社会科学辑刊，（2）：128—141.

李文信. 1983. 西汉右北平郡治平刚考. 社会科学战线，（1）：164—171.

李文信. 1985. 李氏《辽海丛书》批注. 沈阳：辽沈书社.

主要参考文献

李文信. 2009. 李文信考古文集（增订本）. 沈阳：辽宁人民出版社

本序文源自科学出版社编刊的国家重点图书《20世纪中国知名科学家学术成就概览·考古学卷》条目，撰写者华玉冰、郭明。

题目为编者所加。

序 二

　　白山黑水之域，千华渤海之间，奇峰幽谷，层峦叠翠，钟灵毓秀，学者出焉，公符先生即其人也。

　　李文信教授，字公符，辽宁省复县（今瓦房店市）土城子乡李大屯人。生于1903年10月23日，逝于1982年10月5日晨3时40分，享年八十岁。中国共产党党员，历任东北博物馆研究室主任、研究员，东北文物工作队队长，吉林大学教授，辽宁省博物馆馆长，辽宁省历史学会副理事长，辽宁省考古博物馆学会名誉理事长，中国考古学会理事，中国博物馆学会名誉理事，辽宁省人民代表大会代表，为东北地区考古与博物馆事业的开创者与奠基人之一，也是中国著名的考古学家，更是对海内外影响深远的社会科学家。

　　《李文信考古文集》，收录已经发表的有《依兰倭肯哈达的洞穴》《吉林龙潭山遗迹报告》《辽阳三道壕西汉村落遗址》《辽阳北园画壁古墓记略》《苏密城址踏查记》《义县清河门辽墓发掘报告》《金临潢路界壕边堡址》《林东辽上京临潢府故城内瓷窑址》《辽瓷简述》，未发表的有《李氏〈辽海丛书〉批注》《中国考古学通论纲要》等29篇，皆见卓而识远，决深而旨邃，揭示了祖国文物精华，丰富了考古文献的宝库。

文信先生待人谦和，我与先生相识，是在1943年冬，彼时我在赤峰师范教书，他从林东发掘归来，出示笔记和绘画，诲人不倦，而我到沈阳博物院，又承汲引，回忆四十年师友故交，临笔泫然。中华人民共和国成立以后，他竭力培养后学，开办考古训练班，为吉林大学讲课，谈到学术问题，喜形于色，热情洋溢，不绝如缕，时夹趣话，兼带幽默，诗谓蔼蔼吉人，易谓谦谦君子，先生其当之。

文信先生学识渊博，他与一般老学者的习惯一样，就是不断读书，不断积累，不是为某一问题去查书，而是终生苦读，因而面对文物、书画、陶瓷、缂丝，均可旁征博引，指出其学术价值。由于馆藏标本多属亲自发掘，故常摩挲爱抚，不忍释手，当1945年历史动荡之际，为了保护文物，险遭不测。1948年，更只身守护，愿与文物共存毁，这种视文物如生命的品格，是考古界中所罕见的，其功绩也是不可泯灭的。

文信先生是与已故南京博物院曾昭燏院长、四川省博物馆冯汉骥馆长齐名的博物馆学家，他布置了历史文物分类陈列、历史文物陈列、历史艺术陈列。也熟悉分类编目保管之学，发表了《东北博物馆清理文物工作的一些方法和经验》，供国内参考。这些都表明他在博物馆学方面的贡献。

文信先生更是蜚声国内外的考古学家，他热爱田野工作，远在1921年他在吉林读书时便优游于龙潭山的高句丽残垣断壁间，发思古之幽情，终于在1937年发表了《吉林龙潭山遗迹报告》，是他做考古工作的开始。1938年到沈阳博物馆以后，发掘频繁。1939年6月发掘沈阳塔湾辽金墓、7月发掘沈阳砂山子辽金墓、7月底调查巴林左旗辽永庆陵和庆州西北金界壕，1940年6月发掘叶柏寿车站辽墓、7月发掘喀喇沁右旗张家营子辽郑恪墓、9月调查抚顺新城高句丽城址、同年再次调查吉林龙潭山高句丽遗址。1941年9月发掘辽阳玉皇庙汉壁画墓。1942年7月调查珲春半拉城渤海城址、10月发掘沈阳南湖汉墓及辽墓。1943年3月调查辽阳北园汉壁画墓、4月调查和龙西古城子城址、5月发掘巴林左旗辽祖州城址、7月调查林东附近辽代史迹、11月发掘林东兴隆山辽墓和调查阿鲁科尔沁旗至青羊砬子金界壕。1944年5月发掘林东辽上京窑址、6月发掘赤峰缸瓦窑辽代窑址、8月发掘白塔子北山辽墓和调查白塔子至会通河金界壕。1950年5月发掘义县清河门辽墓。1955年5月发掘辽阳三道壕西汉村落遗址。以上这个简录，可以看出每年少则一二次，多则五次，可谓席不暇暖。在时间上，他是几十年进行了调查和发掘工作；在内容上，他从两汉历魏晋、高句丽、渤海、辽、金包括东北考古学的整个年代；在地域上，他足迹遍及东北和内蒙古东部广大地区。所以，他的学识渊博，对考古学上的贡献，都是他长期工作实践的结果，而他能测能画，在国内也罕有其匹。

文信先生在考古学上的贡献是多方面的，首先是汉代的研究，揭示辽阳三道壕七个农户的居住址，和每户内房址、土井、厕所、畜圈组成的遗迹群，与铺石大路和窑址相配合，展现西汉晚期辽东郡内襄平城附近的处于自然经济状况下的、分散的汉族农村的原貌。对北园、棒台子等汉壁画墓尤研究有素，结合《汉书》《后汉书》《魏书》《晋书》《宋书》《汉官仪》《汉官旧仪》《东观汉记》《诗经》《礼记》《释名》《方言》《说文》诸文献，考证了壁画中的高车、安车、金钲车、鼓车、黄钺车、帷车、白盖车、黑盖车等车制和通天冠、进贤冠、却非冠、却敌冠、黑介帻、赤平帻、襦衣、裤褶等冠服之制，对名物之学，造诣很深。

文信先生考古成就的最大方面，还是在辽代，他不仅调查了很多辽城，更发掘了许多辽墓，他不仅考察了辽墓的结构和内涵，更研究了辽墓在一个城区的联系，他以清河门1号佐移离毕萧相公墓为中心，结合2号墓出土的可以释成"清宁三年二月二十七日"字样的契堤文墓志，结合4号墓出有嵩（崇）德宫铜铫与1号墓志铭所记"次日慎微崇德宫副部署"相符，证实是两次出使高丽的萧慎微祖墓群。他接着把这个萧氏墓地与阜新腰衙门的辽圣宗钦爱皇后之妹的晋国夫人墓、翁山村的萧阿刺子国舅大丞相萧孝穆之孙的兰陵郡萧德温墓、义县盘道岭的辽圣宗孙女因八公主之女的太和宫副使耶律弘益妻萧氏墓联系起来考察，提出了辽皇后之族的分布地域，进而指出义县、阜新为萧氏所属投下州的史实。深入到如此程度，如果不是发掘过大量辽墓、如果不是对辽墓做过深入研究、如果不是熟悉辽史，是不可能达到这样的境地的。正是他深于辽代城址和墓葬，所以对于辽瓷的研究贡献也至大。辽瓷在中国古陶瓷中，半个多世纪来是个新出现的学科。开始仅限于传世品，首次从墓葬中发现的，还是1939年他在叶柏寿车站辽墓发掘出土的那件茶末绿釉鸡冠壶。同时他调查了辽上京南山三彩釉窑址、发掘了林东白音戈勒辽茶绿釉窑址、发掘了临潢府皇城内窑址、赤峰缸瓦窑窑址，一个人做过这么多辽窑，在国内是少见的。又把辽瓷分成中原窑系与辽土窑系，依扁身单孔式、扁身双孔式、扁身环梁式、矮身横梁式等形式的区别，确定了鸡冠壶的编年。因此，在辽瓷的研究中，他是一位拓荒者，也是迄今很少有出其右的第一人。

文信先生亦精于东北历史地理，《中国北部长城沿革考》名篇，记述了东北南部的燕秦汉长城，还考定辽阳亮甲山古城为汉居就县城、丹东瑷河上尖古城为汉西安平县址、盖县青石关山城为高句丽建安城、海城英城子山城为安市城，依《金史·地理志》《蒙鞑备录》和王国维《金界壕考》，考定临潢路一段长400余里的金代界壕边堡。而《李氏<辽海丛书>批注》，则是他有关东北历史地理意见的总集成，尤为精粹。总之，他在学术上的成就和学泽，将永远滋润着我国考古学的前进。

最后，辽宁省博物馆姜念思馆长、辽宁省文物考古研究所冯永谦研究员两位青年学者，曾从文信先生学，协助先生整理笔记和文稿，并编成此书，不胜敬佩。而冯永谦先生写成《无私奉献，勤奋一生——李文信先生事略与学术贡献》，发表在1989年第1期《辽海文物学刊》上，足资参考，谨致谢意。

佟柱臣

于京中蓉园之乐绿堂

1992年10月21日

序 三

我国著名考古学家李文信同志逝世已10周年，恰逢他冥寿九秩之际，辽宁省考古博物馆学会决定为他遗著编辑出版文集，使其传之久远，同时表达文物界同仁对这位成就卓著的专家致以景仰和追念之情。

文信同志是我多年共事的老友，彼此相知甚稔，当文集即将印行问世之时，姜念思同志嘱为撰序，公谊私情，理应承当，不敢推辞。

在文信同志逝世的当时和10周年祭，我都有短文以表达寸衷。数十年的风风雨雨，苦乐与共的深情厚谊，不可能倾吐尽净，只是埋在心灵深处，借以鞭策自己，当作前进的动力。

众所周知，文信同志为考古工作耕耘一生，踏遍东北和内蒙古一带，每到一地，白天勘查，晚间埋头写笔记和绘制地形图，直到深夜，事不完毕不就寝，第一天照常早起，向荒野的沟沟岔岔走去，中午以干粮充饥，不以为苦，自得其乐，这是就他多年从事考古调查实况而言。如定点发掘，则与所有人员食宿工地，不管条件如何艰辛，从不叫苦，而且安之若素，仍照常白天工作在现场，晚间做笔记、绘图于炕上，从未中断过作业，数十年如一日。我和他曾经一道去辽东岫岩等地调查高句丽娘娘城和石棚遗址，又一同远涉江西景德镇附近湖田等几处古窑考察，对此有极为深刻的感受，至今记忆犹新。

文信同志勤于做笔记的优点，我们望尘莫及。或许由于工作紧张，没有工夫坐下来整理笔记，使之成为有质量的报告，故而他生前发表的著作与其所从事的工作量，存在悬殊的对比。因之，在他逝世之后，同仁对此不无遗憾。咸认为文信同志一生心血凝结在东北考古事业上，其卓越的学术观点，未能全部公之于世，这乃一大损失！于是经过多方搜集，为之抄录整理，得出七十余万言，当然这不是他全部的遗文，另我所提及的有关笔记之类，就有很大一部分没有收入文集之中，原因是在"文革"中抄家破四旧散佚大部分，部分为半成品，局外人无法代为整理，恐有失作者原意，只能割爱……总之，主持这项编辑工作的同仁，已尽到最大的努力，终于完成了具有现实意义的工作，既无愧于逝者，又有裨于学术赖以发扬光大，两全其美。文信同志有知，当含笑九泉，不负一生辛劳，总算有了报偿，而所有文物界同仁都为文集面世而感到欣慰！

杨仁恺

1992 年 11 月 5 日

序 四

与中华人民共和国同龄的辽字省博物馆如今已走过六十年的风雨历程。在辽博的历史上，有一个闪光的名字与辽博的建立和发展息息相关，他就是辽博原馆长、东北文博事业的开创者和奠基人——李文信。

作为20世纪80年代后期入馆的文博后辈，对先生的名字，感觉既陌生又熟悉。说陌生，是今生无缘与先生谋面，更无缘亲聆教诲，记忆中无法存储先生的音容笑貌，故总有陌生之感；说熟悉，是指通过拜读先生的著作，通过所接触的所有文博前辈的不断讲述，先生的形象在我的脑海中日渐清晰起来，对先生的名字也变得耳熟能详。

先生之于我辈，是崇拜的偶像，永远的楷模。论学术，先生自幼向学，终生苦读，书海遨游，手不释卷。先生涉猎广泛，学识渊博，由美术专业而转攻文博，于考古学、文物学、历史学、博物馆学，无不精研，更以东北历史地理和中国古代陶瓷为专攻，探颐索隐，见解独到，著述弘富，开启了东北文物考古的学术之门，也由此奠定了他在中国文物考古界的学术导师地位。论事业，先生心无旁骛，倾情投入，坚韧不拔，鞠躬尽瘁。田野调查、考古发掘，风餐露宿，苦中作乐，足迹遍及东北大地。资料整理、·报告编写、。文物鉴定、陈列设计，亲力亲为，一丝不苟，为辽博的业务发展打下坚实基础。奖掖后学，诲人不倦，开班办学，培养人才，为辽宁乃至东北文博事业的可持续发展培育了一大批中坚力量，堪称德艺双馨的事业楷模，为后辈所景仰并铭记。

回顾辽博六十年的发展历程，面对文博事业发展的大好形势，我们更加怀念以李文信先生为代表的一代文博前辈。怀念学界前辈的最佳方式，应是对其学术成果的继承和敬业精神的弘扬。李文信先生身后留下丰富的著述，专著、报告、论文、札记、批注，蔚为大观。这些都是先生五十余年的治学所得，字里行间，饱含一代学人对学术的眷恋和对事业的热爱之情，它已成为宝贵的文化财富，是嘉惠后学的养分，是引领学术发展的航标。

李文信先生离开我们已37年了。值此之际，重新整理编辑出版的《李文信考古与文博辑稿》，是对先生的最好缅怀。

与已出版的先生文著相比，这部《李文信考古与文博辑稿》除订正了原排印中的一些讹误之外，还具有以下几个特点：

一、从编排上看，全书根据内容精分为五卷，即《考古报告卷》《陶瓷研究卷》《学术著述卷》《东北历史地理研究卷》《考古手迹卷》，各卷内容更加专业、深入，更具卓识远见。

二、该书此次独家收录李文信先生大量手稿影印图片，独立成卷。令后辈读者得以看到先生当年深入田野考古一线的工作成果，从字里行间中体察先生的治学风范，感受先生深研一生而留下的学术成就和学泽。

三、该书此次收录的大量文物和手绘图片，都重新进行影印更换，使图片更清晰，更具资料价值。

随着这部《李文信考古与文博辑稿》付梓，先生的学术成果将完整地载入辽宁文物考古文库，先生的业绩和贡献也将永远载入辽宁文博事业发展的史册。

辽宁省考古研究所所长　马宝杰

2018 年 11 月

序五　往事如新

回忆父亲二三事

今年是我父亲李文信的百岁诞辰和逝世二十周年祭。他毕生致力于考古研究和博物馆建设，是东北考古博物馆事业的开拓者和奠基人。他为人正直诚厚，治学严谨精深，做事勤奋认真。他的道德品格、学问成就，得到社会普遍的尊敬。仲元不才，虽得力庭训而事业无成，愧对先德。谨以忆旧之小文，抒永怀之思念。

尽管往事纷然，如云烟过眼，而老父育我之情却清晰真切。其中最难忘的便是父亲的夜讲。他从事研究工作，每晚阅读文献，撰写文稿，甚是辛劳。但有时却停下来给我讲上一段。虽说不是伏生授经般的奥理，只是给小孩子讲的故事，但也都是典籍上的精华。这时，是我最快意的时刻。炎夏的夜晚，在自家的小院的葡萄架下，父亲躺在藤椅上给我讲起古往今来的故事。夏夜星空灿烂，银河横斜在天，父亲便指给我看，哪一颗亮星是牵牛星，哪一颗是织女星，他们是夫妻，被分在天河两边。连《古诗十九首》中也有他们隔河相思的诗章。说到银河，又讲起乘槎浮天的故事。古时有人看见年年有木筏从海边漂过，甚是奇怪，便备上干粮，爬上木筏，不知不觉中浮上一条大河。几天后，漂近一座城，遥望城中，有许多女子在纺织，岸边一男子牵牛饮水。一见木筏上人，便大惊起来。交谈中，问这是何处，牵牛人笑而不答。他便乘筏回到原地。后来才知道，原来竟是乘槎浮上了银河，所见的男子便是牵牛星。这故事新奇、美丽、富于幻想。使我惊异激动，想入非非。直到轻风爽人，凉月如眉，夜已深了，我才带着妙想，回屋去睡。严寒冬夜，外面风雪呼啸，室内炉火正红。父亲拥裘而读，兴致浓时，便又开讲。苏武出使匈奴被拘，持节牧羊于北海之边，吞毡饮雪，十九年坚贞不屈，终于胜利还朝。壮岁出塞，归来时已须发皤然。这故事使我感佩不已。东晋王徽之忽然思念好友戴逵，便不顾天降大雪，连夜泛舟剡溪，船行一夜，临门而还，别人奇怪，他却说，乘兴而来，兴尽而返，何必非要相见呢？晋人这种匪夷所思的行径令我发笑。还有袁安卧雪、踏雪寻梅的故事都曾感动了我。尽管屋外寒流滚滚，而室内却充满生意，充满温馨，直到炉火渐熄，寒气袭来，才酣然睡去。父亲夜讲的话题很多，年积月累，我竟熟知许多典故。年长之后，读了一些书，方才知道，父亲讲的这些故事，原都在书中，而且还多得很！

父亲经常利用休息日进行考古调查，早早出发，近晚方回。足迹几遍沈城郊野，多年例行不误。到我十岁之后，也就是1943年至1945年间，便常带我同去。星期日吃过早饭，父子二人便上路了。陵西、塔湾、南湖、东陵一带都有我们父子的身影。记得是一个初夏的星期天，我们背上背囊，手持铁铲，又出发了。出得城去，披拂着清风，行进在马官桥东的一片坡原之上。那时的沈城只有几十万人口，这里更是少有人家和耕地，多是大片的冈地坡岸。走着走着，真的在偏东北的山冈上（便是如今的农业大学）发现一大片含有陶片、石器的古人遗址。我们便分头寻找、采集，希望有意外的惊喜。当我走近一处被水冲过的小坎边，几步之外便见土中露出一件东西，它特殊的色彩使我即意识到将是一个"重要"的发现。忙走过去用铁铲挖了出来，这是一件十多厘米长，比大拇指还粗的四棱石条，前端底部磨得很平，上方磨一斜面，形成一条锋刃。这是灰绿色的碧玉类石料，质地细润而坚硬，磨制得十分精致，可惜刃部有了残损。我大喜过望，忙拿给父亲看，他很高兴，还夸了我几句，我心里不知有多么高兴。父亲说：这是一件石凿，古人用它加工木材，可以凿出方孔。它可以证明那时已发明了榫卯相接的结构形式了。父亲又拿出他的发现，这是一件黑灰色沉积岩的石片，形如半月，直的一侧是刃，另一侧是稍厚的弧背，上有小圆孔。父亲说，这是手镰，古人拿它割取谷物的穗。后世农村使用的金属掐刀就是它发展来的。待到夕阳西下，背囊已满，该是回家的时候了，我们父子迎着天边的晚霞步入沈城东门。到家时，妈妈已备好晚饭等我们归来。这件玉凿是我独自发现的第一件文物。我便称它为马官桥一号地点的01号。以后的好多年，它和那件手镰还有别的许多东西，都摆放在父亲的器物架上。直到"文革"浩劫才不见了它们的踪迹。当年父亲带我这十岁刚过的孩童同去考古踏查的做法，直到我长大参加考古工作之后才恍然悟到他的深意。

成年之后，也许是自幼陶染的缘故，竟爱上了书法艺术。虽然也勤于临池，但一直不得要领。父亲看出了症结之所在：我所见过的碑帖，不过是人们常见的《九成宫醴泉铭》《多宝塔感应碑》《玄秘塔碑》之类十多种。识见不广，根基浅薄，眼低自然手拙。那时我住在父亲的老宅里，一天午后，父亲从辽博班上回来，竟请人从资料室推出了一手推车的碑帖送到家中。一百多本的手拓或影印精品，欧虞褚薛，苏黄米蔡，应有尽有，连同一整套的清拓三希堂法帖，堆满了书房的半面墙。当时真的把我惊呆了，哪里见过如此精美、众多的书迹拓本！简直就是书史珍迹的总汇。从此，我便像饿牛进了菜园，饱饱地享用着这丰厚奇美的艺术大餐。父亲知道我独自难于消受，便经常伴我共同赏鉴，其实是对我进行辅导。每到晚上，父子便并坐书案之前，或展帖论法，或指画辨识，有时拍案称绝，有时抚掌慨叹。陆机平复帖之高古无双，褚遂良雁塔圣教序之遒丽多姿，杨凝式韭花帖之隽逸超绝，都引起我强烈的心弦震颤。而张旭之颠，怀素之狂，米芾之恣肆，更使我心动目眩。历代名贤遗法赫然现于眼前，如入琅嬛之室，瑰宝罗列，目不暇接。父亲常常只用三言五语便点出书迹之妙理，艺法之真谛。顿觉心胸豁朗，略无凝滞。加之努力临池，书艺也随之大进了。这些碑帖放在家里足足赏鉴了三年。1965年才还了回去。虽说习书是漫长之路，然而这几年之陶冶，使我加深了修养，开阔了眼界，奠定了一生的书艺基础，当年老父推回一车碑帖拓本意外惊人之举，至今想起，犹令我心澜波动不已！

时光悄逝，流年似水，算起来这些往事已近六十年和四十年前的事了。当年那乘凉的小院，围炉的老屋如今已不复存在，我那慈祥的老父亲也逝去二十年了。然而那夜讲种种，那郊野踏查，那碑帖赏鉴和老父对亲子的深厚恩情却深深铭印在心，永不忘怀。

李仲元

（原载《沈阳日报》2002 年 10 月 21 日万泉副刊，名为《忆父亲》）

（目录）

考古学研究

考古学研究

满洲史前考古学上之基础知识

（一）何谓史先史？

人类社会继续之活动体相，虽远自有之始，至于复杂茶端之今日。统计其成绩，估其文化程度、播化、演进之迹，以为吾人今日之资鉴者，是为"全人类之历史"。世之所谓"历史"者，盖为人类进化之某段，已具文化之粗形，作有原始文字之纪录。溯而上之究不过传述祖先之口碑神话而已，真欲理解邃古人类活动之真象，杳不可能。然文明日高，学科分化，考古学者用科学的方法，欲返续世俗之所遏吏者。究而上之，以窥探人类原始之生活动作、文化色相、生物环境者，是为史前史（或曰先史时代）。要而言之，史前考古学者专攻文献毫无之荒古人类史者也。

（二）史前考古学之发达

专门人类太古史之研究，应以丹麦汤姆孙氏为最早，当18世纪末叶。汤姆孙氏与吴两赛氏等，用今人类武器之材料，将人类文化分为石器、青铜器、铁器三时代（所谓古代文化编年），各国学者纷纷采用。后因研究进步，终确立史前考古学之专门科学。唯石器又分晓（原）、旧、新三期。铜器亦分为纯铜、青铜二期。且每期又分若干不同之代表的划分，皆为先史考古者努力之领域也。

人类好奇与知欲心，为学术进步发达之原素。复加学术分科，博大精邃之研究，日高一日，故考古学之地位确立。同时发达既速，领域尤宽，迄至今日已成举世极发达、极趣味、极新鲜之一独立科学矣。故以时代为主脉，则有史前（先史）考古学、原史考古学、历史考古学等。以地域（人类学者所谓社区）为范畴，则有东方考古学、欧洲考古学、埃及考古学等。以文化精神为目标，则有佛教考古学、基督教考古学等。以取材内容为准则，则有美术考古学、建筑考古学等。下至刀、剑、鼎、镜、耳饰、泉货之微，或作比较之探讨，或为综合之研究。

至于国设考古博物馆，大学设专科，或临时组织考古队，渐由尊严艰深之专门科学，趋于大众之普及化，真所谓举世若狂，风靡一时矣。虽文化迟进之东洋，亦为时势所趋，不甘后人。已有几多学人，埋头努力。而日本之提倡发达，则在明治初期。迄至今日，已成家弦户诵，妇孺皆知矣。吾国建国日浅，今者政府已着手进行，少有成绩。则吾国斯学今后之发达，不卜亦可知矣。

（三）史前考古学之资料

世之史学研究者，以文献传说为研究之材料。而史前考古学者，乃以太古人类有意无意，或直接间接所遗空间延长之物质遗物为全人类之档案而研究。准此举凡人类之住居、墓地、尘堆、堡寨之遗迹，武器、家具、绘画、雕刻之遗物，畜牧之动物骨殖，培植之植物根核，以至炭屑、灰迹、粪便等微芥，皆为贵重之材料。至应用此等材料其结果如何？应视学者之经验及其他科学之利用如何为。

（四）何谓遗迹及遗物？

遗迹遗物在实际上，并无截然不同之区别。为研究便利起见，习惯以形态不大、位置易于变动、搬运无常，如瓦器、石斧、雕像、角骨等为遗物。体态重大，或夹杂土层之中，或印痕于土石之表，运搬不易，如堡寨灶迹、墓地、住居迹、垃圾堆等为遗迹。然而所谓搬运易否，乃经济与劳力问题；物体大小，亦无绝对标准。其实遗迹，亦遗物之大者耳。

（五）遗迹之种类

所谓遗迹者，既如上述，兹就吾国惯见者分之于左。

1. 居住址

荒古原人虽无若何化之于文言，然共部落或种属之间，互营共同生活。无论在生活上、部族组织上、争斗利害上，皆为必要而无疑之事实也。故居住址现存者，约有六类，再加详细说明之如下：

甲. 洞穴——利用天然洞窟，以避免自然及动物之伤害，及同类之残践。如旧石器时代"北京人"家屋之周口店洞穴，新石器时代家屋之锦州沙锅屯洞穴等皆是也。

乙. 灶迹——人类用火为文化之一大进步。旧石器之人已知用火为防卫，新石器之人更知熟食、取暖、制陶等。

故吾国先生遗迹如哈尔滨附近之顾乡屯、吉林龙潭山、长春石碑岭、开原龙首山、大石桥磐龙山，旅顺大连附近尤多。且每与石器、瓦器等同地存在者。

丙. 包含层——虽无原人显然居住迹象，然地层中原人遗物丰富，且似太古即委弃于此，非后代天然或人力搬运至此者。当时或系居处，或系尘芥场，如海滨上之贝冢等，乃显著者。

丁. 湖上家——水滨原人，利用环境，常筑屋于湖沼中。瑞士、意大利、北美多有发见。吾国为大陆环境，湖沼不多，从而亦无此种遗迹之发见。

戊. 竖穴——凿地为穴，上敷草木以为居屋之遗迹也，多存在寒地。故吾国北部及西伯利亚地带，多有发见者。

己. 堡寨——择孤峙小山，或连林麓，或沿江河，造成阶段式之金字塔形。或垣以上，或栅以木纯为战争守备之用，如关东州普兰店之台子山、大石桥之磐龙山、吉林市东西团山子皆是也。

2. 墓场及巨石遗迹

原人除充实生活好杀喜斗而外，其最重视者厥为死葬及宗教。故除上述为太古人最大最多之遗迹而外，应以坟墓及巨石纪念物为最著者。

甲. 门希尔——此物乃直立一伟大石柱，为宗教上或精神上某种信仰之纪念物也。如凤凰城石柱子村之石柱子，及义县某村俗，传为唐薛礼拴马之石柱子皆是。又有人谓辑安县（今集安）好太王碑亦系利用此种遗物而摩刻者，但以该碑文考之，似或不然。

乙. 多尔门——此种遗迹，有学者主张其为原人坟墓者。石颇伟大，地上植数石为足，上架巨石板，如长方食桌焉，种类甚多。欧西、印度、日鲜均有存在。而吾国南部海城姑嫂石、盖平石棚庙，皆代表一时代、一人种、一地方之种属而已。

丙. 贝郭墓——此种遗迹多见于沿海部分，以贝壳为死者棺椁，并附以石瓦器之原始坟墓也。

丁. 积石冢——以三四十厘米之自然石为封，中葬一尸或数尸，多有原始明器出土，旅顺一带为最多。

戊. 石棺墓——用石板组成石棺，中葬一尸，附以明器。亦有葬火后之骨灰者，赤峰红山后颇多。

己. 瓮墓——以瓦棺或瓦壶盛骨或骨灰而埋葬之，后世佛教国亦有行之者。

（六）遗物之种类

原人既不知治金而用金属，则日常用具概以易得之竹、木、皮、革、骨、角、土、石等为之。在物性上木、竹、皮、革易于朽坏，以故遗留至今者，仅余骨、角、石、土等器耳。竹、木、皮、革器虽常发见于湖底或穴洞，然吾国从未发见，故从略。

1.石器

洪古人类文化进步较迟，故石器时代历时悠久，而石器遗存于今量者亦多。以时代论，分原（晓、曙）石、旧石、新石三期。以技法论，则有打制、磨制、部分磨制各种。至其种属形态虽不足以代表一民族、或一地方之特性，而各国遗迹之发见品，究有若干之不同。石材以玄武岩、斑励岩、火山岩、泥片岩、黑红胶石、大理石、石英岩等为最多，其选石固以环境所有为多，而远从异乡交易而来者，亦不鲜见。此为吾等欲知太古交通与交易情形者所当留意也。

甲. 石斧——石器中以石斧遗存为最多，种型不一，大者四五十厘米，小则二三厘米不等。唯装柄及用法与今世铁斧不同（当有专文发表——石器之装柄及用法）。或装柄，或手握，用之于切断、打击，或为威仪之表示。祭祀之礼器，有无孔、有孔、有肩。片刃、平刃、蛤刃、亚腰、尖头各式。又一种体宽而扁平，且为片刃者，人多谓之石刨。奉天国立博物馆、哈尔滨大陆科学分院、旅顺博物馆均有多数陈列。金州三宅俊成君及笔者采集品亦不少。

乙. 石凿——普通称磨制石斧中之柱体稍长而为片刃者为石凿，出土量较一般石斧为少。但终觉名称欠妥，如名为凿形石斧为佳。

丙. 石环——或名环石，或名石璧，或考为杖头，或测为农器，或谓为变形石斧，或谓为原人之装饰物、威仪物、祭祀器、信示物等。如汉族上古之用圭璧焉，形圆中穿一孔，可装木柄乃周缘或有薄刃，间有磨出四五六棱花饰者，更有体呈圆筒形而外无利刃及花纹者。内蒙古小库伦、开原龙首山、吉林龙潭山各处出土较多，西伯利亚东部尤夥。

丁. 石刀——形多牛月、仰月，矩形数种。亦有用石片装于骨角土，如镰状者，前者一面磨成薄刃，多穿三孔或二孔。亦有无孔者，貔子窝、旅顺、吉林龙潭山、热河赤山后，均有出土者，且多与日、鲜、华出土品极类，亦趣事也。后者以西伯利亚及新疆为多，吾国则热河曾见一例耳。

戊. 石镞——石镞发明于中石器末期、新石器初期。因其射出不易收回，故出土量异常丰富。约分有茎无茎二类，技分打、磨二法，其形多三角、菱形、柱叶各状。全长十至八九厘米不等。磨者多用砂岩、泥板岩。打制者多用红黑胶石、玉遂、蛋白石、玛瑙、水晶之类。吾国吉林、延吉多磨制，热河、兴安属于细石器者多打制。

己. 石剑——形如长枪头，亦有打磨之异。因其形亦有用于长柄上之可能，故有称为石枪者。究其极，缚以长柄则为枪，装以短把则为剑，其为冲突之用则一也。吾国出土品多绿泥片岩磨制者。或谓为威仪及舞蹈用器，理或然也。

庚. 石垂——形如石斧，打制较多。两端无刃，中有亚腰，便于装柄或系索。以打击为用，沉纲亦有可能。吾国出土较少。

辛. 特殊石器——除上列外，如石匙、石棒、石锯、石犁、石臼、石皿、石锹、纺轮等，出土有限。作用多不明确，故不详述。

2. 瓦器

瓦器之发明，乃人类文明之一大进步。盖原始人不明熟食，又不知储藏，故每日唯遑遑于食物是求，无暇他顾。间有一二特出者，或由偶然的创造，或受邻族的染化，始知利用自然物蔬果，贝壳、兽头骨盛水液，土穴筐篮以藏食余。上述用具多受物质环境限制，缺点良多，而破裂则为唯一苦恼，不得已则以黏土补救。待近火将原物部分烧失，而土壳正堪代用，则瓦器已于不知不觉间出现矣。故太古瓦器多圆形圆底或尖底，放置极无安定性以此也。力求安牢置放，或加以足如鼎、鬲、甗，或附以座如豆、登，或仿筐篮平底，或增把、鼻，便悬垂，凡此皆足以见古瓦器演进之迹也。除上述之实用性外，尚有绘以彩色花纹，押以几何模样者，又为考探太古艺术重要之资料也。瓦器在考古学上之重要犹不仅此，盖文化之播扬染受，祖先技法保持演进，皆可于零碎瓦器残片中究明之。则于民族之推测，时代之考定，文明之实相上，在显示其重要而尊贵。有人谓"今日之考古学即壶的考古学"，良不诬也。

甲. 彩纹瓦器——以远古色彩瓦器唤起世人兴味者，厥为从事于北平地质调查所之安特生博士。盖于1921年在河南省仰韶村及其他遗迹曾有彩色瓦器之新发现，后该博士又有新疆甘肃考古队之组织，发见尤夥。且有正确之报告发表于世，从而世之专门研究东亚彩色瓦器者之兴味，亦达白热化矣。吾国以热河、金州两遗迹地出土为多。单坨子出土，现藏于旅顺博物馆者可谓重宝也。器形复杂多种，概用自然酸化物之白黑赤等相间抹成种种几何花纹，与近古陶瓷油药不同也。

乙. 无纹瓦器——此类瓦器，多赤黑褐色，形状古拙，技术稚劣，纯用手工，不用口辘（陶车），质粗体厚，含有大量长石、石英砂、云母粉等。虽无花纹以资考鉴，然其器或受先进民族之影响者甚多，如各国石器时代三足瓦器殆为各遗迹所共有。其他豆甗形者亦多，此受汉族文明之染化也，吾国各遗迹均多出土。

丙. 压纹瓦器——殆此种较上类大体并无若何不同，唯于器表多用花模压纹样为装饰，亦多为几何形。所谓康克拉米式（篦印纹）纹，及古泉作续纹者均间有之。

丁. 画纹瓦器——此类花纹可分三期：一为写生状物，富图腾表现意味；一为符号装饰，含原始象形文字性质；一为吾人以为无意识之点画，或蕴符箓、诅咒等作用，唯此等瓦器出土较少，正为今后努力之科目也。

3. 骨角器

竹木易朽已如上述，则太古遗存古物除上述二项外，以骨角器存在尚多。唯石器时代文明幼稚。所谓器者，究不过略施技工以资日用耳，故研究者不应以形状是求也。

甲. 钓针——原始人渔捞除用粗制网器、枪箭、筌笼外，亦有用角骨造成长钩备钓者，形如今日钓钩而大，亦有长柱两边对出或互出倒钩者。齐齐哈尔、金州沿海各遗迹多有之。

乙. 缝针——新石器文化及至后期，已由渔猎、牧畜进至农耕而定居，故衣服亦渐知用布。缝针因之而发明用兽骨磨制，形同今日缝衣针略加粗大，一端有线孔一端细锐。吾国延吉最近出土一例，数针同藏于骨筒中，恰如今日村妇收针于针囊中者。现藏奉天国立博物馆，举世绝无之例也。

丙. 骨锥——突刺之锥，多用骨角之尖端或折断之利锋，略施技工。延吉近郊、貔子窝均曾出土。

丁. 角椎——击之椎，多截取角根或取角枝基部老干之一段，以角端或角枝为柄用之。又有截取粗大角骨之一部，中穿方圆孔，装把用之。吾国穆棱炭矿、海拉尔矿层、昂昂溪近郊、赤峰、哈尔滨顾乡屯、戛赖淖儿，均有出土。

戊. 杂器——除上述日用及武器外，尚有骨斧、骨刀、骨镞、饰物、斧柄、弓鞘、发梳、箭裤、鸣镝为常见。盖石文化人用骨角如今人之竹木，无处无之。惟吾国今日尚少发见，故不详述。

上列三类原始人用器，乃每一遗迹，往往并存者。他若贝壳、兽爪、美石、鸟羽、自然金属，皆为原始人所宝爱。唯此等物多属于少数强力者，及女性饰物，或一地方一民族之特有，不必分述。至如印痕迹象、出土状态，有出人意表，而实际发掘往往遇之者，及遗物本身无关重要。而基于特殊形态其价值竟有不能估计者，皆视研究工作者之学识经验运用之何如耳。次将初学者应努力之科学加以说明，望注意焉。

（七）史前史研究上借助之科学

1. 古史学——各族有史时代无论如何迟晚，必有一部洪古传说神话。部族殊俗生活方式，古器遗物等残影纪录于古史中。故吾人可据古代陈编，推考原始人生活大略，如各国各族之古史等。

2. 人类学——人类体质、形态、族各不同，故凡人类由来、特质、现状等，以人类学方法考查之而下能明。是一遗迹之人种判别，时代证定，必有赖于是科，无疑义也。

3. 民族学——各族缘有固有文化，且此等文化必传自远祖而为独自之发展，或因交通，邻族关系而生播化促成其变态之进步。故学者以科学方法考究其生活样式，及思想文明，获得民族演进之法则、段阶，以为解释远古社会之助。

4. 民俗学——在科学上本为上项之一科，因其与先史考古学之关联特密，故有独立研讨之价值。世界之大而民故不遑数数，一族之中而区落亦不胜罗列，或因传统历史不同或因生活环境各异，则其进化程度千差万异，几令人不敢比观。故信仰习俗亦牛鬼蛇神超出想象之外，然民族文明愈低，则其俗尚愈较为奇怪。但去古不远，而原始人生活、习俗信仰、崇拜等，正可借此以说明之，其重要者在此也。

5. 地质学——地质学在先史学研究上之重要更为昭然，盖太古遗存多杂于地层中，故遗物之年代必待地质年之勘明而确定。他如古生物学可据考伴出物及当时生物环境，岩石学亦借明石器材料之使用、出产、交通、贸易等，实为吾辈不可不知利用之科学也。

6. 理化学——今日考古学不独以人文科学为基础，即自然科学亦必须尽量利用始可，如古物之成分、比重、硬度等，以及真伪必得利科学分析研究而后定。微至石器风化之程度，古陶烧造之火候，瓦器彩色之成分，亦必借理化学而论定其真伪与价值。故化学分析X光线鉴定，萤光、赤外线写真等皆为必要，至少显微、扩大镜之器械不可不用也。

考古学之成为专门科举，历史虽短，而发达有一日千里之势，迄至今日已完全立足于科学之上。故吾人对人文科学及自然科学必有相当造诣，虽不能入于专门，而一般知识则绝不可少者也。以上六项为必要者固不待言，在可能情形下即绘画、制图、测量（平面）、摄影之技术，宗教地文航海之知识，以及参观、调查、边地之活动，皆为吾人所重视者。

（八）吾国史前考古学之成绩

吾国史前学之研究，以日本鸟居龙藏、滨田耕作二博士为先河，始作金州附近石器文化之调查发掘；北平地质调查所、中央研究院之安特生博士、梁思永等作黑龙江、锦州等处之发掘；东特博物馆包诺梭夫、满铁调查课八木奘三郎、天津北疆博物馆里桑师、金州南金书院三宅俊成诸学者亦各努力于吾国石器文化之研讨，共总成绩固尚待于将来之发见。而文化统属、分布状态、播化路线，皆斑斑可见（另文发表）。今将遗迹遗物及发见次第，摘要列下，以备参考。

遗迹所在地名	遗迹及遗物	发见或发掘者	年月	所据书物	备考
哈尔滨顾乡屯	寒系动物化石、石器、加工骨角	卢卡尔仑伊赞勋	1931	世界史大系(2)	旧石
同上	同上	德永重康　直良信夫	1933	满蒙学术调查报告书	同上
同上	同上	远藤隆次	1937-1938	满洲史学	同上
兴安省夏赖淖尔	第四纪动物化石木编物、加工骨角	道尔玛懿夫	不明	世界史大系(2)	同上
金州、旅顺、复县	多尔门（石棚贝）墓、石器、瓦器	鸟居龙藏	1895	满蒙古迹考	新石
海城、抚顺、凤城	多尔门、门希尔（石柱）、石器、瓦器	同上	1905	同上	同上
吉林团山子	石瓦器、细石器	王亚深、王亚洲及笔者	1938	笔者整理中	同上
吉林阎家岭	石器	吉林第四国高生	1938	笔者见品	同上

遗迹所在地名	遗迹及遗物	发现或发掘者	年月	所据书物	备考
吉林欢喜岭	石器	吉林师道学生、王亚洲	1939	近有报信	同上
黑龙江昂昂溪	石瓦骨器、人骨、细石器	梁思永等	不明	世界史大系(2)	同上
同上	同上	驹井和爱	同上	同上	同上
兴安省海拉尔	同上	道尔玛懿夫	同上	同上	同上
旅顺双台山	石器、瓦器	驹井和爱等	同上	同上	同上
郑家屯附近	石器	水野永一	同上	同上	同上

以上就显著可观者之事，他如赤峰、满洲里、穆棱各旧石器文化遗迹出土品较少，故不列出。

（九）结语

吾国先史文化之探讨虽渐有起色，然全国调查、发掘、考证，公表诸端，恐非少数专家所能指日完成，必须国民全体动员，始克有济。且吾辈处此文化宝藏环境中，正好及时努力学问，以满足精神之要求。况考古学趣味丰富，价值高尚不特一般人爱好而愿研究之，即中小学生亦莫不闻之色喜，跃跃欲试。吾国考古学之提倡无论在古文化整理上，国民精神之振兴上，皆为必要，故笔者不揣窬陋，草成此稿。

一、使一般人知考古学之趣味及低限知识。

二、望中小学校教师指导学生作先史学之探集与观察。

三、请研究家多写通俗文字作扩大的宣传。

四、望研究者有集中的组织可加强提倡宣传之力。

芜秽疏漏处如蒙方家教正之，更为幸甚。

（十）参考书目

本文非专门论著，力求通俗，便于中小学生及一般有志斯学而未得门径者之阅览。

既非典册高文，本不必故示郑重，然条列书目一则不敢掠先贤之美，以表谢意。二则便有志之参考购读，窃非无谓之学也。

甲．记论之部

《通论考古学》，滨田耕作著，大灯阁、商务印书馆，汉文译本。

《满洲考古学》，八木奘三郎，岗书院，著史前一部分。

《东亚考古学研究》，滨田耕作著，岗书院，论东亚古瓦器颇精到。

《满蒙古迹考》，鸟居龙藏著，商务印书馆，汉文译本。

《东北亚洲探访记》，鸟居龙藏著，商务印书馆，汉文译本。

《世界历史大系（1）》，史前史（缺文），平凡社，欧亚非美各洲先史综合的记述。

《世界历史大系（2）》，东洋考古学，江上波夫等著，东洋考古学史的详细记载。

《史前学讲义要录第一、二部》，大山柏著，大山史前研究所，史前分析的论述。

《满洲旧迹志上册、下册》，八木奘三郎著，满铁调查课，史前一部分。

《露西亚考古文化史图说》，竹平传三郎著，刀江书店。

《考古学讲座（共十册）》，大山柏等著，雄山阁。

《日本考古学》，佐藤虎雄著，日本文学社，全书为通俗的论述颇切初学。

《趣味考古学》，柴田常惠等著，雄山阁，石器之伪作等颇足参考。

《人类学先史学讲座》，直良信夫等著，雄山阁。

《古代社会》，杨东纯等译，商务印书馆，摩氏学说至今较旧然颇饶趣味。

《中国考古学史》，卫聚贤著，商务印书馆。

《有史以前人类——先史学概论》，成田重郎著，东京堂，第一部"工业之进化"研究明晰。

《人类学讯论》，西村真次著，东京堂，第五章"人类的祖先和其文化"为必读者。

乙．报告之部

《东方考古学会丛刊（第一册）》，貔子窝，东方书考古学会，刀江书店，吾国石器色彩瓦器系统的研究。

《东方考古学会丛刊（第一册）》，南山里，东方书考古学会，刀江书店。

《锦县沙锅屯洞穴层》，安特生著，北平地质调查所。

《东方考古学丛刊》（乙种，第一册，内蒙古长城地带），水野清一、江上波夫著，一诚堂，内蒙古细石器系统的研究。

《东方考古学丛刊》（甲种，第六册，赤峰红山后），滨田耕作、水野清一等著，一诚堂，色陶红陶及人类学上真确的研究。

《大岭屯城址》，三宅俊成著，满洲文化协会。

丙．杂志之属

《满洲史学》，满洲史学会，奉天博物馆，汉和文季刊。

《考古》，燕京大学考古社兼该大学社，汉文，半年刊。

《考古学杂志》，东京考古学会，东京堂，和文，每月1册。

《人类学杂志》，阿部兴喜编，东京帝大人类学会，和文，每月1册。

《考古学》，坪井良平编，东京考古学会，同上。

于奉天"国立博物馆"整理室

（原载《盛京时报》1939年5月6—28日）

契丹小字《故太师铭石记》之研究

　　（伪）康德六年九月各新闻登载新发现契丹小字碑，并经建大教授稻叶君山博士考订为《辽圣宗统和间盆奴太师墓志》之报告以来，颇给东洋史研究者以新趣味。时笔者正在东蒙古调查辽代史迹，故旋奉后始得知上述事实，于畏友斋藤武一先生处始拜见拓本，而原石则终无缘见矣。契丹文字有大小字之分，因辽国书禁颇严，流传者少，吾人所知者，仅古书中摩勒失真之六字，殊难依据外，则以永庆陵出土之帝后哀册四石为人间瑰宝矣，他若瓷器之铭文，玉器之雕款，辽陵壁画之题名，铜镜、印章之属，多为残断之余，殊无补于斯学也，至于辽中京大定府址（大名城，在喀喇沁右旗）之"大辽大横帐兰陵郡夫人建静安寺碑"碑阴，虽经前人定为契丹小字，因无他证，仍在疑是之间，且强半漫灭，不可籀读研究，则此石之发现在辽代史学上、语言文字学上，诚如稻叶博士所云"惊倒斯界之事"也。

　　斯碑有益吾满史学既巨且要，则研究考证固吾人之义务且为不可稍缓者，然熟读拓本觉其有详加考究余地，即就博士谈话观之，亦有应加商榷处也。盖智者千虑，难免偶失，此虽似伤崇敬前辈之仪，为学术、为真理不得不然，博士当亦不以我为重轻也。况抛砖引玉，适可获方家之教正，斯亦草此短文之用心也。

此碑之石质、雕技、尺度等，因未见原石，不敢横加批评，据拓本度之，铭盖长、宽各82厘米，纵、横各以二平行雷纹带区分为9，如古井田状，中一大区刻字2行，行3字，每字约在12厘米以内，四角各线雕牡丹1株，所余四边各线雕十二属神3，铭文宽81厘米，长80厘米，字40行，行约54字，四侧以互出花朵之半装饰之，其全体形态颇似韩楯墓志铭盖，较之贾思训墓志铭则不及甚远，兹就拜读拓本后之管见列后。

一、盖铭各用一种文字

统观东洋语言文字不同之国，所有碑碣题记，虽形式不同，字体各异，或则一碑汉番对译，或则面背各书一种，或则一石摩刻数种文字，或则一墓同出二种志铭，若唐之《缺特勤》及《唐蕃会盟》，金之《得胜陀颂》，西夏之《重修感通塔》，元之《达鲁花赤竹君碑》，辽《帝后哀册》。汉文则汉文题盖，国书则国书题盖，以至清代满、蒙、汉三体之碑，均系额文相同，盖铭一致，绝无额盖汉字，碑铭为他国书者，此独盖题汉字，铭为番字，参差错杂，为金石书法上亘古未见之例，是可疑也。

一、铭盖不书国号姓氏

墓铭石刻葬者时代、官职、姓名、世系、里贯、子女、死期、葬地、葬期等，为原则。上覆一石名盖，防磨损志铭也，盖石或刻平面花纹，或雕立体动物，而正中必刻死者时代、官职、姓氏等，使见者一目了然。亦如碑碣之有篆额，文章之必有题目也。故北魏元玘志盖题"魏故元使君之墓铭"，北齐高建妻题"齐故金城郡君墓志铭"，隋杨居题"大隋前潘城录事参军杨公之墓志"，下迄辽、金、元、明，旁考海东、漠北、西夏、南诏，莫不明标时代、职官、姓氏；间有不注时代，则必明记职官、姓氏；不注姓氏，则必注时代、官职；极例外者，亦必载明死者与其显贵先人之关系，如“司徒公孙”者，且此等多为幼殇而无高功伟业可述者，寿而显者无有也。若此石不书时代、姓氏，仅记职官者，实为极不合理之书例也。抑有说者，契丹一代“太师”二字非职官之具体的全称，其上必连他字始成专名也，不得如贾思训之只称“相国”即可也。盖辽代太师有北院侍卫、北护卫、南护卫、横帐、太子、遥辈、国舅、某宫、其部、围场之别，岂有志墓仅题不成专称之“太师”而已者，推原作者之心，盖亦深知上二条之背理事实为一大破绽，若铭盖亦用番文，世少解者（本亦无可解），此石或遭无人过问之运，今以汉文题盖，番文刻铭，既易使人理会此石之重要，在文字学上又可增高其价值，且铭语难解，人不易烛其伪，较用汉文作一炳然史册上之人物为易且安全耳，则此种用心之苦，可调“心劳日拙”，适予人以攻击之隙也。

三、汉文日月及数字

全志为番书，间有汉文语句，唯数字一、二、三、四、五、百及月、日等全用汉字，不稍变改，于理似亦未安，女真字诚有袭用汉字之迹，如 乚 匚 ヲ キ ギ 丹 卅 九 キ 为一至十之数字，由十至百又有特殊文字而与汉字不同矣，于日月则加点为日、月以别之，年则别有专字，吾人所见契丹大字，亦无一汉文数字侧杂其中，复合体中亦无形象存在。至于年月日等亦未一见，且契丹制字千百不惮其繁，何于十许数目字必用汉字乎。年字能自制，而日月则必用汉字，亦为理之不可解者，且吾人所见辽陵壁画人物像之题名，巴林左旗四方城古坟出土黄瓷器之题字，福开森氏藏玉杯刻铭，皆笔画简单，证之最近出土辽大安年郑恪墓志“通契丹语，识小简字”其为契丹小字无疑，以彼较此，绝不近似，亦可异也。

太师铭石记拓本之纪年部分

四、女真年字之袭用

铭文虽为番字，因杂汉文语句颇多，又略变汉字仍可明其用意之语亦不少，故全铭大意，人可以己意揣之。此盖作伪者故弄狡猾，使人陷其似是而非，似解不解之迷惘中者。吾所见之大意盖为某殿太后临朝，太师辅政，记叙某年月日征某州，收户或掠获几百，等功绩甚多每在月日上，必用女真文年字（**𢁅**）而减去第一画，无论其为有意改变，或无心脱落，吾人稍明女真字者，一望而知其为年，即以下文之月日证之，其必为年不待智者，亦必知之矣，女真字取法契丹固矣，所谓取法，非借用契丹字之谓也，其他雷同女真字尚多，别条详述。

五、汉字之变造

此种文字，既非契丹字，亦非女真文，直作伪者略改汉字，或添笔，或减画，使人一见面仍可明其用意者，又有取用汉字而书法格式稍加改变者，皆契丹、女真、西夏各国书所未见者也。

第八行"**火安孕𢁅**"殆为"太安几年"

第十一行"**歪㴑廿夾𢁅□月**"殆为"□统（咸统□）廿几年几月"

第十四行"**歪汎尖𢁅冬**"殆为"**歪汎**几年冬"

第十九行"**□𢁅□月□□**"殆为"几年几月□□（当是干支）"

第二十一行"**廿𢁅三月寺午**"殆为"廿年三月□（当是天干）午"

第二十三行"**□□𢁅十月廿二月寺□**"殆为"□□年十月二十二月□□（干支）"

第三十九行"**歪汎廿五□𢁅十月廿二日**"殆为"□□廿五□年十月二十二日"也

此为变造汉字，下连女真年字，及汉文月日等字，吾人可揣明其意思

者，他如

皇帝二行仁孝兄弟三行全幼四行殿太后七·九·十行太后十二行
小将十五行三百十八·二十一行二百十九·二十行半百二十七行太王
三十行**歪沉**皇帝三十行

则为书法格式稍加变改者。此中又有极不合之一点，则为直书当时"年号皇帝"是也。盖书写当时皇帝必加以极尊敬之表示，或以"上""今上"等字代之，征之辽金当时，及其遗存之文献，皆不外此，况太师赫赫之官，撰文书写者，绝非村野之夫，半通不通者可比，然有超文章法制之通例，而甘犯大不敬者，则第三十九行"**歪沉**"即为当时年号矣，而第三十行"**歪沉**皇帝"必为当时皇帝无疑，岂不可异哉。

六、纪年之不合

吾人所见东洋古代碑碣题记之纪年，不独详记朝代国号如大契丹、大辽、大金及太康、大定之类，且于年月朔日必加以干支，以表其不误。此铭文虽有数处可认其为干支处，如前条所引，然于铭尾最要之纪年则故缺如，盖恐记干支，易发其伪也。铭尾纪有"**歪沉**廿五囗年十月廿二日"为此石入墓之年月无疑。考辽代年号长自二十五年以上者，仅圣宗统和为二十九年，由此铭只有认为统和时代者而"**歪沉**"即契丹小字之"统和"也，然铭记第十一行又有"**歪统**廿囗年囗月"之纪年，准"**歪沉**"为"统和"之例译之，则"**歪统**"当为"统囗""囗统"或"和囗""囗和"矣。吾人细考辽代纪年，圣宗统和前不第无用统字者，且亦无长至二十年以上者，则第十一行之纪年，实为此石伪作之铁证矣。

辽代各期年数表

太祖		太宗		世宗	穆宗	景宗		圣宗			兴宗		道宗						天祚	
神册	天赞	天显	会同	天禄	应历	保宁	乾亨	统和	开泰	太平	景福	重熙	清宁	咸雍	太宁	太康	大安	寿昌	乾统	天庆
六年	五年	一〇年	一〇年	四年	一八年	一〇年	四年	二九年	九年	一〇年		二二年	一〇年	九年		一〇年	一〇年	六年	一〇年	三年

七、十二生肖之方位及其他

墓志饰以十二生肖，唐人已有之而辽人不过袭取其形式而已。十二生肖用于墓志，亦犹四神用于墓室宝与石棺，各有固定方位，不能任意颠倒参差也。"亥·子·丑"居盖文之上，为北方；"寅·卯·辰"居左，为东方；"巳·午·未"居下，为南方："申·酉·戌"居右，为西方，盖北南正而称为"子午向"者是也。此种思想方古代天文学者，表示方位之方法，即后世界之罗盘，亦用此法验之。辽陵哀册，无不皆然，而此石则反是，盖不明古人用心，刻作装饰而已。且冠服装束，即非契丹装，亦非唐装，鞋帽形式更不可解，失领遗足，故示促迫急就之状，作伪者以为近实，而实物确未见如此者，正给人以伪迹也。

Ⅰ. 辽代帝后哀册排列法　　　　Ⅱ. 故太师铭石记排列法故

十二生肖排列比较图

八、不合于盆奴传

稻叶博士有言曰："然由二十五年于契丹不出圣宗"统和"以外，观辽史太师盆奴与小字墓志似与此相当"〔据《盛京时报》（伪）康德六年九月二十七日记事〕。然吾人细考"耶律盆奴"于景宗时为乌古部详稳，"寻迁马群太保。统和十六年，隐实燕军之不任事者，汰之。二十八年驾征高丽，盆奴为先锋。至铜州，高丽将康肇分兵为三以抗我军……"盆奴击破之而擒肇，"追至开京，破敌于西岭。高丽王询闻边城不守，遁去。盆奴入开京，焚其王宫，乃抚慰民人。上嘉其功，迁北院大王，薨。"《辽史·耶律盆奴传》与此石显有不合者二事。一、盆奴薨于圣宗统和二十八年后，且后此号无长至二十五年者，则二十五年死去之"太师"，自非二十八年后薨去之"北院大王"也。二、盆奴官终于北院大王，乃契丹人官级之极高者，薨后绝无降称太师之理，况盆奴曾为"马群太保"，未任太师之官。博士所云，不知何据也。

九、不合于女真字

视见此石者，多认为女真小字，然以金代小字宴台进士题名，得胜陀颂碑阴、海龙摩崖碑、北鲜女真小字碑、奥屯良弼题字，乃女真译语较读，竟无单字只语相合者，其字母略似者虽有40余，而确实相同者，千数百中，仅七字而已。女真小字在今日可以解读者约十之三四，设此碑石为女真小字，绝无一字不识之理也。然不可因其非女真字，反证其为契丹字，盖"非女真字"一事也，"是契丹字"又一事也。况有其他多处不合于女真字之证据存在乎。

十、出土始末之暗昧

一碑出土，必有其渊源始末，若发现期，发现人，伴出物件，古坟构造等，皆不可不知者。或谓世有不知来历之碑石，群而不疑者矣，然须其本身"无特殊性""无可疑点"，与此正反是之此石，不可不问也。譬诸官府之与人民，彼人无何等犯行之嫌疑时，不知其乡贯、住所、职业、朋友、素行等亦可，否则即有详细究明之必要也。本石可疑点即多，已难相信，再加以利润为目的之古董商人次第传称之渊源，吾人实感其出现暗昧而欠明白，对其文化之价值，不得不重新谨慎以估量之也。

总　结

由上列管见观之，吾人可得下列概括之意见：

1. 题盖不合文例，盖、铭二种文字乃作伪者，避免考证及增高碑石价值所生之裂痕。

2. 十二生肖神方位颠倒，冠服不合制度，出于模仿之结果。

3. 纪年不合于辽史，与"耶律盆奴"无关。

4. 字体不合于传世之契丹、女真小字。

5. 其内容为"汉字""变改汉字""类似女真小字"之新字及大部"不明之新字"所组成。

6. 出于古物商之后，出土详情无科学的、学者的证明。

总结之则此石：

"非契丹小字，非女真小字，乃一种世尚不明之文字，且有妄人伪造之形迹。"

（伪）康德六年十月原稿，七年十二月修改。

（原载《满洲帝国国立中央博物馆论丛》第3号，1942年）

日寇在东北文化侵略的罪行

　　从前日寇占东北，用残暴的武力剥夺了我们的自由，榨尽我们的血汗，迫使我们不能生活，企图我们俯首听命。一方面伪造历史，抹杀历史，来麻痹我们的民族国家意识，妄想割断东北与中原的历史关系，建设他们的所谓"满洲"史观，来做他侵略东北的理论基础；另一方面就有组织有计划地来毁灭历史遗迹，掠夺大宗文物，打算使我们后代也永久失掉民族历史观念。这些狂妄计划都暴露日帝文化侵略的狠毒用心。今天美帝正要武装日本，我们文化工作者必须正视这一问题，对日本文化侵略者过去所唱出的荒谬谰言，彻底予以粉碎。兹就一时所闻见所得者分条略记于后：

（一）日帝伪造历史事证企图欺骗我们来服从他的统治

1. 他们说日本神代磐境、磐座文化遗迹传播到南满

　　日帝国内在1914—1915年前后，产生一种怪诞学说，叫作"神道考古学"，专门捏造他们神代祖先居住遗址的种种形式和讲究。据他们的说法，

这种遗址分为两种：一种叫"磐境"，是他们神代祖先用大石围筑的居住址；另一种叫"磐座"，是他们天神子孙的祖先曾坐过的大石头，或当时做祭祀对象的大石头，来证明他们统治头子的天皇确是天神子系，与日本老百姓不同，与别的种族也不同。于是日帝侵略者的走狗御用学者们，在我们辽东省海城县大石桥村迷镇山娘娘庙后山峰上指出一处，强说几块天然大石块是磐座遗址。不久又到吉林市郊龙潭山上找了一次，可惜这山上并没有露出的奇峰大石，没有他们硬指的基础条件，因此他们在报纸杂志上宣传说，日本和南满洲远在他们的神代（公元前7世纪）时期就有关系，就是不可分的。后来强迫中国人拜他们的天照大神庙，也是这个企图的表现之一。

2. 伪造渤海国与日本的关系密切——一文钱作伪证

日帝东亚考古学会派东大原田淑人、京大田村治郎等六名文化侵略工作者，于1934年5月到松江省宁安县东京城镇发掘渤海上京龙泉府址。在掘土工作中把预先带来的一个古代日本铸造的"和同开珍"古铜钱抛到土坑里，等被中国工人掘土撮出来以后，他们就郑重其事地做纪录、照相片、拓墨本，大事宣传，惊为奇获。把这一大伪造遗物印入他们编制的报告书"东京城"中。于是就宣传说渤海国当时与日本奈良平安时代的关系密切，相反地说与中国没有大关系，同时也做出好几种"古代日满国交"和"渤海与日本"之类的伪史书。这是他们所做的侵略勾当。

3. 捏称金（女真）人与北部日本人大做海上贸易

黑龙江省明水县伪参事官日本人森友三治保存一把破旧的日本古刀，他说是该县第三保马永屯附近出的。日本人泷川政次郎作北满古迹调查报告书就得出结论说，日本古书吾妻镜主记载金人渡过日本海到北日本来贸易，这日本武器当是那时输入北满的，可见女真和日本也有交往关系的。但这把破日本刀究竟由哪儿来的，只有他们自己知道。

4. 诬成吉思汗是日本人——源义经

日本帝国主义为了侵略满蒙，离间满蒙民族关系，就伪造出成吉思汗即源义经的怪说。他们自己说源义经是日本镰仓时期的特出武士，后来跑到北日本就没有下落了。他们捏造了种种理由证明是跑到北满大陆上又雄飞起来，那就是源义经，蒙古人称作成吉思汗。日寇强占东北不久的1935年，黑龙江省克东县有个元代古城址，出土一个写有"岛定"二字的日本瓷酒瓶，于是乎就指定这瓶是源义经带来的，城址也就是成吉思汗即源义经的初期居住地。同时又有日本人在吉林省怀德县、公主岭市附近找到了一座蒙族王公的坟园，根据他们自定的特征，定为成吉思汗即源义经的长眠地，在新闻报纸杂志上大事宣传，又写出好几种厚厚的"成吉思汗即源义经"之类的伪书来。实在是克东有位张墨林先生，由北京回家时买了个日本旧瓶子装东西，"九一八"日本人侵入东北后，觉得存个日本瓶子有危险，就偷偷埋到古城子里了，后来种地的犁出来就被日本人收了去了。并且"岛定"是现在日本下关市的一家酒店，全历史也不过200年，但他们竟不顾事实来伪造一套历史，这真是所谓"心劳日拙"，谁能相信？谁也明白他的毒计。

这种伪造东北史实的事件很多，现在仅举几个例子来说明，日帝的文化侵略野心。至于他们在历史和考古上歪曲事实，言论荒谬，应加批判的更多，今后我们急应加以驳正，来扫清他们有意留卜的毒害。

（二）日帝掠夺文物，破坏史迹，企图消灭我民族历史意识

1. 唐鸿胪卿崔忻凿井记刻石

岩石很大，原在辽东省金县旅顺口东黄金山后。刻"敕持节宣劳靺羯使鸿胪卿崔忻井两口永为记验开元二年五月十八日"等字。后有清人建设旅顺口海防御英法侵略的题记两大段，最后有光绪乙未前任山东登莱青兵备道贵池刘含芳作石亭保护此石的题记。崔忻是唐开元中出使靺羯（渤海）的使

臣，路过此地凿井题名以作纪念的。这片石刻是东北唯一的唐代碑刻，在历史上、地理交通上极为重要。日帝侵占旅顺不久，企图把这历史证物去掉，就夺为己有，盗运回国，献给他们的统治者天皇，作为侵略中国的贡献品了。此事日人书中也有记载的。

2.后金天命年间新城老满文石门额

新城是后金天命时期由老城迁都到辽阳太子河东修筑的，辽阳人因为它在辽阳旧城东，也叫东京城。不久又迁都沈阳，这城就荒废而变为村落了。城门石额很大也很重，刻有加圈点的老满洲字，有大金天命年号月日款，是研究清初历史的重要材料，天命年款的碑刻只此一件，更觉贵重。"九一八"以前日寇就盗运回大阪，因此拓片流传甚少，国人知道的也不多。我由日本人手中借阅照片时，暗中翻照一片，保存至今，可作证明。

3.伪奉天博物馆玉器、瓷器、漆器、景泰蓝 230 件

伪奉天博物馆集中了日帝"九一八"当时掠夺中国人的大批文物和清朝盛京、承德两故宫的藏品，开馆后又用东北人民血汗钱继续收买，所以收藏品数量很大，品质也很好。敌关东军部以招待外宾作陈设品为名，选高大精美的玉器120余件，明清官窑彩花瓷器80余件，明清两代漆器景泰蓝30余件，公然掠夺而去。

4.伪满建国 10 周年展览会展品多被盗换

日帝侵占东北10年，在东京开一个伪满建国10周年展览会，来夸示他们侵略中国东北的血腥成绩。伪奉天博物馆精选展品书画、陶瓷、丝绣等200余件，送去东京出展。会后把展品送回，开箱后大部都变成了海产鱼类标本，出展的珍贵文物大半不见了，其中有清代四王的名画和其他珍品。

5. 存素堂宋元明清四代丝绣品部分被盗运

存素堂四代丝绣品是朱启钤收集珍藏的历代刻丝刺绣精品，其中有不少是经过历代内府著录和私家经藏过的。后归张学良。"九一八"后，全部79种百余件归入伪奉天博物馆，曾印制大型图录《纂组英华》行于世。日寇久已垂涎，至此就以必须经日本专家修裱为辞，选取宋、明、清三朝刻丝精品21种，明清刺绣13种，共34种（内有清内府石渠著录宋刻丝及明顾绣多种）盗运而去。其余的今在东北博物馆。

以上各项都是地上遗物和传世的工艺美术品。至于历史遗迹和地下考古材料的被破坏、掠夺就更多了。

1. 哈尔滨市郊顾乡屯，旧石器文化层古生物化石和古人类遗品的被盗

这是东北发现很早，出土物较丰富的旧石遗迹。"九一八"东北沦陷后，日寇就肆无忌惮地开始了大规模地、彻底地破坏与盗取遗物。其中尤以1933年德永重康、直良信夫领导的满蒙学术调查研究团的两次掠夺破坏为最甚。前后统计被掠夺去的石角、骨牙等人工遗物300余件，古生物化石等自然遗物60多个种属，数百件，零星地采集发掘尚没计算，遗迹遭到破坏很为严重。这些珍贵遗品都密藏在东京早稻田大学中，也曾印制了研究报告书。他如同期的朝阳沟（1933）、扎赉诺尔（1934）也受到损失。

2. 赤峰红山后金石文化居址古墓地被盗掘

这是东北最有名的彩陶等文化遗迹，现在是什么也没有了。日帝是在1935年由专门掠夺我们地下文物总机关"东亚考古学会"出名，由京都帝大的滨田耕作领导干的。掘毁居住址2处，墓葬31处，出土遗品有红陶鬲等16件，骨器33件，有孔石斧2件，青铜器14件，玉石珠380余颗，古人骨29体，犬、羊、牛、豕、鹿骨20体，采集品1000余件。重要遗品存于京都帝大考古学教室。印制报告书后，声言把遗物送还东北，归伪奉天博物馆陈列，但

送还的不独是些零星不全的残品，而且精好少见的彩陶瓶却又被用模型换去了。此外属于同期文化遗迹遭到掠夺破坏的如：旅大的貔子窝（1927）、羊头洼（1933）、延吉的小营子（1938）都是规模很大，遗物很多，印有大型报告书的。至于零星的规模小的就更难一一列举了。

3. 大批汉魏古墓遭破坏

辽东省南部汉魏古墓的遗存数量很大，分布也很宽。日寇先由旅大区开始发掘，渐渐扩展到南满铁路沿线，"九一八"后进一步有计划、有步骤、全面地发掘盗窃。如1941—1943的3年以日本学术振兴会的名义，由东大原田淑人领导发掘队在辽阳工作了三个多月，零星残破的不算在内，破坏了砖室和石室墓18座：其中包括有南林子和北园村规模很大的壁画古墓两座，出土遗物数十箱，和壁画的照相摹本一部等，都盗存东京帝大文学部。他们为了北园古墓壁画的照相和摹写方便，把墓室盖石拆掉，事后也不复原保护，致宝贵画面今已存者无多了。同类古墓与此前后破坏的有：辽阳县太子河北迎水寺壁画墓（1918），石桥子及鞍山市附近的砖椁墓（1927），盖平卢家屯、熊岳河岸砖墓为数也不少。旅大区汉魏古墓被毁中最有名的如：营城子壁画墓（1931）、南山里刁家屯纹砖墓（1929）、董家沟砖室石室墓（1932），都是规模很大的大墓群，遭到彻底破坏，出土遗物也都被掠夺一空。同代古城和牧羊城（1928）、大岭屯城（1932）也同遭破坏了。

4. 高句丽时期遗迹遗物的损失

辽东省辑安县（今集安市）高句丽大古墓群是少有的遗迹地，日帝在"九一八"前就屡去私自调查，1935—1936年由东京帝大池内宏、京都帝大滨田耕作领导发掘古墓、掠夺遗物、摄照壁画，发表了报告书和图录。1937年及其以后每年多有破坏。同省抚顺高尔山是句丽的新城址，也于1940—1941年由池内领导发掘，出土品均存在东大了。

5.渤海时期遗迹遗物的破坏损失

渤海上京龙泉府址，是现今松江省宁安县的东京城，1933—1934年，以东亚考古学会的名义，由原田淑人、池内宏、鸟山喜一等文化侵略头子领导，做了大规模的发掘，破坏了宫殿址六处，禁苑址外城址数处，古寺址四处，陵墓址一处；出土文物精整的盗存东大，残余一部分送存伪奉天博物馆。第二次并伪造了日本"和同开珍"古钱出土的伪史事件。此后鸟山又发掘破坏了两次，出土物全被盗走。吉林省珲春县八连城推测是渤海的东京龙原府（栅城）址，1942年春由日本驻军把宫殿址、寺址等盗掘一次，出土遗物以石砖雕刻佛像为多，高二三尺，雕工精细，极为少见。同年7月又为鸟山喜一、驹井和爱等进行了月余的彻底发掘，所有出土品都归了东京大学文学部。同省和龙县二道沟西古城子，推测为渤海中京显德府址，位于海兰河上，有南北二城，规模很大，鸟山喜一领导于1943—1944年发掘两次（此前由鸟山及藤田亮策已掘一次），并把附近北大屯的古墓群也盗掘了十余座，遗物也都送回了日本。

6.辽代遗迹文物受到最大破坏损失

辽代遗迹文物以内蒙古昭乌达盟巴林左右旗一带为最多，保存状态也较好，林东永庆陵遭法国神甫的破坏不久，日本人也接踵而去，1935年、1939年两次搜刮，把陵中壁画加以照相摹写，并将小片装箱，和在白塔子村庆州址内出土物一同起运回国，存于京都大学文学部。祖州是辽祖阿保机陵寝所在地，也在1943—1944年两次做了3个多月的大发掘，出土物都盗运东京，存于东方文化研究所。其中有阿保机夫妇的玉册残简，极为珍贵。同时辽怀州址及上京临潢府址也先后遭到部分的掘毁。此外辽代古坟掘毁的更多，如赤峰老西营子、叶柏寿、辽阳隆昌州石室墓、鞍山苗圃砖墓、石嘴子壁画墓都是。

7.金上京会宁府址和完颜娄室被毁

娄室是金初开国功臣，墓在吉林长春县东南石碑岭，在1912年（民国元年）遭到日寇的盗掘，墓室全被毁灭，出土物很多，纯金品亦不少，石人像初运于大连图书馆，后不知往何处，神道碑也没有下落了。这是日帝伸文化侵略魔手于我腹地最早的开端。松江省阿城县白城子是金初上京会宁府址，日人白鸟库吉在清末就曾去调查搜刮一次。1936年又由园田一龟大发掘一次，所存遗迹多被毁灭，今见一片田地了。

8.辽金古瓷窑址的破坏

最先被他们注意的是辽阳县江官屯古窑址，那是在"九一八"以前，屡次经他们发掘破坏，遗址今已扫地无余了。次为抚顺市大官屯窑址，于1937年，因曾做了彻底地毁灭发掘，现已无法指出确址。1944年一年中又发掘了林东辽上京城址里的瓷窑址、赤峰县缸瓦窑屯的辽窑址，也都是毁灭了遗迹，掠走了出土物。

这些事实不过是他们文化侵略的几项例子。他们对一个史迹的破坏，非常彻底，只要照相测图记录完了，就毫不留情地使遗迹全部毁灭，不留一点，事后也不加保存处理，对遗物也扫地无余地搜刮干净，使后人不能再认出史迹面貌。他们在破坏工作中，毁灭了大片田禾，拉来成千成百的劳苦农民给他做工，不但不给赔偿和工资，有时还要恶骂毒打，东北人民受日寇的苦痛是说不完的。现在美帝妄图继承日帝的老辙，又要武装日本再与我们为敌，我们坚决团在共产党和毛主席的领导下，一定粉碎帝国主义的一切侵略企图。

（原载《文物参考资料》1951年第2卷第9期）

贯彻"重点发掘"方针是做好基建工程中
文物清理发掘工作的关键

东北博物馆文物工作队全体队员学习讨论了"文参"四期中陈容同志提出的《在配合基建清理发掘工作中必须贯彻'重点发掘'的方针》一文后，大家检查了两年来在配合基建清理发掘工作中的经验教训和缺点，特别是经过批判"资产阶级唯心主义思想"和"增产节约运动"的学习，深刻地教育了我们，对"重点发掘"方针有更进一步的认识。

事实证明，"重点保护，重点发掘"这个具体方针，它可以节约资金，也可以提高现阶段工作质量水平，能有效地解决目前实际困难，还保证了今日暂且保存地下的文物，将来在更好的条件下进行科学发掘和研究，我们认为这是一个符合国家过渡时期总任务精神实质的方针。

以东北博物馆文物工作队来说，仅有业务干部十二三人，加上业务领导力差，队员工作经验少，设备条件不够，对于进行规模巨大、速度很高的基建工程中的文物清理发掘工作（如鞍山某砖厂建厂时，在20天工期内须清理100多座古墓；辽阳市郊灌区工程全长200余里，每日工人1.2万多人，日夜分班进行，工期仅仅20天），有时就无法应对，也达不到任务要求。个别的人，有时还要凭自己的兴趣向工程范围外扩大清理发掘，结果，除延误工期和浪费资金外，并招致了工作质量的低劣；甚至有的记录潦草与缺略不全，或者有的缺少照相和测图，至于对地层、位置、遗物互相关系的观察、分析、研究等就更谈不到了。这样粗暴的工作方法和草率的处理，使文物的历史科学价值遭受严重损失是必然的事。

在对待工作的态度上，也有许多不健康的倾向。有的人愿作墓葬，尤其是愿作保存较好的大型墓葬；因为这种工作方法简单，多少都有东西，容易见成绩。不愿作遗址，因为它的发掘既麻烦，出土物又多是些础石夯工，碎铁烂铜，断瓦残砖，有时竟只有烧土灰烬或过去人类留下的印迹遗痕，得不到什么耸人听闻的奇器重宝。这种单纯陶醉于"骨董"趣味，到处"找宝"，想一举而立功成名的思想，在文物清理保护工作上是极端有害的。也有的人强调清理发掘工作，比基建工程重要，不顾考察工期如何紧迫，也不顾花钱多少，也不管设备条件和技术能力够不够，只希望"遍地开花"，对所有墓葬遗址，主张必须做得一干二净，认为这样才算具备工作的完整性，才算达到科学水平，才能说明历史问题。其实，这种主观唯心主义观点不仅是错误的，在实际情况和现有条件上不能实现，而在科学理论上也是毫无根据的。第一，马克思列宁主义历史科学组成部分的考古学，必须为祖国当前社会主义建设和社会主义改造的伟大事业服务；必须尽一切可能的力量使工程顺利进行。不应该本末倒置地把极富现实意义的考古学神秘化，不恰当地摆在第一位。祖国地下无比丰富的文化宝藏，如像洛阳一带成千累万的古墓群，郑州地下辽阔深厚的殷代遗址，谁能一下子掘得干干净净，清理出个完整性来？这样的文物埋藏情况在祖国土地上老实说是到处都有。如果我们对待清理发掘工作严肃认真，虽然清理的是重点的一部分，也同样能具备科学性，也同样能说明一些历史问题。从另一方面说，正是为了保证将来有充裕的时间和足够的人力、物质设备条件作更仔细的发掘研究，所以在可能保留的情况下，我们应尽量保留下一部分目前不被破坏的古墓葬、古遗址，留待将来清理，而不要粗暴地、急躁地采取一扫光的做法，盲目地破坏了我们丰富的民族历史的古代文化宝藏。

近几个月以来，我们在工作上就是坚决执行"重点发掘"的方针的。集中人力，重点地清理了已被窑厂采土稍受破坏的汉代村落遗址和一些魏晋墓葬，工作做得就较前深入细致，少出毛病。同时，人力集中，工作情况正常，对劳动力的配备使用合理了，也加强了工作效率和工作方法的改进提高，节约了开支，因而，使发掘的工本费较前降低。

这是我们遵照"重点发掘"方针进行工作在短期实践中取得效果的一斑。我们认为这个具体方针是做好基建工程中文物清理发掘工作的关键。

（原载《文物参考资料》1955 年第 12 期）

东北发现战国以来的主要遗迹和遗物

一、战国汉代遗迹

战国时期的燕国领土，包括有今日东北的辽东、辽西、热河三省。汉代又向北伸展到吉林和长白山东一带。因而这个时期的遗迹、文物也大量地遗留在这块土地上。

（一）燕国的长城和古城址

这个古长城址是我们在1942年调查热河省赤峰县老哈河沿"哈拉木图"古城址的路途上发现的。长城线由赤峰县红山北方沿"西路嘎河"北岸向东延伸，经过老爷庙、八家子、撒水坡各村，显著部分的全长约15余公里。在这段长城上接筑着3个小城堡，西端就可与赤峰河北卓苏河岸土城址连接。长城址内外分布着不少山上望台址。长城壁有的地方用土筑造，有的地方用石块筑造，现存二三米或四五米高不等。它跨山越谷，远望可见，姿势非常雄伟。在这长城城堡内出土有重线山形纹半圆瓦当、明刀钱、一刀圆钱、铜镞、云纹瓦当、绳纹瓦、绳纹陶片、磨石斧、贝货等。由这些出土品可知这段长城址是燕国筑造的。由这段长城址向西再沿锡伯河向西去约50余公里，河两岸山上也多有望台遗址，围场县有古长城址，早见清弘历（乾隆）的记载，很可能是与此连接的。这一遗址对当时北边郡县的研究是很有好处的。同时期的古城有承德北方头沟土城，出土了双马纹、树木纹、三角纹、鸟云纹等半圆瓦当，三棱铜镞、铁斧等。赤峰蜘蛛山遗址出土了云纹瓦当、半圆瓦当、明字刀钱、绳纹瓦片、陶片、铜镞等，滦平县平台子出土重线山形纹半圆瓦当、陶豆、绳纹陶片、瓦片等。这些半圆瓦当的花纹是和河北省易县燕下都的出土品很近似的。在辽东旅大地区有牧羊城址，出土了明刀钱、明字圆钱、半两钱、双马纹半圆瓦当和大批汉代遗物。明刀钱（有人释为召刀）出土于热河、辽西、辽东三省的就更多了。

（二）汉代的古城址

东北汉代古城址保存较好，经过日本人盗掘的有旅顺牧羊城址，出土物除新石器时代石、陶、骨器和战国时期瓦当、钱币外，有五铢钱、半两钱、大泉五十钱及长乐未央瓦当、带钩、铜镞、琉璃耳珰、铁刀、铁斧等大批汉代文物，金县东清云河口附近大岭屯古城址（土名高丽城子）出土了大批新石器时代的石、陶、骨、角器，上层出土了大批汉代的铜镞、盖弓铜叉镶末、铜剑、带钩、弩机零件、明刀钱、货泉钱、铁斧、铁刀、铁矛、半圆瓦当、陶豆、绳纹瓦等。抚顺市东公园古城址，也出土了新石器和汉代的铜制品、铁器、砖瓦、千秋万岁、云纹瓦当、货币等。未经发掘的有旅大区清水河黄家亮子城址、广鹿岛朱家屯城址。沈阳市郊区上柏官屯城址，它可能是西汉辽东郡，后汉玄菟郡的候城县治址。城中散布汉魏时期砖瓦陶片，铜铁制品极多，附近有汉魏墓群。热河省滦平县小城子土城址、承德头沟上城、凌源安杖子土城址、赤峰冷水塘土城址等，都是战国秦汉的遗迹，又西拉木伦河北的林西县西门外曾出土汉式瓦窑址，附近并发现了"千秋万岁"

瓦当，可说汉文化北进的边缘了。这些城址都还保存着方形的土筑城壁，有的是内外两层，有的还可认清门址和建筑物址，散布着大批砖瓦陶器片和种种物质纪念品。不但是古代郡县研究的对象，也是当时物质文化研究的资料库。

（三）汉代墓葬

东北发现的汉墓，有旅大区南山里刁家屯、营城子沙岗屯、金县东方董家沟（日本人称董家口）、大岭屯王家屯。辽东省盖平县熊岳城、芦家屯、鞍山市沙河子灵山、辽阳市附近、沈阳市上柏官屯、沈阳市南湖、热河省滦平县平台子等墓群。其中以辽阳市附近墓葬为最多，规模也比较宏大。吉林市龙潭山下曾发现过汉墓，并出土了陶灶和耳杯，这是汉墓最北的分布点。墓葬形式约有瓮棺、贝墓、砖室墓、石室墓、大石椁墓五种。瓮棺墓葬与关内发现的略同，贝墓多行于沿海，用贝壳堆埋木棺，上堆坟头。石室墓用自然石块砌长方墓室，上用叠涩法起券顶，一狭端留墓门，多葬单尸。砖室墓在旅大区的规模较大，有四室相连的，并多用花纹长方砖，有的上涂彩色，砖面花纹多连壁、连钱、鱼鸟、几何式纹等，有砖椁两层中加两色壁画的。这种大室砖室墓葬多用木棺。单室砖墓北部最为普遍，多用灰色长方砖造成一长方形墓室，上为叠涩卷顶，狭面一端中央或左方留一卷门。稍大的往往分为前后两室，前放明器，后室埋尸，小的仅容一尸，把明器放在内端高起的砖台上，概不另用木棺。辽阳市一带大型石椁墓极为发达。内多保存着多彩壁画，熊岳虽有同式墓一例，但无壁画。

一般出土的随葬品有铜镜、指环、手镯、顶针、带钩、带具、铜铃、发笄、半两、五铢、货泉钱、铁斧、铁刀、马具、漆耳杯、漆器片、琉璃耳珰、各式串珠等。明器有瓦屋，多两流水屋顶，瓦垄、瓦当分明，有的刻画门窗，极为精致，陶俑面貌粗笨，下体渐侈大如反置漏斗形。陶鸡陶狗也多范制不精，畜舍内附家畜。这些旅大区较多，而北部较少。陶灶多二三锅孔，前有灶口，后有灶筒，上置锅甑蒸器，外附勺、瓢、担架等。陶井、汲器、耳杯、盘、盂、瓶、罐、灯、豆、博山、画案、奁盒、鼎、盉、俎等种类很多。有的刻画花纹、有的涂加朱彩，陶壶的多彩花纹尤属精致。

辽阳壁画古墓是国内不多见的珍贵遗迹，最早是在辽阳市太子河北迎水寺屯发现的，椁室在地下用大块淡绿色板石为立壁，上盖相同石板，一侧有墓门，内外四室，回廊、支架都非常精巧。棺室四壁面有彩色壁画，南壁为男女坐像，东壁牛车，西壁牵马，北小附室为厨房图，出土有半两五铢、货泉钱、陶屋、陶耳杯等明器。此墓为日本人盗开，重建于旅顺博物馆中，因日久风化，彩色壁画已完全脱落不存了。这类壁画墓在辽阳已发现的有南林子、北园、棒台子、窑业工厂第四场、第五场5座，前两座已遭日本人破坏，仅存一部壁画摹本。其中棒台子墓规模最大，墓在辽阳市西北郊8公里棒台子屯，1944年发现。地上封土坟丘，高约7米，略作钝方椎子，支筑的石椁宽约八米。长6米余。内分三室，三棺，四面回廊，一面有墓门。壁画内容分守门武士、仪仗、车骑、歌舞杂技，男女饮食、楼阁、庖厨、双犬、水井等，石棺、石柱、石枋上都画有连壁云纹。壁画是用墨廓五彩描画，极自然生动。本年七月发现一墓，男女对坐，壁上有"□令支令"张□□。"公孙夫人""□□□人"题字，更为少见。

但必须说明一点，此处所说的汉墓，除出土遗物年代确实的以外，可能也必然有当数部分魏晋墓或更晚的墓葬在内，辽阳古墓曾出土过北魏"景明三年"铭款的陶耳杯，就是有力的证明。我们必须记着这一点。

二、高句丽遗迹

高句丽是东北原住民秽族的一支，住于鸭绿江中游和佟家江一带，前期国都在今辽东省集安县，后迁都于朝鲜平壤。兴于西汉末期，亡于唐总章元年（668），传国700余年。领土包括今日东北的辽东省全部和吉林省南半部。主要遗迹有下列两种。

（一）山上城址

高句丽的城址分山上、平地两种。平地城多在生产富饶地区，作为政治中心，山上城多在地势险要的山上，以军事防御为目的。主要的山城有辽东省集安县山城子（原名丸都城）、桓仁县五女山城（尉那岩城）、抚顺县北关山城、凤城县高丽城（乌骨城）、金县大黑山城（卑奢城）、盖平县高丽城（建安城）、海城县英城子城（安市城）。不知当时城名的有复县得利寺龙潭山城、辽阳县燕州城、奉集堡塔山城、开原县威远堡龙潭山城、辽源市高丽城、海龙县南北山城子城、通化县山城子城、吉林市龙潭山城。这种山城都是利用高山脊梁围筑而成。有的用大石筑造，有的用土坯筑造，有的削陡山脊梁便成立壁，高大开阔，非常雄伟。一般必有水门、城门、蓄水池、瞭望台，内多建筑物遗址，有的发现过火坑。出土品以铁镞、铁甲片、陶片、砖瓦鬲最多，红色绳纹大瓦和瓦当是此种山城的特别标志。这种山城的易守难攻多见于正史，丸都山城见《三国志·魏志》毌丘俭传，新城、卑奢城、建安城、安市城都见于《唐书》，可知它在当时攻防战争上的重要。

（二）墓葬

高句丽墓葬多分布在他们首都，即今日集安县近郊，大大小小数以万计，大体可分石坟、土坟两种。石坟又可分为金字塔形和石棚形两式。金字塔式墓以土口子山"将军坟"为代表。墓坛用花岗岩石修筑为七级，上有三合土圆顶，通高12.4米。下层每面宽约30米，每边各立茯基大石三根。第五级中央为长方形墓室，中设大石棺台两座。好太王碑西南方有同式大墓，因出土了"愿太王陵安如山固如岳"铭文砖，故称"太王陵"，全高16.6米，下层每面宽64.2米，可比将军坟大两倍多，但保存稍差。出土"千秋万岁永固""保固千秋相毕"铭文砖的"千秋墓"也属这一类型。这正是史书上所记高句丽人墓葬"以石为封"的一类了。石棚式坟都用四块大石为壁，上盖以巨石块（4.33米×3.6米），恰如新石器时代的巨石遗迹支石基——石棚。

土坟数量较多，地上有方锥形封土坟头，地下用石条筑造，墓室有单室、双室、三室之分，墓室上盖用石条压角层层上砌，最上盖以石板。前留墓门，外接隧道。有的墓室壁上四角彩画柱枋斗拱等，壁上多画朱雀、苍龙、白虎、玄武及麟凤、星宿、力士、仙人。有的画高句丽人家居生活、出行、狩猎、歌舞、踏碓、马厩、仓廪、战争、角觝等。壁上墨书墓志的仅见一例。在年代上石坟较早，土坟可能晚些。出土有陶器、黄釉陶器、铁镢、铁刀剑、釦镙透雕镀金花饰、明钱等。

三、渤海遗迹

渤海是在松花江上游粟末靺鞨族建立的国家，时在唐开元初年（713），传国200余年，到五代后唐天成元年（926），被契丹所灭。他们创用五京制度，国土领有辽河以东和松花、牡丹、鸭绿、图们、乌苏里江各流域。他们一方面继承了高句丽的固有文化，又受唐代文化的很大影响，使用汉字，仿用唐代的典章制度，形成了渤海人独有的文明，当时称为"海东盛国"。

（一）古城址

渤海人的城郭多建筑于平原沃野地区。土坯城壁，高大方正，多有内外城二层，道路平直，街坊整齐，是渤海城郭的　般特点。松江省宁安县东京城古城（上京龙泉府址），规模最大，宽4650米，已被日本人发掘，出有报告书，吉林省延边自治州珲春县半拉城古城（东京龙原府，也称栅城府址），也经日本人发掘，规模较小，出土佛教造像很多。和龙县二道沟西古城子城（可能是中京显德府址），规模与龙泉府址相同，附近多当时墓群和寺址，年代较前二城为古，遗迹、遗物多近似高句丽。这种渤海城郭遗存于东北的为数尚多，也多未经调查。一般出土品为各色琉璃鸱尾、兽头、砖瓦、柱座、印字瓦、花纹砖、莲花纹瓦当、刻字砖、石柱础、佛像、陶器、三彩瓷器、铁器、铜器、装饰器、石造物、壁画片等。

（二）墓葬

渤海墓葬出土例不多，现已发现的有三处：三灵屯石椁墓，在东京城址西北4公里牡丹江岸丘陵山腰，俗传为北宋二帝后墓是没有根据的。椁室长方形，用大方石块筑造，上盖由两侧叠涩成一梯形墓顶，高约3米余，宽2米，长4米余，营造技术极为精工，墓上不见有封土形迹，四隅各有大石柱础，前面散布瓦片很多，似乎上有建筑物覆盖的样子，如果如此，也是一种珍奇的墓葬制度，可惜久已掘开，不知内部情形了。和龙县二道沟石坛墓群，在二道沟村南五里大屯。两群存200余座，附近各屯尚存小群不少，墓基为自然石筑成方坛形，大的高3米上下，小的在2米以内。墓椁用大石或小石墙围成方室，上盖以较墓室墙框为大的大石板，形式和高句丽金字塔石墓非常接近。贞惠公主墓，在吉林省敦化县东郊，原有古墓群两处，共60余座。1948年冬敦化县中学发掘了11座，在一砖椁墓隧道内发现了一块石碑，下有石座，碑面两边有阴刻花纹，石狮两个，高六七十厘米。出土物有陶瓶、铁锅、镀金饰件（均有葡萄花纹）、莲花纹瓦当、壁画片、板瓦等，这些遗物均存于延边大学，碑称"公主是大兴宝历孝感□□□。法大王之第二女，宝历七年十月二十四日甲申陪葬于珍陵西原"。余墓尚未发掘，是极应注意的一个遗迹。

四、辽遗迹

契丹民族原住于西拉木伦河（西辽河）流域，故国号有时称辽。建国于五代初年（907），到北宋宣和七年（1125）为女真人所灭，传国210多年。其领土南有山西河北大半，西到宁夏，北至蒙古，东到北朝鲜，版图很大，采取渤海五京制度，统辖州县。用唐人典章制度，也保存自己的历史传统，使用汉字汉文，也创造了契丹国书，文化受唐和渤海影响，有突厥成分，故其文化艺术都有独特风格。

（一）古城址

　　辽古城址遗存于东北的很多，因开垦较晚，保存得也较好，在热河和内蒙古的遗存，有的原封未动地保存于荒烟蔓野之间，都是没开发的文化宝库。上京临潢府址：在内蒙古自治区巴林左旗林东街前1公里，是契丹人的发祥地。该址分南北二部，北部"皇城"，是皇帝贵族居处和官府寺院所在，南部属市民商户居处，称作"汉城"。皇城土壁存高约9米，宽6到7米，南北长2000米，东西长2200余米，壁上不远距离，就有一个小山形的箭楼遗址，全体规模极高大。城内近西北方自然高地上有宫殿遗址。宫门、道路、内宫、紫禁苑、水池都看得清清楚楚。刻花柱础，黄绿琉璃瓦片堆积很厚，此外寺址、塔址、官署址就更多了，近东南隅有石雕观音像（蒙名操劳夯——石人），虽经将近千年风雨，而衣纹璎珞尚极美好。汉城规模较小，但建筑遗址仍多，城址南北各有砖塔一座，都是当时的遗构，城南10公里的前后昭庙，是当时的佛窟寺，有辽代造像多躯，石幢两座，代表着辽代的佛教艺术。祖州城：在林东西20余公里，满其克山（独石山）麓，是当时奉祀阿保机（太祖）陵的州城，地名石房子村（蒙名操劳格尔）。因受地势限制，城作五角形，南北长610米，东西约300余米。分内外两层，内城有横宽54米的正殿址，及规模稍小的后殿与配殿址。正殿用绿色方形水磨石铺地，雕花柱础，盖用黑绿色瓷瓦，瓦当用渤海式莲纹。西北角土台上有大石室，用长6米余大石支筑，气魄雄伟，或系契丹人的神殿。城址西北1公里一大山谷，谷口两面奇岩削立如门，谷内有耶律阿保机（辽太祖）陵墓。四周遗迹很多，是研究辽初文化的重要地点。怀州址：是耶律德光（太宗）陵墓上的城。在林东西北45公里的岗岗庙村。东西北三面高山，地势很冲要。城迹长方形，东西700米，南北450米，每面一门，内有殿址三处。北面山谷中有德光陵墓。庆州址：是辽永庆陵的奉祀城。在林东西北60余公里的查干木伦（白河，古名喀剌木伦，与今名相反）河右岸，寒山（古名黑山）西南白塔子村。城址方形，南北1100米，东西940米，每面一门，壁上有很多箭楼址的高大土堆。城内有宏大殿址四五处。近西北角大寺址处，内有辽重熙十八年建八角十三层空心砖塔一座，雕刻精致，外涂白色，故有白塔子之称。石经幢两座，一记宋曾利用使辽议澶渊之盟事。城北11公里有辽三帝陵墓，途中经过金代界壕址。中京大定府址：在热河省宁城县大名城。规模宏大，分内外两层，宫殿址和市街址，都比较清楚，砖塔两座，也保存较好。这几座城址是契丹人活动中心，又都保存较好。此外分布于热河、辽西、辽东、吉林、松江各省内的古城也非常多，有时与砖塔、石幢、古墓等并存，都各有其重要性。

（二）古墓

辽人墓葬发现于东北境内的，迄今约有30座以上，而这些辽墓大体都经过发掘清理，调查研究或了解，其中除7例有墓志、石棺刻明年代以外，都是根据遗物、壁画、葬制等来决定年代，因此这些辽墓的时代是十分可靠的。概括这些基础材料，对辽墓葬可得出一个大体轮廓，在葬法上有"火骨葬"和"尸体葬"两种。火骨葬可能与佛教信仰有关，有的装于陶瓷罐、石棺、木箱内，也有的直接放入砖墓室或小型砖圹石圹中。石棺有三种类型：一种方形石函式棺，一种长方房屋式棺，都往往刻有屋顶式盖，一面刻门形或加二契丹服饰人物持杖作守门状；也有雕刻莲花及其他花纹的。另一种大头小尾长方棺，与近世木棺相同，刻有朱雀、龙、虎、玄武雕像，极为精致，并刻有死葬年月铭款。当然也有只刻铭款，不刻花纹的。尸体葬不用木棺（宋人有记载契丹无棺事项），多夫妇同墓，仰面伸展，头向墓室右方，并排横放于近墓室后部的高起尸台上。尸体有的面裹银碟或铜碟打制的假面，手足戴细铜丝网套，有如今日戴用手套线袜，并有延及肢骨的，这是契丹人特有的埋葬风俗之一，曾见于宋人记录（虏庭事实）。在墓葬制度上，一般都选山川形胜地段，他们似乎很信风水。地上有封土坟头，但上自帝王，下及庶民，墓前都没有石碑（汉人尚有例外）及石人、石兽、石表等，有的内埋墓志、或外立墓幢，随葬品除贵族高官外不得用金银制品。墓室构造有两类，第一类画像石室墓，仅发现于辽东省辽阳、海城两县之间及鞍山市一带。计发现有辽阳隆昌州附近白家堡子2座，邱家堡子、南西庄子、海城县析木城村老爷庙沟、鞍山市石家峪、汤岗子千山站之间、中所屯各一座，墓室构造大体相同，平面作八方形，一方为墓门，有浮雕双童门扇，其余每面画像石一块为壁，也有每面上下分嵌画像石两段的，有的立柱及柱上横方石条也均有雕花，上有叠涩墓顶。墓室内多铺石板，曾有一例中放石棺，雕刻技工极为粗拙，有浮雕及半圆雕两种。画题有契丹服饰的二十四孝节目、契丹人生活、茅草、驼马、牡丹、仙人等，是研究契丹人生活习惯的绝好材料。第二类砖石兼各种椁室墓：分布广泛，形式极富变化，但这种形式并不表示什么年代先后，或地域相异，似乎仅是经济条件不同的结果，义县清河门西山村萧慎微祖墓，四座四种形式，四种营造法，材料也各不相同，好坏程度相差很远，就证明了这一点。在材料上有用石块营造的，有用砖块筑造的，也有用两种材料混合建筑的。在墓室平面形状上，有正方形、六方形、八方形、半六方半圆形、正圆形、不正圆形、不正多方形等方式。墓室有的仅为一室，有的主附室3个，若永庆陵主附室共6个，可说是"地下殿堂"。墓室装饰上，有的围墙镶以木板，有的拟木建筑而有砖筑的柱、枋、斗、拱、驼峰、下昂，并绘以彩饰；有的抹以石灰，加画彩画，有的彩画仅见于拱门部分，也有的延伸到隧道两壁；也有光素砖墙，只加几块刻花砖为饰的。殉葬物主要为陶瓷器、铜铁器、钱币、木漆器、武器、马具、装饰品；木人、木犬，极为少见。特殊祭品曾发现瓷盆盛兔肩骨、瓷盘盛羊腿骨，及大型田鼠骨（契丹人名贵肉食之一种）可以明了契丹人的礼俗。墓志铭有用契丹国书的，也有备而不刻的（可能是墨书或朱书年久脱落了）。

这些只是一般的概略情况，下举几个出土实例以见一斑，永庆陵东陵——在内蒙古自治区巴林左旗白塔子村瓦儿曼汗（汉语有风的沙坨子）地方的山腰，为辽圣、兴、道三帝陵墓，俗称东、中、西陵，均被西方传教士所盗掘。中陵规模最大，而东陵保存得较好，东陵地上已不见高大封土形迹，陵前方约百余米外有80余米的大享殿址和不少稍小的配殿门址等。这些遗址都保存着刻花或光素柱础及堆积很厚的绿琉璃瓦片、灰瓦片，也有不少很优秀的定州白瓷和景德镇青白瓷片。墓室砖筑，由墓门到墓室后壁纵深22米左右，圆形主室直径5.5米强，高约5.7米。入拱门为长方形前室，左右连接两个圆形附室。再进为大圆形主室，左右后三方各与一小圆室相通，墓门及翼墙仿木构建筑，有砖作柱、枋、斗、拱，并涂有青、绿、红、褐色彩，上有瓦檐，墓室壁上涂抹石灰，画有设色壁画。前室画肃立人物数十，分着蕃、汉服装，文武杂列，面貌神情无一雷同，肩上有契丹文题名，可能是功臣画像。主室画春夏秋冬的四季山水，每幅高约5.6米，宽约3.6米。内容都是辽地风光，自然生动。也画出了梁柱帷幕及藻井，内容极为富丽。当时尸体如何处理，遗物如何布置安放，有些什么东西，都无从考察，仅有汉字及契丹字的帝后哀册（实际就是墓志）及大康银钱。木人、木狗，有人说系出自西陵的，此外就一无所知了。中陵西陵的情况也大略相同。

四方城古墓——在林东北四方城村北山中，经人盗掘，遗物后已收回。地上微有封土痕迹，附近有建筑物遗址一处，雕花石幢座一个，咸雍二年石经幢一段，发现于去此不远的山崖下。墓室用长方青砖营造，主室八方形，对方直径4.15米，立壁高1.35米，上为叠涩圆顶，顶上盖一大石。前通长方形前室，左右各通一小形八方附室，各室都有立柱痕迹。埋葬情况，遗物位置都不详知，仅传说出土了下列各物：无字墓志铭、绿釉陶凤首瓶、白釉鸡冠壶、白釉唾壶、三彩釉印花陶砚、黄釉大盘，后二器底部都有墨笔书契丹文字。

大安六年郑恪墓——在热河省建平县和乐村张家营子屯山中。郑恪，汉人，母渤海人，为上京盐铁副使，通契丹语，识契丹小字，信仰佛教，死用火葬，墓室六方形，主室立壁石筑，上顶及墓门砖筑。出土物有：墓志铭、素铜镜、宋钱、铜香盘、定州白瓷印花大碗、白瓷小碗、白瓷大碗、绿釉陶唾壶、三彩印花落花流水纹花式碟。三彩印花落花流水纹方碟、朱彩陶罐、陶炉、铁锁等多件。

乌尔吉村兴隆山墓——在林东北乌尔吉村兴隆山屯大兴岭一山中，系经正式发掘，故内部情况详确明白。地上稍存封土坟头，前方有横筑石墙一段。地下1.5米见墓基石块。墓室自然石块筑造，平面近正方形，横壁3.1米，纵壁3米，内宽1米，墓室地面上到正顶石面高2.4米强。墓门用石块封闭。拆去封石，有木门一道，已倒杇零乱，铁锁、铁钉、折页等还保存在已倒木门的原有位置上。室内四壁围镶的木柱木板，也都杇倒散乱，有的已大部朽烂，但原来形象是可以由残木、木屑、木灰中看出来的。方形墓室的门内立一大型石板如门屏，屏后凿一深约2厘米略小于墓室的横长沟槽，沟槽后半，以石板铺成尸台，二尸都头右足左横放于尸台上，女尸在内，男尸在外，骨架大体还保持原有位置，是仰面伸展葬法。遗物放在尸台前的沟槽中。右方有白瓷注、唾壶、带托茶盏、瓷盘、漆勺、铁剪刀，沟槽右前角上一盘中盛羊骨。左方有绿釉鸡冠壶、白釉花式大碗、花式茶盏、梳纹陶罐、有流陶盆、漆杯片等。尸台上除人骨外，在女人头骨下出银钗一支，尸骨下出“开元通宝”钱多枚。墓室前左、右角各放木椅一张，下部都已朽烂。

萧慎微祖墓群——在辽西省义县清河门西山村，先露出一古墓，被村民发掘，我们整理时又新发现了三墓，总计为4座。第1号墓出土“佐移离毕萧相公墓志”。里有“次子慎微”语，知系重熙间曾出使过高丽的萧慎微的祖墓。此四墓排列整齐，距离极近，萧公墓志又有“祔葬于先令公这茔”语，知此确为一族几代的墓地，这对契丹人墓葬制度和风俗习惯的了解上是很好的材料。第1号墓墓顶，大部久已塌坏，上面仅存一小部围石的封土。墓室为灰色长方砖胶泥筑造，主室正圆形，墙上面镶车辋状木枋。前室作较长的长方形，中部左右各有突出部分，全部很像一十字形。主室近后壁有横长的砖筑尸台，台上有人头骨等。遗物非常散乱残碎，主要有汉文佐移离毕萧相公墓志残石、白瓷长颈瓶、白瓷鸡冠壶、白瓷渣斗、定州白瓷盖罐、景德镇青白瓷花式盖、琥珀、水晶佩饰品等。第2号墓在萧相公墓左后方，墓室混用砖石筑造，主室石造八方形，有长方形前室，左右各有一小形长方附室，墓门外翼墙有仿木构式斗拱柱枋，并画有色彩，门前有斜达地面的隧道，隧道两侧有骑马人物壁画。前室画牡丹流云，两小室画契丹人物像。主室内遗物多散乱于尸台前，主要有：契丹国书墓志铭残石、绿釉鸡冠壶、凤首瓶、小罐、定州白瓷花式大碗、瓷瓶、酒注、雕花印花器片、粗白瓷划花盆、景德镇青白瓷大碗、小碗、盖碗、花盏、小碟、朱漆盘残片、琉璃杯残片、银器扣、带銙、贝饰等。尸手戴有手套状铜丝网。第3号墓在2号右方，石筑墓室作不等边六方形，似镶有木板，地铺长砖，无砖筑尸台。人头骨在右方。遗物仅有几件小形玉饰品。第4号墓在1号左方，2号前方，已先为村民掘破。青砖石灰筑造，在四墓中是最好的。主室圆形，前有长方前室，外接墓门，拱门翼墙有砖仿木构式柱枋斗拱及瓦檐。主室方砖铺地，壁镶柏板。无砖筑尸台，有厚大柏木长床，人骨一架已凌乱，遗物位置也不明了。出土有银质面具，是尸体葬的证明，主要遗物有：白釉瓶、黑瓷瓶、灰绿瓷鸡冠壶、小碗、定州白瓷雕花盖罐、汝窑花式盏托、划花大碗、淡青瓷划花小碗片、玛瑙杯、玛瑙花式碗、"嵩德宫"铭铜温器、花式铜盆、花鸟镜、铜马具；瑟瑟、琥珀、松石、水晶等串珠、雕花琥珀佩、玛瑙带銙、玉箸、玉盒等。

次列重要辽墓于后以便参考：

1. 应历九年，故驸马赠卫国王之墓：在热河省赤峰县十一区八旗林营子。砖室墓，铁门。墓志已被村民打碎。出土瓷渣斗、花式碟、大碗、瓷盆、大批铁器和马具。

2. 开泰七年，孙允中石棺墓：在沈阳大东关。允中官贵德州观察判官大理司直。石棺大头小尾，浅浮雕朱雀、玄武、青龙、白虎，盖上线雕缠枝花纹，内盛火骨灰。出土有陶瓶、石俑。

3. 开泰四年，李进石棺墓：在沈阳市小西区新新三厂。圆形砖墓室，近后壁横放石棺，头右尾左，前放石俑、陶瓶和砖作熨斗等。棺内盛火骨灰，并有"开元通宝"钱五枚。石棺形式花纹与允中棺略同。

4. 重熙七年晋国夫人墓：在辽西省阜新县腰衙门村。夫人萧氏，法天太后妹，兄大丞相萧孝穆，嫁宋国王长子耶律元，圆形砖室墓，出土有墓志铭，陶瓷器，多残碎，有定窑白瓷、景德镇青白瓷和鸡冠壶等。

5. 太康元年，金吾卫上将军萧德温墓：在辽西省阜新县翁山村新丘屯西山中。萧德温祖孝穆，父阿拉，历世贵显，砖筑八方墓室，有长方前室，墓门翼墙有砖仿木构建筑的柱枋斗拱。拱门中石灰壁面有墨笔人物画，人物穿窄袖长袍，披发皮靴，作契丹装。墓室壁镶木板，内设土木尸床。出土墓志铭，村人碎为磨刀石。主要遗物多被盗，所余残器，有景德镇青白瓷碗碟、临汝印花碗、定州红瓷盘残片、白瓷黑花罐、细铜丝手足套残片等。

6. 石嘴子壁画墓：在辽东省辽阳县东石嘴子屯。墓室砖筑近圆形，前有墓门，墓内近后壁有石板支筑石棺一座，左侧壁下长方石棺一个，均盛火骨。墓壁两侧，彩画男女侍者四人，鼓吹乐人八人，均作契丹装束。后壁画山水四幅，出土有陶罐、骨柄刷、绸片等（主要遗物似被盗走）。

7. 林东兴隆村古墓：在内蒙古林东西门外兴隆村内，墓室砖筑正圆形，内有砖仿柱枋、斗拱等装饰，墓壁石灰面上有墨笔画竹鹤图、人物图等。出土有小铜佛像两尊、铜佛像零件两种、翡翠、绿纹釉黑花瓶等。

附：金奉国上将军墓

东北发现的金代古墓较少，明了内部情况的更少。吉林省长春市郊石碑岭原有金初功臣"完颜娄室墓"，墓碑不知下落已久，清末被日本人盗掘，把墓前石人盗运于大连图书馆，金质装饰品一部分存于旅顺博物馆。由于多数装饰品的出土，知道是用尸体葬而非火葬，地上采用了树立石碑、石人、石兽，和汉人一样的制度，除此以外如墓室情况、遗物放置等都一无所知。吉林省农安县北门外陈家机房院发现的"大定二十一年赵景兴石棺"墓。也仅仅知道出土了盛火葬骨灰刻有年月的石棺一口、定州窑白瓷印花小碟二件、白瓷小碗一件、长颈灰陶瓶一件而已。因此考古发掘的女真人墓葬例，对我们还是个较新的参考。

金奉国上将军墓群：在内蒙古林东西方10公里的查干哈达村哈隆归屯。北靠群山，南临平原，地势很高敞。墓外围绕方形石墙，前一正门，门外直道两侧也有向前延伸很长的石墙，前端又为一门，这种墓园平面形式是很奇特的。墓园内有古墓4座，两座有发掘痕迹。地面存龟形碑趺1个，石人头

4个。石人身久已被附近村民改作石辊。在一残墓中掘出石碑一段。碑额残片数块，石棺一座，知确是金代奉国上将军某氏墓，附属各墓埋葬的当是他的家族。发掘的三座墓都出土了火葬石棺，地上封土坟头构造也都完全相同。今以第二墓为例说明于后，墓地面上有石块砌造高约六七十厘米的方形石坛，坛上有封土坟头，坟坛前面中部向前延伸与石坛同高的石墙一道，其长度比坟坛每边为长，墓平面恰如地上一柄方铲，而与墓外围墙形式又恰恰相同，地下在方形坟坛下为一方形土圹，大小略与方坛相当，前方长墙下恰为由圹底斜达地面的隧道，圹中填入的黄土极为坚硬，似经夯打。方圹底近后边横放一长方石棺，棺内底铺苇席，上放火骨灰木箱1个、奁具木箱1个、木漆面盆1个、铁片1个。骨灰箱外裱花绫，内衬细绢，骨灰用棉花绢袱包裹，上放万字地花纱女衣一件，奁箱内有骨刷、分发簪、木梳、脂粉盒、油碟、镜囊、铜镜、石墨、化妆具袋、耳勺。又石棺底穿有五孔，现在东北也有这种风俗，那就是在未嫁处女的木棺底钻9个孔，成为所谓"没有底的棺材"，如果那样，这种风俗的来源就古了。

五、东北古窑址

东北境内已发现的前代瓷窑址计有：林东辽上京址白瓷窑、白音戈劳屯黑褐釉粗瓷窑、汉城南山三彩窑、热河赤峰县缸瓦窑屯白瓷窑、隆化县土城子黑花白瓷窑、辽东省辽阳县江官屯白瓷窑、抚顺县大官屯黑褐釉粗瓷窑、吉林省永吉县缸窑镇黑褐釉粗瓷窑，其中经过勘查采集的多，经过发掘调查明了情况的仅有上京窑、缸瓦窑、大官屯三窑。

砖瓦陶器窑有：林西西门外丘陵上属于汉晋时期的古窑址二座。窑室圆形，规模不大，附近遗存着很多汉式绳纹瓦片、云纹瓦当片、陶器片，附近一建筑物遗址中曾出过"千秋万岁"瓦当，据说与此窑瓦质相近，可能是此窑出品。林东白塔子村寒山口辽砖瓦窑址群，在寒山西谷"也拉孙戈劳"河岸上，连接有50余座，有的圆形窑室还没有塌坏。其地多细土，近河水，林木丰富，便于大量烧造。据残砖破瓦观察，知是辽建庆州和永庆陵时的窑址。林东"白音戈劳"屯山西有砖瓦窑址二座，仅存基部，圆窑直径2.8米，规模较小。祖州城砖窑址群，在城址西南石房子屯后，系就高大黄土坎掘凿的圆形窑室，有的砌有土坯，与地上窑室不同，是建筑祖州城时的古砖窑。最近在鞍山市沙河子发现古瓦窑址一座，砖筑椭圆形窑室，长轴一端为火膛，一端为烟道，形式与辽代瓷窑相似。遗存瓦片有渤海瓦的形式与作风，当是辽初的窑址。

琉璃砖瓦窑有两处，一在辽东省海城县东方皇瓦窑，明代曾烧绿釉陶器，清初以来烧造沈阳宫殿和三陵用各色琉璃砖瓦及三彩釉陶器；一在热河省承德市东北七窑村，是清代烧造避暑山庄及各寺庙琉璃砖瓦的古窑址，大多数还保存完好。

现把几个瓷窑情况介绍于后：

（一）辽上京白瓷窑

窑址在内蒙古林东街前辽上京临潢府址皇城内偏西的高坡上。窑场规模很小，全部用地南北约27.3米，南部圆形漫岗上是窑室所在地，地面存大小不同的圆形土堆六七个，残碎瓦片、匣钵片、渣饼都散乱地上。北部地势较平，有东西方向的两道土岗，两岗上都微有建筑物痕迹，但无石基瓦片，可知是很简陋的板棚草房之类的东西。南岗上瓷片、窑具片、陶器片散布得很密也很广；北岗上散乱的原料石块、白色石英砂、普通小石块、铁炼渣不少，由此可知南岗当是制坯场，北岗当是羼料厂，这些地面遗物本身就能说明情况，地下既无遗存，也不用开土了。

废窑址在漫岗上，第一窑址耐火砖壁已全部掘走，仅余一大平底圆坑形窑腔，此坑灰土堆积层上部夹杂很多瓷片、窑具片、黑瓦片、陶器片，下部渐少，接近坑底部分就只有土灰，不见遗物了。此窑腔正圆形，直径5.8米，深3.4米。第二窑址规模较小，耐火砖壁虽被掘走，但仍存有零星碎块，变成一堆一堆的大粒砖末。灰土夹杂遗物的情形与大窑腔同，而上层瓷片较多，圆坑直径3米强，深入地下2.6米。周壁直立，底略平坦，窑坑上部西延长出一方形坑，当是窑门遗址。此外又发现一最小窑坑，圆形直径2米余，深入地下不及1米，出土少数瓷片，中有绿瓷一种，是较少的遗片，由这三个废窑坑看来，它的原建筑物虽已掘除干净，但它是一面有出入口的圆形窑室，与今日博山窑、彭城镇窑构造是相同的，而与江南常见的长洞窑和景德镇介乎长圆之间的窑室完全不同。

原料仅存有黄色矿石一种，虽没经科学分析，但以肉眼观察，知是质不太纯的长石类，外形很像石灰石，但硬度极小，质细滑而岩层呈厚板状，这是制胎的主要原料。据调查，这种石料在白塔子、满其克山附近都露有岩层，距此2.5公里的"白音戈劳"屯后山不但出此矿石，而且有古代矿坑，或者就是由那采来的。

燃料方面，由于植物灰的大量遗存，由于没发现煤渣和炼炭渣，由于以此地为中心的150公里内至今尚无煤层的发现，可知是以木柴为燃料而不是用煤的。

概括出土品（地面采集品不在内），有白瓷片2913个，白胎黑瓷片1090个，软火绿釉瓷片10个，瓷胎黑釉瓦片5个，匣钵片1069个，渣饼泥条片2316个，外加瓦片、陶片等总计仅在8000个以上。比之于江西省浮梁县湖田、河北省曲阳县涧瓷村古窑址的窑渣如山，相去不啻天壤，可知此窑规模很小，烧造时间也是很短的。

窑具有装烧瓷器的匣、钵三种，垫烧瓷器的支足，渣饼三种，均作正黄或红黄色，含多量石英粒，硬度很高，技工规正。第一种为平底圆筒式匣钵，第二种为圆底短筒式匣钵，第三种为覆烧圆环式匣钵。前两种匣钵口足上多粘有泥条，可想见满窑时钵钵叠罗加条密封的情形。渣垫泥土较匣钵稍细，色也较近黄白，均系手制品，但也比较整齐，第一种圆锥式，第二种三足渣饼式，有正圆、三角、三爪各形，第三种圆球式。种类很多，大小不同。

成形有拉坯、印坯两种，拉坯技工较好，力工也还整齐，多碗盘瓶盒等，印坯较少，多海棠式长盘、壶把、有花棋子等。瓷胎纯白瓷化程度较高，破裂面有光泽，大器胎质不太纯，微现灰色或杂质细点，白瓷釉药直挂于胎上，多直达器足，也有底足挂釉，口唇无釉的覆烧器，釉层非常均匀而无堆脂泪痕现象。色调纯白温润，不开片而无冷脆感觉。黑瓷胎质与白瓷全同，釉色黑而闪绿，调釉层稍厚，偶有堆脂和开片，也极温润高雅，与一般黑釉杂器不同。绿釉一种数量极少，当是一种偶然的试烧器，技术上完全与定窑相同，瓷质也极似定器，几乎难于区别，但在作风上如圆足口唇，往往有唐瓷风调，而雕刻花纹则远不如定器的熟练劲丽。器底有的刻有各种记号（八种），在辽瓷中是早已发现过的，推测它有两种可能的：一是生坯定货的记号，二是合伙搭烧的记号。由器形上看可分为两群：一为中国固有形式，如碗、盘、瓶、罐、盂、盒之属；一为特殊形式，如海棠长盘、方碟、长颈瓶、长把手壶等；但后一种数量较少些。此窑年代不见于任何记载，探沟虽出土一枚北宋"元丰通宝"钱，但也不能确定是当时的堆积。若由器形作风有唐代风趣和烧造辽初建造祖州用的渤海式花纹黑瓷上看，年代可能是辽代初期的。

（二）赤峰缸瓦窑

瓷窑在热河省赤峰县西60公里缸瓦窑屯，是辽代瓷窑中规模最大、年代较长、产量较多、货品分布也较广的代表窑址。缸瓦窑屯是位于山沟北岸的一个小山村，前临小河，北靠山根，南北不过200米，河南是岩石山崖，东西沿河的地势较为平坦，由屯东九圣庙到屯西"西洼"的0.5公里多路中是古窑分布区，屯中为一群，西洼为另一群，而规模较少，屯中和西洼地面满布瓷片，有的窑渣成堆堆积着，地下更多。

第一窑址在屯中河岸断层上，窑门已被河水冲坏，河岸土坎高约3米，可看明历次建筑的情形。窑室平面前方有门，后方有二突出的烟道，内用耐火砖，外用石块建筑，前后长约5米以上，左右稍狭。窑室内断面可分三层，因火力不同而使沙色有白红之分，各层所含的瓷片也不一样，最下为黑灰层窑底。白沙层中多高火度精致白瓷，红沙层中多三彩釉陶器及其窑具和未挂釉的印花素胎器。由此可知此窑前后改建三次的情况，其西不远有一专烧茶绿釉鸡腿坛窑址，惜为河水破坏残存一小部分。坛口划有姓氏文字的不少。

第二窑址在屯西刘姓院墙下，形式大小和建筑方法都与第一窑址略同，但保存完整，可知窑门和火膛的构造。门宽70余厘米，内为半圆火膛，下铺瓦片，直径约1.9米×1.5米，较窑床稍深，有围筑，窑室砖筑，砖墙一道。外有副墙的痕迹。火膛中存有炭屑和植物炭，是使用木柴为燃料的有力证明。

第三窑址在河南山坡上，是由下向上沿山坡的长洞式窑，窑室内宽1.8米，全长26米，山坡作15°倾斜，此窑仅存石基和少数耐火砖基，高不过四五十厘米，其上部构造如何就很难推测了。遗存的瓷片多灰白色，较河北的粗劣，作风也不同，而且有的画有黄绿朱红等花纹，花纹彩色也都粗俗不堪，显然与河北窑不是一个系统，在时间上似乎也晚得多，不过窑式在北方是极少见的珍例。

除发掘数处窑址以外，又作了地表分区的采集工作，探沟、探坑工作，也搜集了附近的历史遗物，对此窑一切情况的认识就比较更清楚了。

此窑瓷种很多，以仿定白瓷为主，有光素、印花、雕花、画黑花四种，除少数精品外，一般的胎质较粗而色黄，有的胎挂白粉而后挂釉，釉色较浊而近牙白，偶有开片纹。印花莲花纹，粗品多，精品很少；画黑花的多，直条纹和梅花纹，圆点纹，画法草率，很多只画黑口一道；雕花较细的极为少见，三彩器先烧素胎而后挂釉重烧一次；印牡丹花的较多，有碗、盘、佛塔、陶砚等，也出土了辽人特有的鸡冠壶残片。

窑具有匣钵、渣饼，都与上京窑略同，唯不见有覆烧的环状匣钵片。印模出土两种，都用瓷胎刻制烧成，极为坚硬。

在时代决定上，由于鸡冠壶片的出土，窑渣堆出了"开元通宝"，附近出土了辽代砖瓦瓦当和梵文经幢，辽代城址分布着此窑瓷器片，我们可以肯定说它的年代是开始于辽代，而且是不会过晚的。

（三）抚顺大官屯窑

在抚顺市大官屯发电厂附近。窑址规模很大，烧造时间较长，所产瓷种也比较多些，窑室构造有两种，但都属于圆窑一类。

第一种椭圆形窑，椭圆长轴一端有突出窑门，门内为火膛，进有横壁一道与窑床隔开，火膛深于窑床，后一端有与火膛相同的横壁一道，两头下部各有二烟道孔，后有一小垂直短壁把半月形部分隔开为左右二烟筒，窑壁用方形耐火砖建造，外面似有土坯或黄土，今已不显形迹。

第二种圆形窑，耐火砖筑，正圆形，一面有突出窑门，门内为半月形火膛，横壁后为窑床，火膛较窑床稍深。后面烟道孔构造如何，因遗址颓坏已不明了。

窑具有圆筒式匣钵，多厚重，底有大圆孔，便于透热，圆底短筒式匣钵较少。渣垫有圆锥形、圆盘形、圆饼形、圆球形、亚腰线轴形、方柱、圆柱、三棱柱形、方块形各式，大小不等，制作都极粗拙。

产品以黑釉粗器为主，多缸、罐、瓶、壶等大器，盘、碗、玩具等小件较少。胎土粗杂，含多量铁质，现红紫色，有的有黑色小点，釉色黑而内紫红，燥而不润泽，釉层较厚，挂釉多不到器底。白釉黑色器片出土不多。粗白瓷片更少，是否产自此处，尚难决定，假令产自此窑，恐怕也是一种极少的试做性质。

窑址火膛中残存着煤渣、炼焦和煤灰，证明它用煤作燃料，由于产品多分布于金代遗迹中，它的开烧年代似乎不能早于辽末。

（此文为 1955 年在北京"中央考古训练班"上的讲稿）

对望都汉墓壁画内容说明的两点不同看法

1954年"文参"第12期姚鉴同志的《河北望都汉墓的墓室结构的壁画》，今年夏北京历史博物馆又编印成专书《望都壁画汉墓》。由姚鉴、李捷民、李锡经三同志将该墓结构壁画铭赞及出土文物等作了极为详尽的介绍。这两种著作，对我们了解汉代社会生活方式和文物制度、建筑绘画等，都有很大启发和帮助。

不过对该墓壁画的说明，我有两点不同看法，提供参考：

（1）寺门卒手持的器物，前文认为是"手在执殳杖，显然是个打手"。后书中认为是"面向门，持杖守门而立"。我们以为寺门卒所持的器物不是殳杖，可能是彗（也作篲，就是扫帚）。这种拥彗而立的制度是周汉时代守门人洒扫门庭，迎候宾客的一般常职。见于文献记载的有：《庄子》达生篇，《史记》高祖六年纪，《孟轲传》。见于当时或较晚时代的刻石或壁画中的，以"沂南汉画像石墓"中的刻像为最多。以1954年"文参"第8期发表该墓的画像图版为次第说：图二十三屋前拥彗而立的一人，图二十五门前拥彗而立的一人，图二十六门左右拥彗而立的各一人，图二十九左端持彗扫粮的一人，共五人；最后一人所持的扫帚形象更为明白。这种器物也见于旅顺营城子汉墓壁画门右方守门人的手中，不过图样简化了，并且又和棨戟混而为一，使人乍看难于认出罢了。

（2）车前伍佰第一人手持的器物，前文中认为是"画打旗开路的兵士'避车伍佰'"，后书中认为是"'车前伍佰'第一人持旗"。我们以为车前伍佰第一人（实际有两个人）所持的器物不是旗，可能是棨戟。它的形式特点是木制长竿，上出横枝，以赤油绘裹之，作为出行先趋的仪仗，正是世称"棨戟遥临"的棨戟。它在古代文献上见于：《汉书·韩延寿传》注，《后汉书·舆服志》，崔豹《古今注》等。形象见于：山东武氏祠前室第五石第三层骑吏图，辽阳北园汉墓骑吏图，旅顺营城子壁画墓门左守卒及另一门右立虎图中。

这本是微不足道的小事，也仅仅是个人的粗浅意见，不知对不对，希望指正。

（原载《文物参考资料》1956 年第 2 期）

让考古科学在祖国社会主义建设高潮中壮大

　　2月21—28日中国科学院和中华人民共和国文化部联合召开了第一次全国考古工作会议，大会上将检查过去的工作缺点和收获，也将讨论关于考古工作和文物事业的十二年远景规划及今后工作任务和施行步骤；宣读1955年度的主要发掘工作的专题报告。讨论大学历史系考古学通论教学大纲和培养新生力量的计划。并号召考古界全体成员，主动地进行自我改造，批判唯心主义观点，加强马列主义理论学习，提高政治觉悟和业务水平，紧密团结在党的周围，扩大队伍，发挥最大积极性和创造性，把考古工作做得更好。这次大会的召开，可以说是：动员全国考古工作者为完成在十二年内接近世界先进科学水平而努力的进军号角，是迎接文化高潮即将到来的序曲，是考古学在祖国伟大社会主义建设中锻炼壮大的标志，也是中国考古界史无前例的一件大喜事。

　　考古学在旧社会得不到正常发展，有一点点工作和材料，又多被少数人所把持，有的甚至还反人民利益，破坏盗卖或变成帝国主义掠夺我国文化遗产的助手。有的又是为考古而考古，使它脱离了历史研究，削弱了根据实物史料恢复人类社会的历史过去的面貌的积极作用。事实证明，只有中国共产党和毛主席领导着劳动人民掌握了政权，古代文化遗产和考古科学、历史研究、文物工作、历史教学等历史科学工作才能得到应有的重视。也才有可能运用考古材料和一切文化遗产对人民群众进行爱国主义教育，达到毛主席教导我们的"发展民族新文化、提高民族自信心"的崇高目的。党和毛主席是一贯重视民族文化遗产的。远在抗日战争的艰苦岁月里，排除万难，保护了山西赵城县古版大藏经的安全；解放战争中，搜集保存了大批由北京故宫盗运到东北的历代名贵书画，这是人所周知的两个明显事例。建国以来，先后颁布了各种保护文物、古建、图书、稀有生物及古文化遗址和古墓葬的调查发掘法令，对避免文物外流和史迹破坏起了非常重大的作用。又有计划、有步骤地进行了各种重要史迹和文物的保护工程。各省市县对古建和文物的修缮管理、移建保存的文件，更多到不能说完。

几年来在祖国大规模开展的基本建设工程中，无论是筑路掘渠，或是建厂开矿，地下总有古代的文化遗址和墓葬被发现，而且分布的面积很广，包括的时代很全，出土的文物数量也很多。几年的考古收获，已超过过去几十年间收获的总和了。如像洛阳西郊一所中学建校地基，在250亩的面积上，就发现了530多座汉墓。鞍山市东地一个机砖厂的场地上，也清理发掘了400多座汉墓。长沙市几年来的发现只战国和两汉的墓葬就在千座以上。郑州全市是建筑在殷商早期的包含文物极为丰富的一个广大遗址上面。这种盛况是北由内蒙古，南到广州，东出辽宁，西达甘肃和新疆，全国都是一样的。正因为是这样，在今后工农业的飞跃发展中，文物、史迹、古建筑物等保护工作的要求，也就越发感到迫切。我们建议：全国考古工作者、历史研究者、文物工作人员、大中小学校的历史教师和同学们，以及热爱祖国的广大人民，我们大家动员起来，自动自觉地采取一切爱国的有效行动，保护地上地下的一切古代文化遗物，免受损坏。使古代光辉灿烂的文化，为我们今天壮阔宏伟的社会主义建设事业服务。

考古学是历史科学的一个组成部分，它不但对没有文字记载时期的原始社会史提供唯一的历史资料，就是对文字记载丰富的历史时期，也有订正史书的错误，补充史书记载不足的作用。

我们这几年考古学上的收获是惊人的，对历史学上的贡献也是很大的。

在原始社会史方面有：山西襄汾丁村古人类化石和大量旧石器的发现，四川资阳古人类头骨化石和骨制品的发现；最近广西来宾麒麟山洞古人类头骨上腭骨化石和过去所谓南方巨人的牙齿化石的发现；安徽泗洪下草湾，吉林榆树周油坊也有零星古人骨的发现。这些不平凡的发现，说明祖国大地上远在四五十万年前就不止周口店等几处，而是各处都有人类在生活着、劳动着，创造着文化，给人类原始社会史增加了内容。南方巨人化石的发现，又给人类由猿到人的发展史中，增加了一个有力的链环。

新石器时代的文化遗存发现更多。西安市半坡遗址发现了长方大屋址和很多生产工具、生活用品，充实了氏族社会生活和制度的新知识。浙江、福建、两广的几何形印纹硬陶和钺形石器的发现，在仰韶龙山两文化外，又提出了东南沿海的一个新文化。黑龙江依兰倭肯哈达洞穴发现了多种玉珮和篦纹陶，它表现古代中原文化和西伯利亚文化在松花江下游的混合。江苏新沂发现的一种含有新成分的龙山文化，给山东城子崖和浙江良渚镇两文化之间找到了联系桥梁。吉林西团山大群墓葬中都发现了猪头骨，证实了史书说挹娄人喜养猪，食肉衣皮的真实。吉林骚达沟大石墓的出土，证实了山东半岛和辽宁分布的石棚（巨石建筑）的墓葬性质。

殷商历史，可以说是近几十年来从安阳的考古材料上重新建立起来的。近年又发现了郑州二里岗和辉县琉璃阁殷代早期遗址，琉璃阁晚期墓葬群。在安徽、陕西、山东也有殷商文化遗存的出现。这些材料，使我们不仅仅知道殷商社会的晚期情况，也了解了一些早期情况；不仅仅知道安阳一处，也知道了其他很多地方的文化。这样就有可能逐步把殷商历史发展，特别是生产力与生产关系情况，以及艺术科学的成就，描画出一个更为准确细致的图面。

关于周代文化遗存的发现就更多了，只就铜器一项说，有江苏丹徒宜侯铜器群的发现，在安徽寿县大群蔡侯铜器的出土，热河省凌源铜器群，山西有永济大批铜器的出土；河南郏县也发现了一群青铜器，少的几十件，多的一二百件，有的带有较长的铭文。这样就对西周、春秋和战国的历史，有了更进一步的了解，在文化分布地域上也有了新的开展。

机轴、关揆、齿轮等机械的发明应用，在我国是很早的。《汉书》说张衡能使三轮自飞，之后不久就有人用齿轮传动作用原理制出了指南车。近年关于这类机械零件的发现是不少的。山西永济县薛家崖出土大批战国到汉的铜器中，出现了铜制轴承三件，它是一种环状槽子，内分四格或八格，每格中都有铁珠的残遗。齿轮五种：有正齿轮、棘齿轮，有片状三角形一侧有三齿的，有五个长齿或短齿的，也更有圆管的一头或两头有齿的。类似这种机械的铜件，在长沙等地也有过不少发现。这就有力地证明祖国远在两千年前机械科学的成就已经很高了。这可以粉碎了机器都是西方人发明的谬说。

铁农具是研究封建时期农业生产力发展的物质材料，也是冶铁技术高低的尺度。河南辉县战国墓出土了将近百件铁农具；热河兴隆战国遗址出土了70余件农具；甘肃古浪，湖南长沙，辽宁鞍山和辽阳，河南洛阳和白沙，四川广汉和绵阳，都有一定数量的发现。少则三五件，多则几十件以至百余件。时代是多由战国到西汉，内容有：镬、锄、铧、锸、锹、铲、三齿耙、镰、铍、铚、犁壁等十几类。它们给当时农业生产发展作了有力说明，给两汉剥削农民的农具官卖制度作了见证。

此外有几点发现，对祖国艺术文化史方面的贡献也是极大的：第一，辽宁辽阳壁画汉墓群，河北望都壁画汉墓，山东梁山壁画汉墓的先后出土，给中国上古绘画史增添了光荣篇幅。第二，河北曲阳古修德寺址，一次出土了佛教古像及残件2600余件，刻有北魏、东魏、北齐、隋唐年款的就有237件。四川成都万佛寺址，一次也出土了石雕佛像百余件，有南梁、北周、唐代年款的45件。这些年款明确，朝代衔接而又成群出现的雕像，为我们研究南北朝隋唐时期的雕刻艺术，提供了大批新材料。第三，河南郑州二里岗高温硬质褐绿釉陶尊和大批釉陶片的出土；河南洛阳合作社周墓，江苏丹徒宜侯矢毁出土墓，西安斗门镇西周墓，都出土了青釉陶豆；河北石家庄战国遗址中出土了不少灰绿釉陶器片：这些资料给中国两汉魏晋以来大发展的陶瓷器，找出了源远流长的新根据，把祖国造瓷史提早了一千多年。

这仅仅是新发现的一些考古资料，丰富祖国历史文化的几个浅显事例。今后随着祖国基本建设的日益扩大，农田水利的大力开发，地下保藏的文物也将源源不断地被发现出来，我们只要加意保护它、研究它、利用它，它就会对祖国过去的历史，对祖国今天的建设，做出极大的贡献。

（原载《文物参考资料》1956 年第 3 期）

中国考古学通论纲要

目　次

绪　论

第一编　考古资料

2. 城寨址——山寨、城市、长城等

3. 交通道路址——道路、运河、桥梁、关口、栈道等

4. 作坊址——采石场、采矿洞、陶窑场、造酒场、骨器作坊、冶铸场等

5. 贝丘

6. 宗教建筑址——石柱、石圈、佛窟、塔寺等

7. 墓葬——巨石墓、洞穴墓、崖墓、土墓、木椁墓、砖石墓、瓮棺墓、火葬墓等

8. 文化层

9. 遗物散布地

（五）劳动工具及日常用品的使用与分类

1. 工具和器皿的发展：劳动工具及日常用品的发展规律——石、铜、铁

2. 遗物上常用的分类——功用的、质料的、成因的、型式的等

（六）石器、骨器的制作与种类

1. 石器的发展——旧石器、中石器、新石器

2. 石器的制作方法

3. 石器的主要种类

4. 骨、角、贝器

（七）陶器的出现与我国的远古陶器

1. 陶器的发明与发展

2. 我国的彩陶、黑陶、印纹硬陶及白陶

3. 我国特有的陶器——陶鬲、陶鼎、陶鬶和陶豆

（八）金属器

1. 金属器的发明与发展——纯铜、青铜、铁（文化金属）

2. 我国古代青铜器是人类青铜技术文明的最高峰

3. 我国铁制生产工具的发达

（九）装饰品与造型艺术

    1. 装饰品的质料与种类

    2. 雕刻、绘画与文饰

（十）宗教遗品

第二编　中国考古

（一）旧石器时代

    1. 中国旧石器时代初期文化

        （1）中国猿人

        （2）丁村人

    2. 中国旧石器时代中期文化

        （1）中国西北地区黄土层底部砾石层的石器

        （2）河套人文化

      水洞沟遗址

      萨拉乌苏河遗址

    3. 中国旧石器时代晚期文化

        （1）山顶洞文化遗址

        （2）资阳人

    4. 中国中石器文化问题

        （1）顾乡屯遗址

        （2）扎赍诺尔遗址

（二）新石器时代

    1. 细石器文化

    2. 仰韶文化

    3. 龙山文化

    4. 印纹硬陶文化

    5. 其他各地方的新石器时代文化

（1）台湾省

（2）海南岛

（3）西南

（4）东北

　　附：东北巨石纪念物的石棚

（三）殷商考古

1. 殷商的总括介绍

2. 殷商遗址

3. 殷人建筑址

4. 殷商墓葬

5. 殷商物质文化遗存

6. 甲骨与契文

7. 殷商物质文化生活情况

（四）两周考古

1. 两周的概括介绍

2. 两周遗址

（1）谭城遗址

（2）易县燕下都遗址

3. 两周墓葬

（1）辛村墓葬

（2）山彪镇墓葬

（3）洛阳西周墓葬

4. 两周的物质文化遗物

5. 两周物质文化生活状况

（五）汉—宋代考古

1. 汉代城址和居住址

（1）城址

第三编　考古发掘与研究

（一）遗迹调查

1. 地形与遗迹

2. 文献记录与遗迹

3. 采访

4. 调查与季节

（二）遗迹发掘

　　1. 准备工作

　　2. 发掘工作

　　　　　　（1）居住遗址的发掘

　　　　　　（2）墓葬的发掘

　　　　　　（3）城址的发掘

　　3. 记录方法

　　　　　　（1）文字记录

　　　　　　（2）绘图记录

　　　　　　（3）照相记录

（三）资料整理

　　1. 编号登记

　　2. 修理复原

　　3. 描述、绘图和拓照

（四）资料研究

　　1. 层位的方法

　　2. 类比的方法

　　3. 标型的方法

　　4. 集品的方法

　　5. 民俗学的方法

　　6. 年代的决定

（五）报告编写

绪　论

（一）考古学通论在考古工作和历史研究中的作用

《考古学通论》是概括地一般地介绍一些比较系统化了的考古学上的常识，可以作为有意于考古作业的人的参考，它还不是专业课程的完备教材，作为一个历史研究者来说，除了有文献、档案、铭刻、人民传说和口头创作的文字材料以外，还有另一半考古发掘的物质材料，才能完成历史研究的全部使命，那就必须对考古学的遗址、墓葬的调查发掘、出土资料的整理和使用等方面，有一定程度的了解，这在没有成文历史的原始社会时期和少数民族历史的研究工作上更为重要。因此，考古学讲授内容上分量的分配恰恰与其他历史课的"略古详今"相反，而是"详古略今"的。它是有创史、补史、正史作用的。如原始史、商史以及其他等等，过高估计或神秘化是错误的，低估了，不够重视，也是不对的。

（二）考古学通论课的讲授内容

中国考古学通论应与苏联的和各民主国家以及资本主义各国的考古学通论都有所不同，为了便于我们了解，便于和文献结合，使用的材料以中国的为主，并包括最新的和东北地方的主要材料。但是为了便于了解人类历史发展的普遍规律和全面性，也概要地介绍一些国外的材料。想从三方面讲起：

1. 一般的考古业务基础知识：介绍一般的考古基础知识，如序论中的一些内容。

2. 中国考古资料：包括旧、新石器时代，铜器和铁器时代的资料，在每节概说中简介国外材料。

3. 考古调查发掘与研究：考古技术方面，包括田野调查，发掘和室内的资料整理与研究工作，但也只是些一般化的业务常识。

（三）考古科学的起源与定义

中国很早就有了"考古学"。北宋初期搜集碑刻铜器、玉器、货币等文物的风气很盛，欧阳修（史学家，作《集古录》）、刘敞（古物学家，作《先秦古器图》）、李公麟（画家，作《考古图》），都是代表。后来吕大临作《考古图》，其中有摹拓的铭文和雕刻精致的图形，并附有详细的考证，是很好的考古图录，今日也仍有其独到的价值。这一类图录在当时已有24种，可见发达的盛况。北宋赵佶（徽宗）在大观（1107—1110）初年搜集到礼器500多件，到政和（1111—1117）年间达到6000余件，都是所谓三代铜器。到宣和后，又扩大搜集范围，凡石鼓、画像、玺印、法书、名画无所不收，统计不下万件，分陈在宣和殿和保和殿中，并出有宣和殿博古图。这算得是世界最古老、最丰富的博物馆之一。此后如"钱币""玺印""符牌""度量权衡""镜鉴""范模""封泥""陶文""砖瓦""明器"等，又都发展为专门学科，走入更深的研究阶段。但这种初期发展阶段的考古学，因受历史发展的局限，只能停滞在这样的水平。

在欧洲也是这样。西方初期所谓"考古学"，原来本是研究古典的专用语，主要是研究希腊、罗马雕刻艺术的一种学术。

到了18世纪，生产力大大提高，资本主义得到发展，各种科学有进一步的成就，在这样基础上才形成了独立的考古科学。它才跑出了"古典研究"的范围，从事于以物质资料为对象，以地质学、古生物学、人类学、民俗学、文献史学等为辅助科学，以近代技术科学为手段，来进行研究人类文化遗存，探讨人类历史过去的面目。有了马列主义理论之后，才把考古学提到更高阶段。

那么就必须肯定"考古学"是历史科学的重要组成部分，它和文献史学同样是历史学的两翼，缺一是不行的。它虽然是以人类物质文化遗存为研究对象，但它是有阶级性的，同时它也是进行阶级斗争的武器，它在资产阶级手中就是进攻殖民地半殖民地国家或民族的武器，在劳动人民手中它就是揭发粉碎资产阶级御用学者各式各样落后的、反动的学派的有力武器。我们必须学习使用这种武器，向资产阶级腐朽的历史学说做不调和的斗争。

（四）考古学精细的分科

1. 依时代划分：原始社会、旧石器、新石器、铜器、商周、秦汉等。

2. 依国别或地域划分：中国、苏联、近东、埃及、庞贝、东亚、克里特等。

3. 依研究对象划分：美术、佛教、甲骨学、敦煌学、金石学等。

（五）考古学研究的方法、目的和范围

1. 考古学研究的方法：考古学是近代产生的物质资料研究科学，它的方法论毫无疑问，必须是以辩证唯物主义和历史唯物主义理论为基础的，这是考古学者应采取的道路，是和过去任何方法论都有所不同的。

2. 考古学研究的目的：是研究实物的历史材料，根据这种材料，去恢复人类社会的历史面貌。也就是根据生产工具、生活用品和人类一切斗争活动遗留下的迹象，来进行每一个社会发展阶段的生产力和生产关系以及各种上层建筑的发展情况的研究。找出一般规律和特殊规律。

3. 考古学研究的范围：应在同等程度上研究原始的、（有时要着重一些）古代的、中世纪的一切物质历史资料，当然更重视用科学方法采掘来的材料，所谓科学方法采得的资料就是出土点、层位、情况、群落都明确的第一手考古材料。在时限上说，我国多以宋元为断，最近也有主张到明代的。无论到元或到明，并不是说元明以后的遗址墓葬就完全不管了，比方太平天国的一切史迹碑刻的调查发掘也是非常重要的，不可作机械的理解。

（六）考古学与各种科学的联系

1. 文献史学

古代的成文历史、档案、记录、甲骨、铭刻等虽然都是研究历史科学

的主要材料，但这种记载大多注意于帝王将相的诸系和大事记，而劳动人民如何创造历史，如何过着被剥削的痛苦生活的真实情况和细节，是很少记述的。有的是将无作有，以白当黑，歪曲了历史事实。也有某些历史时期、历史事件和历史人物都不见于记载，或文献不足，无法取信，这样就必须与考古学合作，进行历史研究。在考古学的调查研究上，也需要古文献的帮助，如成文史和诸子杂说的丰富内容，地方志对古迹遗文的收录，物产、风俗的记载，都对考古工作有很大好处。它们是相辅相成、关系密切的（如公孙度传的"冠石之祥"是石栅出土。后汉记载高句丽人重厚葬，以石为封，东夷食用笾豆。宋人记契丹人死作木乃伊等）。

2. 地质学

根据地层可以决定人类化石和石制工具的年代。古动物学、古植物学的研究对古人类生产生活的了解有直接帮助。如共生动物群和人类狩猎和植物根茎果核的鉴定，花粉孢子分析研究，都必须由专科学者来进行。自然地理学与古人类生活住居、生产活动和村落城市的经营发展有直接关系。岩石学也为这些学科提供新资料。

3. 人类学

地下出土的物质资料是残断的、不完备的，而且仅仅是不知用法的，这样就必须借助于人种志、民俗学、文化人类学的记载，以比较原始民族的生产生活情况，来解决器物烧造、独木舟制作、装饰品使用等，大事如氏族组织、婚姻制度、宗教迷信等，都必须有待于这种科学才能解决。发现的人类化石必须由骨骼人类学者比较研究，才能确定它的发展程度和年代。而少数民族的历史也只有考古学来给它树起骨干。

4. 理化学

考古资料研究鉴定，必须采取较新的科学方法来进行，不但一般的定性定量分析，光谱鉴定、硬度、比重、熔点、酸性的研究正在普遍应用，而较新的方法，如放射性碳素鉴定、含氟量的分析，对考古学年代论定上更有决定意义。

5. 艺术史学

考古资料的内容是丰富复杂的，打算做好研究工作，又必须与雕塑、绘画、金工、陶瓷、油漆、印章、货币等专门工作者合作。一个考古工作者对这些学科也应当有一定程度的基础知识，不然考古材料是会受到损失的。

6. 应用技术科学

测量、制图、照相、翻模、摹画、拓印等，在考古作业上都很重要。

考古学与各种科学的关联也很广泛，一个考古工作者不可能样样都通，样样都亲自去搞，但必须十分了解和这些科学的密切关系，并和这些科学家紧密合作，工作才能做得好。

（七）我国考古科学在国家基本建设工程中的任务和几年来的重要收获

我国现阶段的考古工作是配合基建工程在全国范围内进行的。铁路、公路、工厂、矿山都在动土修建，农田水利和大水系的综合规划也在逐步实施；地下博物馆大量开放，给考古事业开辟了广阔前途，给考古工作者增加了无限的锻炼机会。而考古工作者的任务既然这样繁重，自然要求我们努力学习、努力工作才能赶上实际形势，并且必须和基建单位紧密合作，才能把文物保护好，否则是不行的。

这几年来考古上的收获是很大的。原始社会史方面有山西襄汾丁村人骨化石和大量旧石器的发现；四川资阳人头骨化石和骨制品的发现，最近广西来宾山洞人类化石和过去所谓南方巨人牙齿化石的发现；安徽泗洪下草湾、吉林榆树周家油坊，都有人类化石的零星出土。这些发现说明祖国大地上，远在四五十万年以前就不止周口店一处而是各处都有人类在劳动着、生活着、创造着文化，给原始社会史增加了内容，南方巨人化石的出现，又给人类由猿到人的发展史中增加了一个有力的链环。新石器时代方面：西安半坡居住址中大长方屋址的出土，充实了氏族社会组织生活上新知识。浙江、福建几何印纹硬陶和钺形石器文化的发现，提出了东南沿海的一个新的文化系统。黑龙江依兰倭肯哈达洞穴中发现了多种玉佩和篦纹陶器，它表明了古代中原文化和西伯利亚文化在松花江中下流域的混合联系，在殷周历史上的新材料就更加丰富。大群铜器的出土，多数铁制生产工具的发现，山西、湖南多数齿轮、轴承的出现，辽阳发现的古墓壁画，河北曲阳和四川成都出土的大群南北朝石雕造像，都给祖国一般历史和机械史、绘画史、雕刻史增加了光荣篇幅。

（八）我国保护文物古迹的各种法令与保护工程

考古学在旧社会得不到重视与发展，历史文物不但受不到保护，相反的，多被统治者所独占，有的又被帝国主义分子盗劫一空，只有中国共产党领导人民掌握政权，古代文化遗产和考古学才得到应有的重视，也才能达到毛泽东主席教导我们的"发展民族新文化，提高民族自信心"的目的。党和政府是一贯重视民族遗产的，远在抗日战争的艰苦年月里，排除万难，不怕流血牺牲，抢救了山西赵城金代雕印的大藏经，在解放战争中，搜集保存了大批由北京皇宫盗运来东北的历代名贵书画，这是人所周知的两个事例。建国以来，先后颁布了各种保护文物、古建筑、图书、稀有生物及古文化遗址和墓葬的调查发掘法令，并且明文规定虽系学术机关也必须具备田野考古条件，并经人民政府文化部和科学院审查批准发有发掘执照的才能进行发掘。这对文物古迹的保护起了很大作用。

不仅如此，在积极保护方面采取重点修缮的方针，进行了不少保护工程：周口店猿人产地展览室和道路，龙门、云冈、麦积山、敦煌、拜城克孜尔千佛洞、义县万佛堂、奉国寺、成都杜甫草堂、杭州六和塔、农安塔、赵县安济桥等，有的设立了保管机关，有的大加修缮，各省市对古建筑和文物清理保护，移建保存更是多得说不清，给祖国光辉历史留下了无数典型资料。

第一编　考古资料

（一）考古资料的性质与范围

"考古资料"是考古学的研究对象，因历史科学资料，包括文献材料和实物材料两种，而考古学则专对物质资料进行研究，物质文化史料内容极为广泛，小的如一片陶片、一件石斧；大的如整座村落、一条运河都包括在内。但主要的是以科学发掘得来的考古材料为主，而以普通的物质史料为辅助材料，所谓"发掘的考古资料"，是由考古工作者用科学方法取得的，其地点、地层、出土状态、共存遗物、共存物互相关系都必须非常明确；普通物质史料则不然，它本身只要真实不假，具有一定史学价值不管它来源如何，与谁有关无关，都不失它在历史研究上的作用，如铜器、瓷器、碑志、雕像等，主要内容有下列三方面：

1. 人类劳动创作的物质遗物：生产工具、武器、生活器什、房屋、墓葬、村落、城郭、宗教建筑、绘画、雕刻等。

2. 人类生产生活的遗痕：行走的道路、耕种的地形、采矿的洞穴、伐树的根株、兽踵车辙、灰烬烧土等。

3. 人类作用于自然的遗留：家畜遗骨、粪便，采运的贝壳，矿石、石材，栽植树木、禾谷的根株果核，菜蔬五谷，食余的兽骨、海贝等。

（二）考古资料的搜集与价值

1. 考古资料一般的保存场所：大致可分为地上和地下两类：地上的巨石纪念物、古代建筑、碑碣摩崖、石窟塔寺。有的原在地下，后渐暴露的，如石棚等。地下的如历代陵墓，遗址渐埋或聚埋于地下，如北宋巨鹿县被黄河淤泥所埋设，各种洞窟被积土所塞满。大多数古代文物和遗址多埋没在土下，造成所谓文化层。也有沉没或淹灭在水底，保存到后代的。

2. 考古资料获得的方法：考古资料既多存在于地上、地下或水中，也有先后发现被人收集起来的，因此，在搜集方法上就有了不同：

（1）最重要的第一个方法是用科学手段主动发掘。这种方法是近代考古科学唯一的获得资料的方法，它是考古工作者亲手利用一切科学条件来进行发掘的。先进国家的考古队组织，不但包括各种科学专家，而且在发掘工作上利用了汽车、飞机、铲土机、小火车、抽水机、吹风机、干燥器、发电机、电影机等等。在研究鉴定工作上，使用同位素、年轮研究、含氟量、光谱、萤光照相等科学方法。

（2）其次是遗迹的采集。这种方法主要是利用遗迹地表因自然力或人力的播动，文物偶有露出，加以采集。大致出土地点基本明确，没有伪造改变危险，但层次和共有物互相关系都不清楚。

（3）复次是由文物机关或个人间接搜集，久已传世的或偶然出土的文物，多被收藏于文物机关或个人手里，我们要进行研究就必须从这些人或机关中间加以搜集。这种文物多半是它本身具有历史价值，很少知道它的出土详情，就是间接听说一些也只能当作参考，不可用为科学结论基础的。

3. 考古资料历史价值的决定：考古资料来源的科学性既有所不同，从而它的史料价值高低也就不大一样。"发掘材料"为第一手材料，不管它本身是否值钱，它的史料价值是最高的。"采集材料"是第二手材料，有一定程度的可靠性和史料价值，但它不能和发掘品相提并论，"搜集材料"基本上是一般的物质文化资料，不算考古材料，除文物本身外，说明不了什么重大历史问题，它在考古研究上是从属的参考的材料。这三种界线必须划清，不得稍有混淆或忽视。否则就必定会影响考古科学的严肃性，影响到结论的正确性。

（三）遗物、遗迹及其命名

1. 遗物、遗迹的划分

物质文化史料，即实物史料，大体可分为遗物和遗迹两类："遗物"所指的是形体不大，可以搬运移动的。依质料看，有石器、陶器、骨、角、贝器、铜器、瓷器等，若依用途看，有生产工具、生活器皿、兵器、装饰品等。"遗迹"指的是物体很大，复合结构，不便迁移搬动的。如坟墓、住宅、城市、作坊、道路、运河等。但所谓体形大小和可否搬运也都不是绝对的。仅是由经济上和技术上以及为了研究方便略作区分而已。

2. 遗物、遗迹采取名称的惯例

对新发现的遗迹、遗物，考古工作者必须定以适当名称。一般为了避免一时的武断或错误，不加时代、民族等肯定名称，而多以首见地名或表示性状的特点来代表。如"龙山文化""仰韶文化""几何印纹硬陶文化""彩陶""黑陶"等。

（四）遗迹的种类

遗迹主要是人类生产、生活以及有意识或无意识遗留下的痕迹，大体可分为：

1. 住居址：岩荫（欧洲旧石器时代较多）、洞窟、穴居址等多为旧石器和新石器时代人类所遗留，如中国猿人产地，山顶洞、倭肯哈达洞、沙锅屯洞等。村落址、房屋址、水上居住址等，铜铁器时代亦多有之，如半坡村新石器居住址、三道壕西汉村落址等。水上居住址则多在湖、江、河、海近边。

2. 城寨址：山寨址在新石器时代就已出现，氏族社会的部落也有采取这种地形和设备的，后世在军事上也多有建造的，而以东北高句丽族的山城最为突出。城市遗址的保存多因特殊情况而造成，如"鼓沛市"被火山灰所覆盖，"巨鹿城"为黄河水泥所覆没。有的因经济政治中心变迁，有的因民族逃散迁放，使城市空间废弃，如近东冬地土丘遗址和我国新疆的多数荒城。

东北黑龙江省宁安世环镇的东京城（渤海上京龙泉府址）、阿城县白城（金上京会宁府址）、内蒙古自治区巴林左旗林东古城（辽上京临潢府址），也都是极为有名，而在历史研究上又是极为重要的城市址。长城是一种防御外族侵入的设备，外国较少而我国最为发达。战国时期，楚、韩、魏、秦、赵、燕都各有长城，秦汉更为宏大。后代的晋和北朝以及隋唐都有部分建造。金修界壕远达黑龙江上源。明修山海、嘉峪两关间的长城，号称万里是人类史上伟大业绩之一。

3. 交通道路址：道路航线的修建必须根据交通运输的实际要求，交通运输是观察生产力发展情况的一种水准，所以这种遗迹的调查研究是重要考古工作之一。小的如道路、栈道、运河等全部的或局部的保存；大的如海上交通、西域廊路以及国内古代道路等附属遗迹。此外配合交通道路的桥梁、渡头、关门、隘口等遗址都是应加注意的。

4. 作坊址：是人类劳动创造直接遗留的史迹，最为重要的如石器时代的采掘燧石的坑洞，制造石器场所，金属时期的采矿洞，历代陶瓷砖瓦窑，商代骨器作场，古代冶铸场，造酒场等。

5. 贝丘：是新石器时代海滨居民食余贝壳和各种残碎废物堆成的垃圾堆，其中往往夹杂有鸟、兽骨或人类墓葬，是研究新石器时代人类文化的一种重要遗迹。

6. 宗教建筑址：宗教思想不是与人俱来的，而是旧石器时代中期才开始有的。它是上层建筑的现象，发生于人类社会发展的一定的阶段中和一定的基础之上。最早表示宗教观念的东西有巨石纪念物中的石柱、石圈等；铜铁器时期的有佛窟、塔寺、造像等，后世的神殿、宗庙、礼坛也都属于这一类。

7. 墓葬：从旧石器时代中期以来，人类对死者的处理就有了一定的程式，并随葬以生活所不可缺少的东西。这种思想随着生产力而逐渐发展，终于形成了各族各时期的种种墓葬。巨石墓、洞穴墓、石圹墓是新石器时代人类的一般埋葬形式。土坑墓、木椁墓、砖石墓，是中国最流行、最广泛的埋葬方法。瓮棺墓多埋殇葬。火葬墓是同佛教一起传到中国的印度埋葬风俗。

墓葬是考古学发掘的主要对象之一。

8. 文化层：是人类活动场所经久堆积的遗物层积，其中包括残碎工具器皿、食余兽鸟、鱼介残骨、砖瓦灰烬、烧土垃圾、都成层地覆埋于地下。或几个时期的人们前后不同的遗留，就分上下若干层次地叠压着埋在地下，都叫文化层，由这种层积的先后和其中包含遗物的情况，可以窥测当时人类文化程度和生活状况的演变。

9. 遗物散布地：人类生产生活的活动场所地表上遗留的一切迹象和残碎遗物，或原在地下的遗留因天然力或人力的冲刷侵蚀、搅乱翻动而露出地面的地方，都叫遗物散布地。

以上这两种遗迹本身往往没有明显的整体构造，又多属长期的琐碎遗存，后者更多被搅动散乱，毫无层次先后可寻；但它们往往是找寻人类文化遗存最好的线索，在考古调查发掘上也是非常重要的。

（五）劳动工具及日常用品的使用与分类

1. 工具和器皿的发展

人类社会历史遗迹不仅是古代人类的遗骸，主要的还是劳动工具。研究人类生产工具的更替发展，是判定人类发展年代和历史分期的主要手段。人类最初制作的工具，主要是用天然石料做成，这个时期很长，叫作"石器时代"，初用石块互相打击而成粗笨石器期，叫"旧石器时代"，由粗笨石器进步到磨制的和打制精致的石器，同时有了陶器，这个时期叫"新石器时代"，由旧石器向新石器过渡期间，有人定为"中石器时代"。新石器时代由于制陶业的普遍发展，人类掌握了使用火力的种种经验，接着发明了冶铜术，但还不能大量生产，石器和铜器并用，叫作"金石并用时代"，或"金石过渡时代"。普遍使用铜来作工具和器物的时期，叫"铜器时代"，或称旧金属时代；这个时代又分为两期：初期只知单纯使用红铜（多用冷锻法），叫"原铜或红铜时代"；后来渐渐懂得铜中加锡的优点（容易化、硬度大、气孔少等），就都使用合金的青铜，叫作"青铜时代"。由于冶铜技术不断提高，人类又懂得了从天然矿石中炼出铁来，铁器终于替代了青铜的使用，这叫"铁器时代"（或称新金属时代）。

人类生产工具不断发展，生产力不断提高，生产关系也随之改变，形成了今日高度的文明。这种按照人类工具质料把历史发展划分为石、铜、铁三个阶段的方法，是丹麦考古学者汤姆森（1788—1865）倡议，各国考古学上也多采用。在我国早就有过用人类兵器质料划分历史发展阶段的办法。后汉袁康《越绝书》中《记宝剑》篇有："轩辕神农赫胥之时以石为兵（与旧石器相当）……黄帝之时以玉为兵……"这和汤姆逊的方法相同而加细，又比他早了一千几百年。不过当时实物史料研究得不到发展，没有人把这个卓越的文化分期法发扬光大起来。使它成为昙花一现，深为可惜。

附：分期表

纪	时代	文化期	代表文化地点
石器	旧石器	初期文化	周口店 13 地点 周口店第 1 地点（猿人产地） 周口店 15 地点 襄汾丁村文化
		中期文化	西北黄土底部砾石层中文化 水洞沟文化 萨拉乌苏河文化
		晚期文化	周口店山顶洞文化 资阳黄鳝溪文化
	中石器	暂不分期	扎赉诺尔文化 顾乡屯文化 榆树周家油坊文化 武鸣文化
	新石器	暂不分期	晚期细石器文化 仰韶文化 龙山文化 印纹硬陶文化
金属器	旧金属（铜器）	原铜文化	？
		青铜文化	商—西周
	新金属（铁器）	暂不分期	春秋以来

2. 遗物上常用的分类

物质文化资料种类极为复杂，如不加以合理分类，就很难进行比较研究。最常用的分类有下列几种办法：

（1）依功用来区分，如生产工具（可细分农业、手工业、交通等）、生活用器（可细分饮食、炊膳、容器、日用品等）、兵器、车马器、镜鉴、明器、货币、衣服、装饰、木器、家具、文具等。

（2）依质料来区分，如石器、陶器、玉器、骨角、贝器、铜铁器、景泰蓝、漆器、玻璃器、竹木器等。

（3）依成因来区分，如雕刻、绘画、书法、版画、刻丝、刺绣、塑造、窑器、织造等。

（4）依器物型式来区分（多用于大类之下）如陶器中的三足器、圈足器或瓶、罐、盂、盘等，绘画中的堂幅、对联、横批、条屏、匾景、扇面、手卷、册页等。此外如革命文物、少数民族文物、民俗学材料、考古学资料、文献材料等，在某种情况之下，也都有自成一类的机会。上列四种根据不过举其大要，在实际工作上也可联合使用几种依据来编成一个分类表；并且每大类之下都可再分小类，也可把同一些东西，因不同目的和要求，分作几种分类表或卡片，便于作研究的参考。

（六）石器、骨器的制作与种类

1. 石器的发展

人类由于劳动的结果，逐步发展了自己的体质和智慧，劳动工具逐步改进，生活也不断提高。最初很可能是利用过天然石块和自然破碎的石片作工具，但这些东西没有人工加工痕迹，无法和自然物区分；而且它不是人类制造的劳动工具，在人类文化上不占重要地位。欧洲若干唯心主义考古家把一些天然石块定为"古石器"或"曙石器"，它既不是人工物，也不能称作器，这是毫无道理的谬论。我们认为，无论石制工具如何原始，它必须是人手制造的，它本身有制造痕迹或使用痕迹。一般说来，石器的发展是：由打制的偶然形状进步到意志要求的固定形状；由少数万能式石器进步到各式各样专用石器；由单式工具进步到复合工具；由粗打技术进步到生产力很低的旧石器时代，经过小巧的复合工具出现的中石器时代，最后达到种类繁多，磨、打、钻孔极为精好，而生产力相当进步的新石器时代。

2. 石器的制作方法

石器制造第一为选材。原始人有很高的岩石学知识，并不是一切石块都能制作石器的。选择标准，首在硬度，一般多选6、7、8度之间的火石、燧石、石英、水晶等。因这类天然石块大都经风化和水力冲磨成大小适宜的圆块状，硬度高而性脆，打击可得锋利石片来使用。第二是制造。这种制造技术是随着时代发展而有所不同的，一般说来，打制石器的制造工程可分两段，即第一步加工和第二步加工。先把天然石块用别石打一片，使石块一端出一平面，叫作台面。然后用台面为打击面，由周围打下石片余下的一个柱状石块，叫作石块。就是第一步加工，也叫打片工作。打下的石片上有打击面和打击点，在破裂面上有半锥体、辐射线、疤痕、波纹等，这都是由打击时物理作用形成的诸特征。这样打下的石片因有薄刃，即可当石器使用。如果石片不适合使用，则进行第二步加工，使石器具备一定形态的特长，适合于一定的用途。第二步加工有各种打击方法，其目的不外乎使尖端更尖，薄刃更锋利，器形更整齐。或用纯的石器再加工使其重新锋锐。人类文化不断前进，不能长期满足于打制石器，渐知利用水沙来锯切磨光，或加穿孔，或加木、骨、角、皮等质的附属部件，这样，就出现了新石器时代的更进步的石器。

3. 石器的主要种类

（1）属于旧石器时代的主要有：①手斧类：即所谓手击工具，也称手槌、手榔头。器体扁平，一端稍圆，一端稍尖。它是旧石器时代初期工具，当时专用工具尚未出现，它是唯一的万能式工具；②尖状器类：具一尖锐的尖头，可作扎刺钻等用；③刮削器类：只修理一边使之锋利，便于刮削、割切之用。有石刀、刮削器、圆刮器等；④石钻：为专用钻孔器；⑤雕刻器类：作为雕刻骨器和各种艺术品的工具。细石器有：①石刀（细长具有两刃的石片），②尖状器，③石钻，④刮削器，⑤石镞等。

（2）新石器有：①石斧类：锛、凿、有孔、有肩等斧都归这一类；②刀镰类：半月形、长方形（有孔、无孔）石刀，三角形切刀、石镰等；③矛剑类：矛头、短剑、标枪头等；④石镞类：三角形镞、长梃镞、三棱镞、歪头镞等；⑤环状器类：石环、环状利器、花冠状石器等；⑥犁类：石犁、石耨、石锹等；⑦研磨器类：磨盘、石棒、石臼、石杵、研器等；⑧杂器类：石细坠、石纺轮、石卵、敲打研磨工具石等。

4.骨、角、贝器

人类在旧石器时代初期知道用骨质做工具，中期更发达，到新石器时代才逐渐少用了。因当时狩猎生活，兽骨极易得到，它虽不及石质坚硬，但强度则比石质为佳，适于制作尖状器，如骨锥、矛头、鱼叉、钓钩、缝针、箭头、短剑、槌头、斧柄、食匕、发笄等。此外如兽类牙、爪，鱼、贝骨壳也往往被当时人类取作饰物，有的并穿孔悬带或涂以红色。

（七）陶器的出现与我国的远古陶器

1.陶器的发明与发展

陶器的出现约在中石器晚期，新石器时代就普遍使用了。它是人类生活一大进步的标志，是和定居及农业生产有一定联系的。在没有陶器以前，不但煮食物很少办法，就是提取保存液体物也很困难；虽然有皮袋、瓜瓢、兽头、贝壳等可以使用，但都有一定缺点，是不能令人满意的。人类定居以后，火池炉灶的应用极为普遍，火烧泥硬给人很大启示。挂了半段黏土的树条筐和绳络葫芦等近火被烧，就变成了定形不漏水的陶器。人类在这样的基础上，不久就发明了陶器。早期的陶器大多仿拟筐篮、葫芦、皮袋等形状，后来才有了多方面发展，以至出现了釉陶和瓷器。这种器物具备一定的时代特征，使用数量多，又易破碎，所以由新石器以来任何遗址中都能找到陶瓷器或陶瓷片，它在考古学上是非常重要的一种遗物。

制造陶器先选较纯黏土使用，如果过黏不好用就羼和些滑石末、云母粉、贝壳、陶片末、石英砂和有机物灰炭等，以减少黏性免致裂破，并可增强陶器的耐火力。制造法有四种，也可看出制陶技术的逐渐进步：（1）模制法：涂泥于篮模，烧成后陶器上有篮纹；（2）手制法：用于捏成器物多不周正均匀；（3）泥条法：一种用泥圈接筑，一种用泥条旋筑；（4）轮制法：是进步方法，用陶土在旋转的陶钧（圆轮）上制成陶器，器形周正，留有拉坯痕迹。

陶器表面有各种纹饰，除光素外有篮纹、绳纹、席纹、刻纹、印纹、堆花、塑贴、镂孔等。

古代陶器火度高低不一，仰韶彩陶约在1300℃~1400℃，一般陶器多在600℃~700℃以上。陶器经各种不同火力烧成，能呈现不同色素：烧窑时火力不强，氧气充足，经氧化结果，可以烧成红陶；火力强大，氧气不足，而有湿气，经还原作用，陶器成为灰色。由于烟熏和陶土有机物炭化关系，可成黑色。所以陶色的变化是和窑室构造与火法性质分不开的。

2. 我国的彩陶、黑陶、印纹硬陶及白陶

陶器色素虽系火法和窑室构造不同的结果，但这种技术方法的行使，是和生产力以及民族文化与技术传统有关，作为某种文化特点之一来考察还是必要的，但称之为彩陶文化、黑陶文化等则不很恰当。我国出土有名的陶系有：

（1）彩陶：1921年首先在河南渑池仰韶村新石器遗址中发现，它是仰韶文化特征之一。是黄河中上流域为中心分布很广的一种陶器，远到新疆、青海、江苏、内蒙古自治区的彩陶则多富地方色彩。是古代人在当地创造的一种制陶技术，不是西来的文化。器胎均为手制，细泥红色，胎壁较薄而坚致，表面多研磨光滑。器形多钵、盆、盂、罐，彩色以黑、红两色为主，加白色的很少见。花纹多取几何形，写生动物和人像的极不多见。它有时和鬲、鼎共存，一般多和红陶共存。在半坡村发现了窑址。

（2）黑陶：1928年山东历城龙山镇城子崖最先发现，是龙山文化中的代表陶器。分布以山东为中心，远达河南、安徽、江苏、浙江、辽宁、吉林各省。陶器多轮制，胎薄（有的薄如卵壳），色黑而有光泽。约有表里全黑、表面黑色而胎内灰或褐色的两种。器形有碗、盘、豆、鬶、甗、鼎、鬲等。特征是器盖、三足、圈足、把手和弦纹的大量使用。纹饰除磨光外，还有：划花、方格、篮绳纹、堆纹、镂花等，这种陶器文化层往往在彩陶上面，再上有时也是商代文化。在龙山发现过窑址。

（3）印纹硬陶：是和有肩有段石器共存的一种陶器，它多发现于江苏、浙江、湖南、江西、福建、台湾、广东各省。陶质粗而硬，作灰色或褐色。花纹多印制，有方格纹、菱纹、雷纹、水波纹、直条纹、螺旋纹、绳纹等。它的时代由在长江战国墓封土中曾有发现看来，当属战国以前，但有的地方也可能稍晚些。这种陶器还没有足够的资料，现在注意研究中。

（4）白陶：最初发现于安阳小屯，与甲骨共生，陶质白而硬，温度很高，多有精致雕花，花纹与殷商铜器花纹相似，唯出土数量很少，不是一般人民生活用品，也不能作为殷代一般陶器的代表品，不过它在制陶术上是较高的了。在二里岗等地也发现了无纹的陶，但数量也很少。

3. 我国特有的陶器——陶鬲、陶鼎、陶鬶和陶豆

我国最有突出特点的陶器是三足器和高足器，而且到了铜器时期，也还沿用这种器式，它们的使用期很长，分布面也相当广泛，这是世界其他民族文化中所没有的现象。

（1）陶鬲：它由新石器时代开始，经过商殷、西周到战国才渐渐消灭。所以在仰韶、龙山、二里岗、小屯、西周、战国遗址中都有发现。它的分布南到江浙，北达黑龙江、内蒙古自治区（吉林、辽宁也很多），几乎中国境内都有发现的可能。经常发生有从三个尖底器连接而成的推测，一般不正圆，大肚三个分档，有三个尖足，外表往往有绳纹等装饰，用途是三足下可加火的炊食器，有的和蒸食器的甑相连接，就叫作甗，它的造型和花纹因为时代、地区和民族等种种不同而有变化，用自然物进化法则来研究它的演变有时是很不可靠的。

（2）陶鼎：它也是很古的三足器物，和陶鬲是子孙抑或是兄弟的关系尚未搞清，但在各类遗址中它是稍晚的东西。末期有的只是平底陶罐下加三条腿，器足长柱状或圆锥状，很少的作兽足状。这种鼎足和鬲足易于保存，又易于认识，是一个遗址最明显的标志。

（3）陶鬶：是比鬲、鼎稍晚发展的一种陶器，最初出现于龙山文化中。它的造型很奇特，下部像鬲，上部口唇上一面有长流，相对一面有垂直把手，上有器盖，它是铜器时代铜斝、铜爵的祖型。除龙山文化遗址外是不见的。

（4）陶豆：是一种具备各式型态的高足器。发生发展时代和分布区都和陶鬲相近似，所以在一般新石器及仰韶、龙山、小屯、周汉遗址中都能见到。陶色形态纹饰也由时代和地区而发生变化。新石器时代多粗重实心，直柱上一大盘，有的形如覆仰两盘中加直柱，也有的如两盘底足相接。少数在空足上堆塑或镂雕花纹。春秋战国时期的灰色细泥陶豆，有时柱上盖有文字印章。商代和西周都发现过有釉制品。

（八）金属器

1.金属器的发明与发展

纯铜、青铜、铁（文化金属）。文化金属的发现和使用，是在人类征服自然能力达到一定程度上才能出现而且必定出现的。这种技术在各族间虽然互有影响，但它主要是由内因决定而不是"传借"来的；因此各族都有独立发现的可能，各地区的发展也就有了先后不同的区别。

（1）铜器的发明和使用可分四个步骤：

①冷锻阶段：用自然铜块锤打制造铜器。

②熔铸阶段：使铜能在高火力中化为液体，随物成形，冷却后不变，渐知熔铸铜器。

③提炼阶段：因自然铜块产量较少，渐知用铜矿石（即孔雀石、绿松石）来提炼。这都是原铜（即红铜）时代的情况。

④合金阶段：人类发现了红铜加锡的合金，在旧金属文化上是个很大进步，称作青铜时代。原铜虽有很多优越的特点：如可以锤打制片；不易破碎；锋刃钝可重磨；可以随意铸形；可以毁而重铸，但它在当时出产不大，并且硬度较低，不能全部替代石器。及发明了青铜，情况就完全不同了，它有以下几个优点：

A. 熔点低。红铜熔点为1083℃，加锡25%则递减到800℃。

B. 硬度高。一般红铜硬度为35℃，加锡10%硬度则增165℃，但加锡过30%制器较脆，多不能用。

C. 铸造易。红铜铸时吸收空气。多出砂眼和缺陷，青铜无此缺点。所以青铜不独替代了红铜，而且也主要地接替了石器的使用。埃及在公元前3000年用铜，两河在那时已用青铜。

（2）铁是历史上起革命作用的原料中最重要的一种，它出现不久就替代了青铜器，所以叫作新金属。它具备了许多优点：①矿脉到处有；②铁性坚韧；③钢铁富弹性。正因为如此，它的提炼、铸锻技术就较铜复杂很多，所以出现得也就自然比铜晚。最早用铁的证据出现在公元前2000年上下的巴比伦，最先发现铁的地区可能是小亚细亚。埃及在公元前1200年已知钢化法，800年前后发明了淬炼法。此后各地各族也都有相应的发明和创造，使人类文化又向前跃进了一大步。人类用铁较铜晚的原因是技术较难：①初期提炼铁沙，由于炉体构造简单，鼓风能力微弱，只能炼出海绵状块，必经多次锻炼才能制作铁器；②生铁含有炭2%以上，熟铁含炭0.5%以下，钢铁含炭0.5%～1.5%，全都去掉了硫、磷等杂质。生铁性脆，熟铁较软，只有钢铁优于青铜，但制作技术复杂，又必须经过钢化过程和淬炼法才能生产；③铁熔点较高，熔为铁水约需1535℃高温。这些技术要求在古代社会是必须较长时间才能实现。

2. 我国古代青铜器是人类青铜技术文明的最高峰

我国在何时开始了铜器的使用，至今尚无确论，但到殷代青铜器已普遍使用，技术方面也达到相当高度则为不可争辩的事实，按金属文化发展规律看来，在殷代高度发展的青铜器文化之前，应有个很长的红铜文化期是必然的，传说禹铸九鼎是不无原因的。殷代铜经过化验证明，有的是锡铜合金，有的是铜铅合金，后者脆而易碎，不适于做武器，只可铸容器。当时在安阳炼铜用孔雀石，出土的坩埚我们叫作将军盔。殷商早期文化遗址的郑州也发现了炼铜作坊，用喇叭口陶器炼铜，器内还留有铜渣，并发现了铸器的泥范，是多块合成一器，极为进步。当时冶炼和铸铜工业的规模是巨大的，技术是精良的，这由殷墟出土在南京博物馆的"司母戊"鼎重685公斤[1]，具有精美的装饰花纹一事，就作了有力见证。制作过程是造型、翻范、选沙、配剂、炼铜、注铸、修器而后完成，一范一器，不能再用。铸造技术方法也发展到了相当高度，单范、合范、蜡模等法无一不备。粗细花纹、铭文族号、嵌石镶玉已作多样发展。殷代铜器大约有下几类：①武器有刀、戈、矛、镞、钺等；②烹饪器有甗、鼎、殷、鬲等；③饮食器有觚、角、爵、斝、觯、卣、盂、壶、尊等；④乐器有铎、铃等；⑤杂器有锥、凿、铲、削、轭、耒、镰、当颅、人面具、弓形器等。花纹以饕餮纹为主，多以方格纹为地。西周到战国，各有特殊发展。中国古代青铜文化技术，可说是人类铜文化的最高峰。

①此鼎现藏于中国国家博物馆，更名为"后母戊鼎"，重 875 公斤。

3. 我国铁制生产工具的发达

我国历史上何时开始用铁，现在尚无一致的答案。根据可靠的文献记载，最明确的要算《左传》（昭公二十九年）载公元前513年晋国赋铁以铸刑鼎一事。肯定春秋晚期能用铸铁铸刑鼎，这是大家没有异说的。此外有人根据《国语·齐语》和《管子·匡篇》管仲说过："美金以铸载，度诸狗马。恶金以铸锄夷斤柄，度诸壤土"的话，认为做剑戟的美金系指青铜，做农具的恶金系指铁，作为公元前686年已用铁的证据。也有人认为《诗经·秦风·驷骥》，"驷骥孔阜"的骥字，是马色如铁故名骥，认为西周已有铁。这两条记载虽都可以作为用铁开始的推测，并且根据战国铸铁已大大发展的情况看，这种推测是很有可能的；但现在历史学界对此还没有一致结论。总的看来我国开始用铁较晚，但炼钢术却是我国最先发明的，近年考古发掘中出土最早的是战国铁器，其中以农业生产工具为最多。河南辉县固围村战国墓中有过大批出土品，包括有铲、锸、镬、犁、锄各种百余件；河北兴隆副将沟战国遗址中出土大批铸造生产工具的铁范，70件中有不少有大篆铭文的，工具计有锄、镰、镬、凿、车器等。长沙战国墓也出过铁匕首、锄、锸、刀、削等。到了汉代，铁制生产工具由于官卖，对人民群众是一种很苦的剥削，但好的一方面，对铁器的普遍应用上却起了推进作用，在初期在农业和手工业生产上也有所提高。当时的铁制工具有一定规格，种类较前增多，不管中原或荒远的边区，分布得都很平衡。出土地如甘肃古浪、四川昭化、湖南长沙、辽宁辽阳都是当时比较边远的地区，但都出有大批铁制工具，而且器形、规格、种类都很一致，中原生产力发展较高地区就更不要讲了。总起来主要有：铁犁、镬、铲、锸、锹、锄、镰、铤、三齿耙等农具；斧、凿、刀、锯、钻、锛、锥、削等木工具。这都说明我国铁器时代初期的铁器是很发达的。

（九）装饰品与造型艺术

1. 装饰品的质料与种类

装饰品的出现是很早的，在旧石器时代晚期，欧洲的克鲁马努人和我国周口店山顶洞人，都使用过很多佩饰品，而且使用了着色矿物来着色，这是考古上证明了的事实。使用装饰品的目的是很多的，有的为了美观，有的是由于宗教、魔法和图腾主义的信仰，有的用来表示社会地位，有的纪念个人勇敢事迹，有的女性表示已婚未婚的差别。初期的装饰品大都取用天然物，如兽牙、石块、鱼骨、贝壳、鸟羽、兽爪、兽角等，进而有各种金属、美石、琉璃、珠翠等手工制品，这是由于生产力逐步发展必然产生的情况。初期多直接佩戴或穿挂在肉体之上，有的穿裂、破坏肢体一部分来配合装饰，如贯耳、文身、拔牙等。逐渐多用于衣饰和首饰，如各式冠帽、腰佩、臂环、手镯等。这些情况在古墓中常有发现。

2. 雕刻、绘画与文饰

雕刻、绘画和装饰都属于造型艺术，造型艺术是起源于中石器时期，也就是发生于氏族制度最初出现的社会阶段。那时也产生了宗教思想，所以艺术不是由宗教观念发展而来的。这种原始艺术不是为艺术而艺术，它的根源是人类的劳动实践，表现的也自然是人们从劳动实践中得来的认识、情感、情绪和思想的一种形式。表现技术已经很高，说明那时人类对自然有了很深刻的认识和体会。雕刻在骨角器物上的花纹特别是动物纹极为生动，用黏土塑造的和线雕在岩面上的野兽也很逼真，软石和骨牙雕刻的女像，也是现实主义作品。山洞中岩壁上的设色壁画是原始人的出色杰作，多以野兽和打猎战斗为题材，不但内容丰富，画面也非常宏大；用了红、黑、白、黄等色，多有明暗色调配合，有时托上鲜明的背景，表现有布局有章法，很柔婉又很有立体感。有一个时期在砾石上描画了各种色彩花纹，现还不能把那些花纹的表现企图加以合理的科学说明。新石器时代的艺术品发现得较少，不过我国彩陶器上的装饰花纹，就不能不认为是一种杰出的美术装饰；延吉小营子新石器时代墓葬出土的雕刻人面骨发筓，也是比较少见的作品。但这些比起早期盛况实差得很远。金属期以后造型艺术特别发达，此不备述。

（十）宗教遗品

这里所说的宗教遗品，主要指的是原始社会时期的宗教、魔术、精灵、图腾主义、万物有灵、自然崇拜、祖先崇拜等。现已明确知道的遗品有：各种巨石纪念物，有的是礼拜对象，有的是墓葬；巨石人像和图像，可能是图腾标志；石骨牙雕地母神像，当是母系氏族期的产物；石祖和陶祖，当是父系氏族期的祖先崇拜对象；彩画砾石，可能与宗教迷信有关，但终作何用，尚不能确定。有关这类遗品不多，但都是研究人类精神文明的资料，是非常重要的，我们必须注意搜集和研究。

第二编　中国考古

（一）旧石器时代

石器时代是人类文化初期发展阶段，是考古研究的主要部分。制造工具和使用工具从事劳动，人类祖先才脱离了动物界创造了人类社会文化，所以这种原始工具和初期文化的研究对人类社会发展史是极有重要意义的。

旧石器时代文化的研究，没有文字记载可考，只有根据地下的遗物和遗迹进行研究。人类化石的体质形态，给我们了解当时人类本身发展情况以启示；与人类共生的动物化石，可以了解当时人类生活环境；人类劳动工具的制造和使用情形，可以了解当时人类生产力水平和生活情况。遗迹方面，如：用火的灰烬烧土、岩荫、山洞的居住痕迹，洞中岩壁的绘画、雕刻都是了解原始人类社会的宝贵材料。

初期人类出现在地质时代的第四纪。地质时代约略可分为：太古代、古生代、中生代、新生代，新生代又分为第三纪、第四纪。在第四纪期间（距现在约100万年），北半球北部曾为广大冰川所覆盖，当时可能是由于太阳热力有变化或地轴位置有移动的关系，这个冰川有时冻结向南进，有时以融化面北退。南进中叫作冰川期，共有四次，北退叫作间冰期，共有三次。据说这种冰河前后运动，对人类发展曾起过积极作用，我国近年也发现不少冰川遗迹。对当时人类有何等关系，尚未进行研究。

在欧洲发现过几种有名的人类化石和文化遗物：（1）海德堡人　是最早在德国海德堡附近发现的。只有下腭骨和牙齿。腭骨本身具备猿类特征，而牙齿排列成马蹄形则接近于人类，牙的构造也像人；所以肯定他是一种比较进步的猿人。和他共存的只有动物化石，没有文化遗品。另外在法国北部阿布维利地方发现了欧洲最古的石器，人们叫它"阿布维利文化"。石器主要是一种一端稍尖，一端稍平的手斧。与这种古老石器共存的，又只有动物化石而不见人类化石。但由地层上看来，海德堡人和阿布维利石器是属于同一时期的，在地质时代上是属于第一冰川期间的，在欧洲可能就是海德堡人使用的阿布维利期的石造工具。阿布维利逐渐发展为"阿舍利文化"，它仍以身体扁平，左右匀称，尖部较尖的扁桃形手斧为主要工具，时代也是旧石器初期。（2）尼安德特人　发现于德国尼安德特地方，简称"尼人"。他们似乎是继承海德堡人发展而来的，猿类特征较少，代表人类发展一个阶段，生存在旧石器中期。尼人在欧洲的分布很广。体质特征是身高腿曲、眼眶大而眉骨少突出，脑量与现代人近似，面貌与尼格罗人相似。尼人的文化叫"莫斯特文化"，这文化可能是阿布维利、阿舍利以及克拉克当（与阿舍利同时，在英国克拉克当地方发现的，一种厚石片工具文化）等文化的综合发展，主要是以石片制造的尖状器、刮削器为工具。工具的特点在制造上有了二次加工；在用途上与从前拿一种石器作万能工具使用的不同，而初步有了专用器具。（3）克鲁马努人　距今约有10万年上下，即旧石器时代晚期，欧洲出现了克鲁马努人，简称"克人"。他们和现代人相同，所以也叫

"化石真人"。他们的文化是"奥瑞纳文化"，有各种石器、骨角器和用骨雕成的艺术品。

欧洲以外也发现过不少旧石器时代人类化石和文化，而以我国发现的最为有名。

1. 中国旧石器时代初期文化

（1）中国猿人　俗名"北京人"，发现于北京西南周口店龙骨山（1929年12月2日发现第一个头骨化石）。他是古猿向人类发展的第一个阶段——猿人时代的一种人类。他虽然还保存着很多猿类特征，但已经是人类了，已经是脱离动物界而进入了有文化的人类领域了。龙骨山为奥陶纪石灰岩所组成，石灰经水溶解和地下水浸蚀而成山洞，北京猿人就居住在这里遮蔽风雨和野兽。

在北京人产地附近的第13地点，出土了一件燧石制造的石核石器，几片曾经人工打击的石英石片，但没有人类化石的发现。由共存的古生物化石看，这个地点的文化是比北京人文化更古老的。毫无疑问，这种石器代表了在中国所发现最古老的人类工具。此外在第15地点和第3、第4地点也出现了比北京人工具更进步的石器，它们显然是与北京人产地上几层文化相接近，应较北京人为晚的。

中国猿人化石，包括有头盖骨、下腭骨、牙齿和残碎肢骨等，由这些化石中，可以看出有40多个男女老少不同的个体。他们的主要特征：眉骨突出，额骨低平，头骨较现代人厚一倍，脑平均为1075立方厘米（猿为800立方厘米，爪哇猿人850立方厘米，现代人1400立方厘米），上下腭骨前伸，无下颌，牙齿粗壮，牙根长大，牙冠较短而花纹复杂。由于这些特点，说明中国猿人的原始性很强，代表着人类发展的第一个阶段。他和爪哇猿人属于同一类型，海德堡人虽也可归入这一类中，但显然比较进步。共生动物化石如扁角鹿、犀、象、马、鹿、剑齿虎等第四纪或第三纪残留的动物，也都证明中国猿人时代的古老和明确。中国猿人共生的文化遗物，有石器，原料多用石英，也有少量砂岩和燧石。形式大小不等，其制法将砾石（河中卵石）打制而成，尚无多种专用器的发展，但大体可以看出有斧状器、尖状器、刃状器的区别。

中国猿人产地的山洞堆积中，发现烧过的木炭和灰烬、土块、石头和骨头。而且这些烧过的东西并不是普遍一层地分散在地层里，而是一堆堆地聚积在一处，有大有小有厚有薄地分散着。这清楚说明不是天然野火留下的痕迹，而确切是人类有意识地较长期使用火的遗痕，但我们现在还不能够证明北京猿人已经发明了人工取火方法，很可能他们使用的是天然火。

人类知道用火是一件极不平凡的大事。有了火就可以防御野兽侵袭，可以用来猎兽，可以用来熟食，可以用来取暖、照明，也可以用来烧掉树木，烧裂石块等。后来人类的制陶、冶金也都由用火基础上发展出来的。

过去在世界各地发现的猿人，无论爪哇猿人或海德堡猿人，我们到今天还不敢确定他们是否使用了工具，因此北京猿人的研究和他们文化的发现与发掘，在人类发展史上是种伟大而重要的贡献。中国猿人的采掘虽已进行了十几年，但他们的家——山洞还没有开掘到一半，毫无疑问，将来会有更伟大、更重要的发现的。

（2）丁村人　发现于山西省襄汾县丁村（1953年5月发现，1954年9月发掘），地处于汾河左岸，沙层中保存有许多旧石器和动物化石，也发现了三枚牙齿，它与中国猿人同为旧石器初期而稍晚的人类化石。这三枚牙齿，一枚是上右内侧门齿，一枚是上右外侧门齿，一枚是下右第二臼齿。这三个牙齿是和很多动物化石以及旧石器一起发现于同一层面的砾石层中，三者虽非一起出现的，但距离很近，并不超过2平方米范围。这三枚牙齿具有若干原始性质，如内侧门齿一具有底结节，下第二臼齿除有五个齿冠结节外，后面还有另一个小结节，牙根与牙冠的比例——牙根较短等；另一方面它也具备若干进步性质，牙体较小，齿冠较高，嚼面纹理不甚复杂等，显然比中国猿人进步。由牙齿发育情况看来，约为一个十二三岁幼童。两个上门牙舌状面都呈明显的铲状，这是现代蒙古人种齿面上较为明显的特征。

丁村人的文化遗物，只有石斧为代表。所发现的石器连同人工打制的石片和石核在内，共为2000余件，都是由前已述及的砾石层中发现的。丁村文化分布面积北由丁村起，南到苍头村止，南北长达15公里内都有人工打制的石片发现。同时丁村以东约5公里的沙女沟中的地表上也有人工打制石片，可见丁村文化在本地区内的分布是很广的。

大部分的石器是用角页岩的砾石制成的，这种岩石原产于曲祖村以东约7公里的张家窗村山区里。绝大部分是石片，具有第二次加工的真正石器较少，但详细观察可以分出尖状器、多边形器和石球等类型。尖状器约分两种：一种用厚石片将一端的两侧重打成一种棱形的尖状器物，另一种用薄石片向一面打制两侧边缘，成一较薄的尖状器。多边形器是用大小石片打修周边而成，多打制石片的一面。大部石片虽没有二步加工，但用放大镜观察，大部分石片的边缘都有使用痕迹。

这种文化由打制石片上可以充分看出具有一定程度的原始性，但由加工制造出来的石器看，则比中国猿人文化较为进步。

与丁村文化共生的脊椎动物化石24种，软体动物化石中的鸵鸟、原齿象、纳玛象、三门马、梅氏犀和大角鹿等都是绝种属，对地层时代上提供了有力证据。

丁村的石制工业大量出现，增加了我国原始社会史研究上的宝贵材料，同时这种工具又和使用它的主人以及当时大群脊椎动物化石在一起被发现，更加强了它在学术上的价值。

2. 中国旧石器时代中期文化

（1）中国西北地区黄土层底部砾石层的石器　杨钟健与法国神父德日进，于1932年在内蒙古、甘肃、宁夏、新疆，于1929年在山西西部、陕西北部及内蒙古伊克昭盟等地，德日进和桑志华于1922—1923年在甘肃东部、陕西西部和北部等地曾前后采得很多零星石器。这些石器从打制方法和形式看来，大部都是旧石器时代中期的，也都产生在黄土层底部砾石层中。其中陕西北部米脂和榆林中间的鱼河堡，在榆林河河岸上，曾发现很多石英岩石片，是今后搜集远古人类遗址最有希望的地区之一。此外府后、神木、榆林、米脂、绥德、吴堡等县，山西的离石、保德等县内，均已有过旧石器时代文化遗物的发现。在这一带地方的黄土中和黄土下边的砾石层中，很有希望找到丰富的旧石器时代文化遗物。

上述各地出土的石器，大部分是由五台系石英岩的砾石打制而成，在年代上与山西襄汾丁村的石器文化接近，但在石器制法和使用上看来，是很不相同的。

（2）河套人文化　法国神父桑志华和德日进于1922—1923年在我国西北活动时，在河套伊克昭盟萨拉乌苏河（红柳河）地方发现了人类左上第二门齿一枚与许多石器共存，齿舌状面呈铲形，生有齿突，具备原始性质。在宁夏银川市东南的水洞沟黄土层中发现了很多石器，但没有人类化石，动物化石也少。他们把萨拉乌苏人牙化石叫"河套人"，混称这两处文化为"河套文化"，其实是不恰当的，两地的石器是有不同之点的。

①水洞沟遗址　由水洞沟发现的石器，大器大都是五台系石英岩砾石所制成，石核为多边形，有很清楚的修理痕迹，打下的石片上也同样地保存着打击面的痕迹。石片稍小，短宽而石厚重，长条较少。石核和石片上均有人工，说明河套人打片技术是很进步的。石片上有第二步加工痕迹的占大部分。宽石片在一边，长石片在一端，常有用直接打击方法的第二步加工遗痕。有的石器是由长石片两面加工，成了一个很长的尖状器，此外有人说水洞沟有"雕刻器"和"细石器"，但据现有材料看尚不能肯定，有待将来资料的证明。

②萨拉乌苏河遗址　萨拉乌苏发现的石器石片等，显著地较水洞沟的为小，且有明确的"细石器"。此地所出石器石片大部是黑色矽质矿物所做成，石英岩做的较锋。大的石器中有尖状器和刮削器，第二步加工痕迹较为清楚。细小石器有尖状器、刮削器、圆头刮器等。

总起来看，两地文化有显著不同之点：第一，所用石料不同；第二，萨拉乌苏石片多较小，有细石器。这很可能是表明由旧石器时代向中石器时代和新石器时代发展，萨拉乌苏应该是旧石器时代晚期而不是中期，但在没有大规模发掘调查以前，还没有强有力的理由把它们分开。

3. 中国旧石器时代晚期文化

（1）山顶洞文化遗址　山顶洞在中国猿人产地顶部，是1933—1934年进行发掘的。第四纪晚期山顶洞洞内住入了人类，洞分上下二室，上室住人，下室是天然立洞，野兽常误坠其中。后来洞被浮土所掩，保存下了大批生物化石和文化物。

山顶洞人类化石，有完整头骨3件，上下腭骨牙齿及体骨等多件，由化石特点看，是属于真人阶段的人类，已不保有原始性质，和现代人类极为接近。

山顶洞出土的文化遗物有：石器，数量不多，有采集砂岩打成的巨大敲砸器，有刮削器、两端刃器和斧状器，多用燧石、石英打制；骨器有孔骨针1件，磨光的鹿角角片等多件；装饰品，有磨制钻孔石珠、钻孔砾石坠、穿孔兽牙、穿孔海蚶、刻纹鸟骨管、鱼骨等多种，此外还发现了赤铁矿和染色的石灰岩砾石块等。

和山顶洞人同时生存的动物化石49种，其中有四种重要化石今已绝灭（鬣狗、洞熊、鸵鸟、象），有两种现只生存在长江以南（灵猫和印度鬣豹）。这证明地质年代虽然较晚，但仍属更新世后期，旧石器时代晚期，距今约在10万年上下。

在物质文化上有下列几个特点：第一，石器少而有敲砸器和骨器，可能是向骨器发展的特征；第二，有了磨制和钻孔技术；第三，有大批装饰品和染色术；第四，有了捕鱼和捉水中动物能力；第五，有了细孔骨针，证明当时已有编织能力和穿衣服。这些考古遗迹说明山顶洞人生产力已向水中生物捞取发展，钻磨技术突出，交换比较发达，有了衣服和多种装饰品，生活得较前富裕了许多。

（2）资阳人　资阳人是1951年修建成渝路（由重庆到成都）时，在四川资阳县黄鳝溪桥基旁发现的一种人类。头骨的面骨中仅保存有上腭骨、左颞骨，上左第一前臼齿根等，其余大都残缺。在发现人骨化石地点不远处仅掘出一件人类加工的小型骨器，但是否为资阳人所用的遗物，也不能确定。同时也出土不少鹿、牛、猪、犀牛、马、象等哺乳动物化石。由骨头的一般性质判断，可能是一个十四五岁的男童，有人认为是成年人。当属新人阶段，但又具备若干与中国猿人相似的性质，如眉脊在内侧部非常明显，几乎在中综相连，眉脊上方稍隆起，有矢状脊向后伸展到顶骨中部而消失，这都和中国猿人、山顶洞人有些相近，可能有一定关系，现代中国人也往往有矢状脊特征。

后经含氟量分析鉴定结果，确定他是更新世晚期，即旧石器时代晚期，和周口店山顶洞人前后相差不远的人类。

4. 中国中石器文化问题

（1）顾乡屯遗址　顾乡屯在哈尔滨市西南郊，由砖窑取土发现兽骨化石，早在1931年经尹赞勋研究过。日本强占东北期间，日人德永重康和远藤隆次前后作过发掘。没有发现人骨化石，前后出土的文化物有：打制的圆刮器第二步加工痕迹明显、石核石器、短形圆刮器和大量打下没有加工的碎石片。骨器最明确的有磨制骨棒、骨锥、骨碰和有加工痕迹的碎骨角。其余多数碎骨日人以为骨器的，实在都是自然力和小兽破坏啃咬的，不是人工制品。日人因有披毛犀和猛犸象化石同出定为旧石器时代实在也是不准确的，要根据石器看应该是中石器时代，是在中国内蒙古自治区分布很广的细石器文化最早的一期。

（2）扎赉诺尔遗址　扎赉诺尔在内蒙古自治区的满洲里附近，曾有人由煤矿附近的黑泥土和砂砾层中采得过古动物化石和人类文化物，矿工还发现两个人头骨以及下腭和体骨。这些人骨化石程度很轻微。动物化石有披毛犀和猛犸象。石器都是典型的细石器，大多数是打下的石片未经第二步加工。另一方形石块一边有敲砸痕；一边有磨光的棱脊。梯形鹿角槌头一件，方孔似乎是金属器所穿。又有人说在永久冻土层中出过树枝编制的网状物。其余东西都是不可靠的，日人主张这种人是更新世初期，他的年代当然和顾乡屯接近，应该是中石器时代。有两种较早的动物化石同出，当是地层已乱所致。

此外在广西武鸣发现过人类文化遗存，有许多大型砾石所制的刮削器和敲砸器，有人工穿孔的砾石，在石砚上有研物痕迹。一般遗物较为进步，唯无陶器，现暂列为中石器文化。在吉林榆树周家油坊发现许多动物化石，有人类头骨片和比较清楚的旧石器时代的石器共生。经过含氟时分析的鉴定，应该是旧石器时代晚期之后的——中石器时期的人类。这些暂不能确定的古人类文化，仅作为一种问题提出来，以便今后研究。

以上是中国旧石器时代人类文化的大概情形，若把它们和世界已知的各地旧石器时代文化的比较如何？我们可以这样说：就现有的知识看，我国旧石器时代文化，从人类开始劳动、开始使用工具起就演化成了相当丰富的中国猿人文化。此后，在中国这块具有优良自然条件的广阔土地上，在不同时期又发展成为一个自成系统的文化。这几种文化的发展情况，虽和欧洲同时的各种文化发展步骤相同，但看不出中国旧石器文化和欧洲同时期文化有什么具体相同的地方；但与亚洲特别是印度、巴基斯坦、缅甸和印度尼西亚、爪哇已知的旧石器文化，在制作方法和形态上，都有相近之处。

（二）新石器时代

和旧石器时代文化一样，由于人类历史发展的不平衡，各地各族开始的年代也不同。新石器时代的特征，过去有人以磨制石器和制陶为特征，但这都不是很正确的。一般看来，逐渐定居，农业和畜牧业有了进一步发展，产生了磨制石器和烧制陶器的技术。由于植物纤维和皮毛的利用，有了纺织和衣服，氏族组织的加强，产生了图腾和原始宗教信仰，人类从此就不再完全依靠自然界的赐予，可以按照自己的意图生产自己所需要的生活资料，这是新石器时代与旧石器时代人类基本不同之点。我国新石器时代文化，据现有材料看，可分四种：

1. 细石器文化　无论在中国或外国，人类在由旧石器过渡到新石器的中石器时代，使用的石器都趋于细小。这是人类经验渐多，发现了用兽骨、兽角和木头作柄把，使石器能由单体工具发展成复合工具，发挥更大效用的结果。这种石器在有的区域内一直延用到新石器时代，我们叫它"细石器文化"。

细石器文化分布地区，北起东北的海城、鞍山、吉林市、郑家屯、齐齐哈尔，经内蒙古自治区（南以长城为界），西到青海、新疆，多分布在草原和沙丘地带，也有的在小山坡上，使用的主人当系以狩猎和畜牧生活为主而以农业为副的。石器原料多选石英、玉髓、玛瑙、矽质矿物。制作的技术极为精工，能在一块小小原料石材上打下很多细小窄长的小石片，做出许多工具。主要有石刀、石镞、石钻、石刃、石核器，并能把薄而锋利的石刃嵌在骨木刀柄上使用。在有的地区，它和大型石片工具、磨制的刀、斧、犁、石耨、磨盘、磨棒共存（有极多遗址各自存在，不相混淆），但地层多是混乱不清的。多与篦纹陶器共存，但数量很少。这种文化有人说是发源于西伯利亚贝加尔湖一带，经过黑龙江而向南发展，晚期在这一带和南来的仰韶文化相混合如锦西砂锅屯、赤峰红山后、张家口高家营了、大同云冈、西宁朱家寨等处，出现了以农业为主而兼营狩猎和畜牧生活的文化。这仅仅是些概略情况，因没有展开大规模的调查和发掘，暂不可能作出任何更详细更肯定的论述。

2. 仰韶文化　仰韶文化以彩画陶器为特征，所以有人称作"彩陶文化"，实在彩陶一物并不能代表仰韶文化内容。仰韶村在河南渑池县，1921年瑞典人安特生的助手中国人刘长山在那里发现了彩画陶器和磨制石斧等共存，因首先在此发现故称这类遗存为"仰韶文化"。

仰韶文化分布区为河南、陕西、甘肃、青海东部、山西，这一地区文化比较一致。此外如河北、内蒙古、辽宁、山东、江苏、湖北、福建以及台湾各省、自治区都有彩陶遗存，但是否完全是仰韶文化系统，或虽系仰韶文化而有无地方和民族的变化，暂都不能肯定。安特生误认为中国仰韶的彩陶是由西方传来的。其实，仰韶文化中的陶鼎、割穗石刀，都是中国固有的，可知"西为说"完全是谬论，他又毫无根据地把甘青发现的遗址分为：齐家、仰韶、马厂、辛店、寺洼、沙井六期，这完全是与实际不符的。如甘肃多有的两耳壶，河南不见；齐家、寺洼两地没有彩陶；辛店出现铜器，沙井出现铁器，所出彩陶也与河南不同。硬把西北和中原的古代文化说成是一个，是不妥当的，其他各地的仰韶文化也应有些出入。

石器有石镰、石锛、石斧等；石镰为长方或半圆形，斧为正刃，锛为片刃。骨器有针、钻、凿等。陶器彩画是烧前描画烧后固定上去的，与战国以及汉朝时期烧后再画的彩陶器水洗可掉的不同（辽宁貔子窝彩陶即属这一类）。此外无彩红陶占80%，与彩陶同质，且有少数褐红陶、灰陶器。器形多碗、罐、鼎等，有陶环不知用途。陶纺轮与石制的共存，同时也发现过家猪骨，有的地方也发现过牛、羊骨。在仰韶村出现水稻、半坡村出现粟。居住址有圆屋，外有土墙，内有四大柱。有方形大屋长20米、宽13.3米，当是氏族的共同住宅。藏内物土窖多小口大底，高约1米，上边掩盖。仰韶期墓葬在甘肃为屈肢式，河南为直肢式，随葬品多为陶罐。半坡村发现瓮棺葬，埋葬小孩尸骨。

根据人骨的研究，仰韶人是现代华北人的"先型"，可知用彩陶的民族就是我们的祖先。他们在黄土地带种着水稻、谷子等粮谷，养着猪、羊、牛等家畜，也能纺线、织布、缝衣服，住在宽广的房屋里。死后随葬彩画陶器，当然也装些食物给死者作口粮，他们的生养死葬已经和从前大大不同了。

3. 龙山文化　起初是1928年在山东历城龙山镇城子崖发现，它的最大特点是黑色陶器和贝器共存，叫作"龙山文化"。它是当仰韶文化在中原开始衰落时，在我国东海沿岸兴起的一种文化，所以它往往在仰韶文化层上面。

它的分布区大体在仰韶文化之东，主要在山东、安徽、河南。稍远的浙江、江苏，台湾、辽东半岛都有过发现。

文化遗物有：有孔方形薄石斧、三棱石镞；骨器有骨针、骨钻、骨镞；贝器有贝刀、贝锯、贝钻、贝镞等。陶器为光亮、很薄、表里一色的黑陶，有的薄如蛋壳，均为轮制，较仰韶进步很多，这叫作标准黑陶。这种陶器是以扁足、短状足的鼎，高足豆，前有扁嘴、后有把手、三个空足的鬶，三足鬲为代表，也就是龙山文化陶器特征。居住的房屋为圆形，下部深入地下，内有白灰居住面，房内直径约4米，炉灶在房屋正中，生活以农业为主，畜牧业占次要地位。

在山东日照两城镇，发现龙山文化俯身葬坟墓，随葬品有石器和陶器，遗址中出有卜骨，多用牛、鹿肩胛骨，仅有凿孔、无字，当是殷墟占卜甲骨的前趋。

关于使用黑陶的民族和生活情况，他们和仰韶人以及殷商人有什么关系，现在可以说是一无所知，今后应加注意，又龙山城子崖有两层文化，上层是谭国文化（殷商同姓国，大概起于殷末，到周末为齐桓公所灭），过去有人把上层文化物混入下层，曾造成过很大错误，使用材料时不可不慎。

4. 印纹硬陶文化　这种新石器时代的文化遗存，以拍印几何形花纹的硬陶器为特点，是近年因发现渐多而提出来的。但遗址发掘工作还做得不够多，它的内容性质以及和它以前以后各种文化关系，还不清楚。它的分布区，约在长江以南东南沿海地区：浙江、江西、湖北、安徽南部、湖南、福建、广东，南到香港。

文化遗物：石器有磨制、体扁、面有大孔的石斧，与山东龙山的相同。有打制的有肩石斧，有的有扁平大孔，斧头的两角磨成正角缺刻，很像殷商铜器。有一种便于安把的有段石斧，为华北所未见，而华南直到越南却多遗存。石镞有磨制扁棱双刃和三棱式的几种。石枪头和石杵较少，骨器有粗制锥和箭头。陶器最突出的特点是：质硬而有印纹，多大口底罐。花纹以斜方格纹、雷纹为主，绳纹和篮纹较少。那种方格和雷纹可能是受到过北方早期青铜器花纹的影响。陶网坠、陶纺轮、制陶拍也有遗存。烧土居住面也有遗存，并发现过木炭等。

在某些遗址中发现有贝壳、小螺、蛤蜊、麻龟板、鹿角、鹿骨等。

根据出土材料看，当时人类生活资料是以水族生物为主的，狩猎和牧业恐占很次要的地位，纺织和制陶也都在逐步发展。

5. 其他各地方的新石器时代文化 除上述的几种特点明显，发展较高，分布较广的文化外，还有几处地方的情况应当加以说明，这些地区的文化，一方面和上述黄河长江为中心的文化密切联系着，另一方面又和四周邻接区域文化联系着，并且这些古老文化很可能与今日生活在各地区的兄弟民族文化有关，对它的研究和注意是应该的。

（1）台湾省：台湾自古就是中国领土，远在新石器时代，它的文化就和中国大陆是一体不可分割的。台湾石器以磨制有肩石斧和有段石斧为突出特点；这两种形式的石斧在中国沿海各省，尤其是福建、广东两省出土极为普遍。龙山文化的黑陶器，也在高雄和台中附近发现了六处，仰韶文化的彩陶也在高雄和台中地区出土了不少，而且器形、纹饰都和中国大陆发现的一致，可能是从中国大陆运去的。使用这些生产工具和生活器皿的人，当然就是台湾兄弟民族高山族的祖先，是古代中华民族在台湾发展的一支，他们的文化是中国古文化的一部分。

（2）海南岛：海南岛新石器时代的发现到现在还不多，最大的遗迹要算文昌县的凤鸣村遗址。凤鸣村在文昌县东约25公里，其东距南海崖17.5公里。村周围5公里之内都分布有不少新石器时代文化遗址，遗址多在小河两岸，遗物多出土在倾斜的山坡上。石器以作凸字形的有肩石斧为最多，长细石斧也不少，另有石钵、扁平斧、石凿、石镞等。石材多用结晶片岩、片麻岩、花岗岩等，磨制技术是很好的。由出土遗物看，有肩斧是和广东海丰、香港、高明的相同，越南、马来亚也极多，石锛、石凿和长型斧，都显示着浓厚的南方特色，和海丰出土的相近，而与黄河流域的不同。它的绝对年代和人民生活情况，还没有大批材料和科学发掘以前，是无法肯定的。

（3）西南：四川、西康和云南的少数发现，发现石器的地点迄今不过六十多处，又都限于地表采集，正式发掘报告的很少，一切情况还不够清楚。遗址分布于河流两岸的为最多，洞窟、河岸台地、平原地带的较少。石器有打制、打磨、磨制三种。器形有"斧、锛、凿、钻、枪头、石环、手磨等。陶器以粗细绳纹陶为主，红、黑、白色细陶稍少，灰色硬陶也不多，它可能与沿海印纹硬陶相近。

（4）东北：东北三省发现的新石器时代遗迹虽然不少，但多数都没有正式发掘，或发掘了而没有作出研究报告，以现在所有知识看，暂可分作下列几区加以说明：第一，辽东、辽西区，这一区以磨制石器为主，打制品极少。斧、锛、凿、有孔刀最常见。枪、镞、剑等很少，不见骨器，西部接触了细石器。陶器以红褐色粗陶为主的加纹饰，辽东半岛除独有一种烧成后描彩的彩陶外，发现了龙山黑陶，在辽西也出现了仰韶式的彩陶，这种彩陶达到沈阳附近以后，有些已经没了。陶鬲、陶豆在这区是分布最为普遍的，在辽东半岛又产生了甗鬲结合的陶甗。一般多以农耕生活为主，有的地方因受环境限制而以渔业为主，但比重是很小的。年代上有的遗址出过春秋战国货币和铜器，似乎下限不能晚于战国。代表遗址有：旅大区羊头洼、貔子窝、锦西沙锅屯。第二，吉林延吉区。这一区仍以磨制石器为主，但半磨制品渐多，并出现了打制品和细石器，使用黑曜石也是特点之一。石器以斧、锛、凿、刀、矛、剑为最多，石镞、磨盘次之，环形器类较为发达。骨器和少数铜斧铜刀等也有所发现。纺轮、骨针和渔猎具装饰品等也普遍存在。陶器光素的为多，多红色或褐灰色，陶鬲陶豆渐少，出现了陶鼎，晚期变成了三足陶罐。石刀一种，三角形有把，似仿自金属刀；一种有的长达50余厘米，三孔或二孔，不像实用品，在吉林龙潭山遗址中曾发现龙山式亮光黑陶高柱豆，胎薄而黑，划有记号，确系龙山文化系统，它上层是汉代文化层。这一区的人们的生活应以渔猎为主，而农耕也在逐步发展。能纺线、缝衣，使用了各种装饰品，居住用圆形半在地下的房屋，中有炉灶。能建筑巨石墓葬，在墓内随葬各种工具和陶器，并把小山头加以人工修整，成为阶段形式，以便住居和种植。吉林西团山子多数墓葬中都发现猪下腭骨，这种古人可能和史书记载养猪食肉衣皮的挹娄人相近。这地区遗迹多石圹墓，住居遗址发掘得很少，代表遗址有吉林市东团山子、西团山子、土城子居住址，长春黑嘴子、红嘴子等。墓葬有吉林西团山子、骚达沟土城子、延吉小营子、汪清百草沟等墓群。文化年代因发掘工作没有全部展开，了解的情况较差，作不出各遗迹文化的相对编年；但总的看来，绝对年代当在秦汉以前。第三，嫩松流域。这一区域正式发掘的遗迹仅有昂昂溪和依兰两处，调查采集的也并不多，迄今还不能作出任何有力的概括说明。昂昂溪西郊沙丘墓葬是1930年正式发掘的。墓葬系一单身中年男子，头北足南仰面伸展葬法，出土遗物有：小石片6件、磨石斧、可镶细石叶的骨刀梗、鱼镖6件、骨锥3件，不明用途骨器3件、角器、划圆花身平底陶罐等。此外，前后两次有人在此采得过多数细石器、磨石器、似玉石类珠环、有流陶器、陶鬲足、纺轮、骨器及鱼、鸟、兽骨等。由墓葬出土遗物看，这种人是以渔猎为主要生活手段。与南部文化有一定关系。出土物形态虽较原始，但绝对年代，尚无法比较确定。依兰倭肯哈达山洞文化遗迹是1950年4月正式发掘的。洞穴在倭肯哈达山腰，系利用天然石壁略加人工修筑而成的。为人类居住地方，在下层土中出土不少火烧兽、鸟碎骨、篦纹、陶罐、陶锅等。上层发现埋葬人骨四架，系屈膝蹲坐葬式，是前所未有的葬法。出土遗物有：磨制长身石斧、臼形石器（发火钻帽）、白玉佩璧、白玉佩璜、各式玉珠、石珠多件。在一个人骨周围出土了不少四孔或两孔长方骨甲片。根据出土遗物和遗址地形上看，这种人似乎以狩猎为生产手段；大量佩用玉制品是与汉族文化有关的，使用篦纹陶器是和南西伯利亚一样；穿用骨制铠甲，可能与古史所记挹娄人有关，时代可能晚于周秦，这都是应加注意的。这两处文化虽显然有所不同，一有细石器和渔具，一为磨石器；但他们都未进入农耕却是一致的。

附：东北巨石纪念物的石棚

东北地方称呼"石棚"，就是欧洲人称为"多尔门"的大型支石墓，它原是用四块大石板作足，上架一大块盖石的一种地下墓，后来封土流失才露出地面的。已发现的有：大连市大佛山1座，金县亮甲店2座，复县万家岭、榆树房、华铜沟各1座，庄河县太平岭石山子1座，盖平县许家屯石棚庙1座，归州仰山子、分水石棚峪各1座，海城姑嫂石2座，新宾县木奇、柳河县三块石岗、通化县英额布等处各1座，总计将近20座。绝大多数都建筑在小山头或宽敞的高地上，很少有在平地上的，远望很像一张办公桌。盖石最大的长8.24米、宽5.65米。在这各石室内出土过磨石斧、石环、陶器片，多数附近有新石器的发现，推测它可能是新石器晚期东北民族的一种墓葬。吉林永吉县骚达沟北山头石铜器并存的大石墓，形式与此相同，不过规模稍小。后来高句丽和渤海人也有采用这种墓室建筑法的。它们的出土年代应当很早，有的已经倒卧或断裂，有的已被打碎或取用了一部分。据《三国志·魏书》公孙度传的记载，当时辽东郡襄平县（今辽宁辽阳、海城一带）延里社生一大石，长丈余，下有三小石为之足，像古帝王戴的冠冕，故称为"冠石"，很可能就是这种巨石遗迹的出土。这种巨石建筑精工而宏大，方向多为正南北，巨大石材的加工和运搬，处处都说明了先民的智慧和才能。这种遗迹在山东淄川县南定尚有一座，最近湖南也有发现，今后当多加注意。

（三）殷商考古

1. 殷商的总括介绍　商人属东方古代部族之一，初起于山东、河北沿海一带，可能与传说祖先"吞卵而生"的东北各族有关。初起似乎是游牧部族，居无常处，不断迁徙。据说从他们祖先契到汤已经八迁，自汤建国以后也还不断迁都，到帝盘庚时第五次迁到北蒙（今河南安阳西北2.5公里小屯村），改国号称殷，所以后世称殷商。从此到被灭的纣王时为273年，不再迁都，这个故都遗址我们叫作殷墟。自汤至纣传17代30王，约500年上下。

2. 殷商遗址　发现日多，其中发现最早和最主要的是安阳小屯。小屯北地为殷墟住址，侯家庄西北岗为墓地。它的发掘是从1928年开始的，前后10年经过15次大发掘，出土文物和遗址墓葬等非常丰富，奠定了殷商考古基础。解放后于1950年、1953年又进行了两次发掘工作，初步用马克思主义指导工作。后一次在大司空村发掘了150多座殷代小型墓葬，遂为研究奴隶制社会增加了不少新资料。二里岗遗址在河南郑州市郊，是1952年以来不断发掘清理的。现在约略知道二里岗和紫荆山一带有殷商文化遗存和先殷文化层叠压着；彭公祠方面有殷商早期和晚期两层文化叠压着。含有卜骨（有一片有刻字）、陶器、釉陶器、铜器，钻甲骨的铜器也发现了。也发现了窖穴、房基等。此外河南辉县琉璃阁有殷商墓群的发现。在洛阳东郊泰山庙有殷代卜骨、陶器、铜器范的发现；粮食公司有殷墓的发现；西郊小屯有灰坑遗址的出土。在山东济南大辛庄有殷代墓葬的发现，附近并出土了钻凿焦灼的卜骨和陶器。这些地点都表示着迄今已知的殷人活动范围。

3. 殷人建筑址　可分两期：前期房屋址是圆穴式，深入地面之下，直径多在4米上下。后期是长方式，建筑在地上。大的长40米、宽10米，小的长5米、宽3米。方向多正南北，或东西，地面接近水平。同时代的房屋已有互相配合成组的，如后世四合院的布置。在大规模房基中发现有奠基、置础、安门落成的迷信仪式残迹存在。柱础有用河卵石铺的，也发现过铜柱础。房屋用版筑土墙，把土分层用夯打得很坚实。房屋外有的有版筑围成墙的院落，庭路上有的铺有碎陶片和小砾石子。也有的分布着不少窖穴，窖穴大体是储藏物品的仓库，有的出土过大批甲骨和珍贵品。在郑州紫荆山曾发现过殷代早期建于地下的"圣周式"房基，它的特点是：把地下屋壁用火烧硬使不颓坏，这是殷人采用了仰韶文化建筑的传统。吉林市北郊土城子新石器时代居住址的地下圆房也是用火烧方法建筑的，古人所称"陶复陶穴"，大概就是这类居住房屋。

4. 殷商墓葬　殷代墓葬以安阳侯家庄殷代王陵为最大，前后共发掘10座，小墓1259座。出土铜、陶、玉、石、骨、角、象牙器甚多，都是当时劳动人民的优秀创作。大墓平面多作亚字形和中字形，前者有四出墓道，后者前后有两条墓道。有椁有棺的墓室大约在20米以上、深13米、墓道长32米，这种大墓除随葬大批珍贵物品外，并有殉葬的，多数人骨分布在墓内两旁和四隅。棺下有腰坑，多埋一人或一狗。墓外附近尚有多数车、马、鸟、兽及杀人殉葬的土坑，多则几百人，少则几十人，这都是埋葬时有计划埋殉的，可见当时奴隶命运的悲惨。此外也发现不少小型墓，随葬品不多，且多是陶器。有的只芦席一张，陶盆一个，可能是小自由民或管事奴隶的墓葬。郑州彭公祠和辉县琉璃阁多小墓，形式和殉葬遗物等也大体相同。

5. 殷商物质文化遗存　铜器以安阳小屯遗址、侯家庄武官村王陵、小屯四周诸小墓、郑州彭公祠、凤凰台、辉县琉璃阁墓葬、洛阳和大辛村墓葬为主要出土地，早年出土流传国内外的数量更多。器品种类极多，胎多厚重。多有花纹，有铭文和族徽的较少，即使有铭文也很简单。酒器中的觚、爵二类就目前所知已约达800余件，戈、矛、斧、削数量已超过500件以上。唯铜制生产工具较少，其可能是：大批奴隶生产，奴隶主不肯多用铜作工具，此其一；铜工具不作随葬用，随坏随销铸他器，此其二。从殷代遗址墓葬中常有金属铲、锸遗痕看，金属工具也是有的，不过不大普遍，还没全部消灭石器、木器而已。陶器有：灰陶、黑陶、白陶、釉陶四系。灰陶是殷代最普遍使用的，陶质粗厚，火候较高，表面多有绳纹。制法有：手捏、内范、外范、轮坯及范轮兼用诸法。器形有鬲、甗、簋、皿、豆、碗、盆、罐、缶、罍、尊、觚、爵、铸锅（将军盔）、火炉等。其中以盆、罐、鬲、皿等为大宗。其他陶制小器物如弹、纺轮、纲坠等常有，水牛、鸱枭、囚人等雕塑像和陶埙（吹乐器一种）则极为罕见。黑陶是继承龙山文化而来，唯较龙山盛期陶质为粗厚，器形有鼎、甗、簋、壶、卣、罍、盉、觚、爵、斝、觯、瓿等，唯数量较少。白陶是殷陶珍品，历年殷墟出土总不过千余片，可知当时也是极罕有的艺术品。白陶胎用陶炼较精的高岭土轮制，表面磨光，刻有与铜器类似的花纹。器有鼎、豆、壶、卣、盘、缶、觯等。釉陶胎质亦用高岭土，色青灰近于白。釉浅黄绿色，胎上有的印有回字云雷纹，火度高，硬度大，胎釉几乎和魏晋瓷相近。玉石器也很不少见，石器当然在逐渐没落。石刀、石斧、石镰、石镞尚大量被使用。又有石豆、石皿、石簋、石觯等礼器，石埙、石磬等乐器，石戈、石矛、石钺、石戚等兵器，石人、石虎、石牛、石鸮、石蛙等建筑装饰，都形式奇伟、雕镂工巧。精雕虎纹大磬，是前所未见的精品。玉器在殷已多成礼器和玩赏品，不复有实用意义。玉戈、玉矛都是玉刀铜内（装柄的），留存着金石过渡残迹。玉制鸟、蛙、蝠、鸮、虎、兔、鱼、兽面、人面、镰、梳、玦、璧以及玉人雕像，造型如生，碾钻也极为精致。骨、角、牙、贝器除工具如戈、矛、镞、锥、针、凿、贝镰、贝锯外，雕花骨器最为出奇，这是殷人突出的艺术天才之一。此外大宗木构遗迹，木雕彩纹印迹（俗呼花土），铜器锈附的丝织品和编织品的印纹，也都是了解殷代手工艺品发展情况的资料。

6. 甲骨与契文　甲是龟甲，骨是兽骨。殷人迷信鬼神，统治阶级凡出入的吉凶、征伐的胜败、渔猎的收获、风雨的有无、年成的丰歉、疾病的轻重、月夕的安否、祭祀用牲多少等，无不用甲卜兆来请求神灵的指示。王朝中有专管其事的巫觋，叫作"太卜"。这种骨卜习俗在古代很发达，龙山文化中即有发现，殷商遗址中也都有发现。小屯迄今已出土有刻字约100000万片以上，是研究殷商史的主要材料。甲为龟腹甲，用背甲的较少；骨多牛肩胛骨，也有少数鹿、猪、羊肩胛骨的。卜用之先，必把甲骨修平切好，在背面分行钻上不透的圆窝，窝旁凿为投形沟槽。占卜程序是先问占卜何事，次用火焦灼甲骨上的钻凿小窝（也有不钻凿而直加火灼的）。经过炸裂，正面就现出卜字形纹来，这个卜字形文的长短俯仰曲直就是神的指示；如不相信可以一再重卜。有的把卜问的事由、年月日辰和占卜的人一起刻上去，叫作卜辞，以备将来复念。卜辞文字共约3000余字，会意字（如酒、家、左、右）占40%，象形字（如牛、羊、山、水）占30%，形声字（如旧、裘、鸡、都）占18%，迄今还有一部分未能认识。总之它的发展已经不是初期的原始阶段了。

7. 殷商物质文化生活情况　根据出土实物和甲骨文字和文献，可知殷商时期以农业生产为经济基础，生产劳动负担者是奴隶，奴隶主是坐享其成不事生产的。农具大部分为木石所做，有多量石镰，取穗石刀。耒耜是原有的古老耕具，复杂的木犁似已经出现。已知挖井掘渠、引水灌田，作物有禾、麦、稻、麻等。有杵臼可以对粮谷加工，以便食用。能养蚕，缫丝织绢、畜牧、渔猎更次于农业。猪为大量家畜，水牛最多，牛羊稍少，山羊更少。有狗、马、猫、鸡和鸡卵，犀、象、獏很少，不像是当地生物。鱼类有：青鱼、鲤鱼、黄颡鱼、赤眼鳟、草鱼等淡水食用鱼；又发现过海产的鲸鱼、鲻鱼骨，当是远从海上运来的。猎获物以麋鹿和鹿为最多，一般的兔、熊、虎、豹、狼、狐狸也常见。手工业的冶铜、碾玉、制陶、雕骨等发展到相当高度，并创造了镶嵌法，纺织业在殷代也有很大成就，织品的原料有丝有麻，织法在平织以外，也创造了绫织，并能织出精细的几何花纹。交通运输也非常发达，马拉的车辆相当完备，车轮已用辐条构成，轻巧坚牢，前有衡、辕、轭各部。驾马已用衔勒，并有战车，附带出有各种青铜武器，舟已普遍应用。小屯有东海鲸骨、南海贝壳和鲻骨、新疆白玉、苏联境内曾出土过殷代形式的弓形器；这都证明殷人活动范围是远离小屯好几千里以外。当时历法在农业生产的要求下，有了很大发展，已定一年为十二个月，一年分为春、夏、秋、冬四季，并用干支来计算日月；为使年长短准确符合于日月运行的迟速，又发明了闰年法。城市相当发达，安阳小屯殷墟遗址南北长5公里，东西2公里余；郑州殷遗址南北约4.5公里，东西约5公里，两处人口估计都可达到5万到10万上下。这些物质文化直接创造者——奴隶，是勤劳智慧的，他们的伟大成就，奠定了祖国文化基础，给中国文字历史创造了光辉的第一页。

（四）两周考古

1. 两周的概括介绍

周族是西北羌族的一支，兴起于陕西渭水流域。他们的祖先公亶父时还在过着穴居野处的游牧生活，后来迁到中原，加入另一氏族，开始定居，才迅速得到发展。当殷末时期文王统一了附近各族，武王于公元前1066年克殷，遂代商统治中国，建都在西安附近叫"镐京"，后又营建洛阳附近的东都"洛邑"。公元前770年平王自陕西东迁洛阳后，史家称为东周。公元前722年入春秋时期，公元前403年入战国时期，公元前249年周亡，公元前221

年秦始皇统一六国。由武王克殷到秦统一中国，概括之都可称周，周族初起于渭水一带，即入中原以后，其势力东到山东，北到今日长城以北，南到长江以南的荆、湘、吴、越至于南海。疆土广大，历史又较长，故周代文化遗址及墓葬的分布，几乎遍及全国各省。西周时期以关中为重点，东周重点在中原与齐鲁。燕赵荆楚两区到战国时期始为显著。

2. 两周遗址

周代文化遗址经过发掘或调查的，在关中区有斗鸡台的发掘，有丰河两岸的调查，有武功（邰）、邠县（函）、坡阳堡（歧）、丰镐村的调查。中原区有洛阳王城，辛村山彪镇、琉璃阁、赵固、固围村、褚邱的发掘，新郑、金村的大批出土物。齐鲁区有谭城、滕城的发掘。燕赵区有易县、唐山的发掘、兴隆铁范和凌原铜器群的发现，李峪村大批遗物的出土。吴越荆楚区有丹阳、寿县铜器的出土和长沙墓群的发掘。零星遗址和墓葬的发现是更多的。

（1）谭城遗址　山东历城龙山镇城子崖文化分上下两层，下层为新石器时代龙山文化，上层就是西周到春秋初年的谭国文化。谭国城址长宽在460米以上，城基宽约13米余。南西两面还保存有4米上下的高度，版筑城壁的夯土层厚约13厘米上下。城内包含层发现陶器、陶文、卜骨、铜镞等物，形制接近殷周文化系统而较晚。城基旁发现有中箭致死的人骨架及不少丛葬。按公元前684年春秋有齐师灭谭的记载，又有围谭三年的传说，这些遗址或者与之有关。

（2）易县燕下都遗址　在河北易县东南6.5公里，西南角内凹一大直角，北壁东端也内曲。城壁十之五六都颓成平地，存有最高度处约7米，版筑夯土层还可看得很清楚。燕是周代东北面的一个封国，从武王十三年召公受封到秦始皇二十五年灭燕，共901年。国都在河北北部的蓟，传说公元前690年迁下都，燕昭王时（约在公元前311年）大规模修建，燕王喜和太子丹又继续修建，直到灭亡时。刺秦王的侠客荆轲就住在这座都城里。古城内外有高大土台30多座，多数是古代建筑遗址，少数可能是古墓。1930年曾组织考古团对老姥台进行了科学发掘。老姥台是天然黄土高层侵蚀残遗的高台，新石器时代和殷代已有人在上居住，燕国造了一所宫殿。这座富丽堂皇的宫寥，有围墙、柱迹、土壁、席纹土墼、雕花的栏干瓦、版瓦、角瓦、瓦当、石块、火毁的铜件、灰烬、木炭等，它似乎是毁于火灾的。地下并有陶制水道管以便排水，有陶管建筑的水井，可以饮用清水。因为是宫殿址，所以出土文物以建筑砖瓦为最多，版瓦宽50多厘米，角瓦长69厘米，直径20厘米，都有凸起的斜方格、蝉翼、回纹、篱纹等精致花纹；半圆瓦当花纹有：饕餮纹、重山纹、双螭纹、双夔纹、双鸟、双狼、双兽、双鹿等花纹。薄砖（俗称栏干砖），是两面雕造双兽纹玲珑砖。另一种体形长大，每有阴阳蝉翼纹和折边三角纹等装饰。花纹制作精工，古式的如商周铜器，双鸟双螭又和春秋以来的蟠虺、穷曲、狩猎纹相近，这种砖瓦艺术可说得是古今绝品。陶器豆、碗最多，豆柱有的印有文字中符号。铜货币有安阳布、明刀钱两种。也发现了错银铜件、铁铤铜镞、铁锛等，铜镞铁铤有长达1.3厘米的。这个发掘虽仅是一个开始，但对燕赵文化的了解是有很大作用的。

3. 两周墓葬

（1）辛村墓葬　辛村在河南浚县淇河北岸，是卫国早期墓地，共发掘过墓葬80余座。造墓方法、埋葬仪式都大致和殷商墓葬相仿，不过规模小，无腰坑狗骨和人殉。墓构平面多作中字、甲字、目字、口字形。也多具备墓室、墓道、椁室、棺穴、二层台等构造。人骨一般多头北足南仰卧平伸，很少见俯身埋葬的。明器和随葬器物的分布大体是：椁内为贝、玉等珍品，北阶礼器；南阶车马、方箱；东阶衣饰、用器；西阶兵戈；墓之中上土层中为车器，有在墓外东南不远处专掘土坑殉埋车马的，和金村古墓相近。有的一坑埋车18辆，马72匹之多，真是豪奢浪费达于极点。

（2）山彪镇墓葬　镇在河南汲县西10公里，地近汲冢竹书出土地，且是战国时魏国墓地。曾发掘大型积炭封石的长方形墓葬一座。墓室长7.2米，宽7.2米，深11米。墓内中为棺室，棺有铜环。棺椁之间有人殉骨架四具；陈列铜器57类1492件；玉、石、骨、角器7类167件。其分布位置：南方为编钟、编磬两悬，西南壶、鉴、盘、匜、西簠、簋、豆、尊，西北为大小成队的列鼎，正北破坏，原状不明，东北刀、锯、锉、凿，东壁戈、矛、斧、戟，东南车马器。铲币分布四隅，剑在棺中，其他杂品小件，补填空隙。物品中以编钟、列鼎、战斗纹铜鉴、木工工具为最突出。椁外填盖砾石层和木炭层各半米，椁下椁上全部如此，再上全是夯土。这是一座中型的战国墓葬。

（3）洛阳西周墓葬　墓在洛阳车站西南约一里处，再南不到半里就是旧洛阳城的东北门。这两座墓是1953年发掘的，是发掘的几百座周代墓葬中，最确实的西周初期墓葬，规模虽然不大，但很重要。墓室是土圹竖穴，方向是南微偏西。墓室全长2.30米，宽1米弱，深3.65米。墓室上部是用平夯和打夯打过的夯土。下部留有二层台，周壁见木棺朽灰痕迹。木棺大小约略与棺穴相称，二层台当即棺外填土，台上填薄沙一层。棺下出长方腰坑一个，内出狗骨一具（这是殷商墓葬的特点之一）。器物大都出自墓室南端人骨头上。以陶器为主，计有壶1、尊1、鬲5、瓿形罐9、簋3、爵2、釉陶豆2。此外散置饰品多件，有穿孔石饰2、雕刻鸟形及鱼形蚌片63、圆形穿孔蚌片20、骨匕1；并有两个完整贝壳置人头骨前。棺穴之内满铺朱砂，下层填土也染成了红褐色。其中2件釉陶豆，灰白色薄胎，外敷青绿色，薄釉一层，火候较一般素陶为高，比郑州殷代遗址出土的釉陶尊较为进步。另一墓亦为竖穴土坑墓，唯墓穴上较小，底面稍大，底覆稍大，成覆斗形。墓底长4.16米，宽2米强，深9米强，方向为北偏西6度。棺穴周围有活土二层台，穴内有棺板朽灰痕迹。棺下有长方腰坑，内有狗骨一具、贝壳一个。埋葬者的骨架多已朽毁，按形迹观察知是头北足南，随葬遗物出于墓室北端人头之前。以铜质明器为主。有鼎1、尊1、卣1、爵2、觚1、觯1、罍1，共8件。陶器有瓿形罐5、鬲5。葬者身旁满布蚌器及石制小品。石质的有鱼1、鸟1、钟10、蚌质的鱼形饰76、圭形片1、圆形穿孔饰8，外有不成形碎片在百数以上。遗物中除铅器一组而外，大致都和前墓略同，不过各类物品有多有少而已。这两座墓葬规模虽小，但由墓室构造和腰坑埋狗的特点与殷墓相同，成组的铜器较小屯殷墟出土品更为进步，青绿釉硬质陶豆很精好，似由殷代釉陶发展而来，从卣、爵、尊、觚花纹和陶鬲造型都与殷器相近来看，它是西周初期小型墓葬是确切无疑的。

4. 两周的物质文化遗物

两周仍为青铜器时代，故其物质文化遗物亦以青铜器为最多。大批出土的地方有：宝鸡，泸县，汲县，辉县的琉璃阁、赵固时和固围时，新郑，洛阳的金村，浑源的李峪，唐山，凌源，长沙，寿县等最为重要。研究者以这些地方的出土物为基础，再加上旧日著录出地明白和铭刻重要的，进行研究，对两周青铜文化可以得出一个全面了解。西周铜器承殷商之旧，仍有尊、爵、角等酒器，但这些器类到东周时则均行绝迹。簠、盨、鉴、匜到东周才开始出现，豆、鬲两种器物也到东周才盛用铜制。成群成队的器数方面，西周较简，一到东周，鼎必列鼎（5个依次渐小成一列），钟必编钟（6个或8个，依声音高低成一架）。簋、簠、豆、釜、壶、鉴等，出必成对或4、6、8以至12不等。纹饰的发展是：西周初有重点，讲对称作面块的发展；西周末东周初，多环列器周，作带形发展；东周中末期细密繁杂，布列全器，有的采取写生画面，作全面装饰。在铭刻上，西周多长铭，近于书史；东周渐趋简略。铸造技术方面，西周浑铸，器厚重；东周分铸有薄胎及嵌接的。器形也逐渐演变而有所不同。以鼎说，周初多直耳、柱足，春秋多侈耳、蹄足，战国多附耳有盖。壶，周初多贯耳、长颈，最大腹径在下腹，春秋相同，唯耳侧出，战国时颈短而多兽面、衔环耳，最大腹径移中腹。簋，西周器多侈口无盖，旁有双鋬，东周敛口有盖，战国或为长圆形，底盖同大，耳、足、纽皆化环。甗，西周均上、下联铸，东周多上、下分铸，上器为甑。兵器，西周多用戈，东周渐用戟，或戈、矛相结。车器，西周纹饰复杂，战国简单，车軎改为卷唇。此类变化很多，是研究两周文化演进的佐证之一。陶器初期仍沿袭殷人旧样，多粗胎、厚壁有绳纹的实用品，期如战国多为素面，有的印有年款、陶工印文。墓中出土的又有朱画和压磨暗花的技术出现。釉陶在西周与殷器相近而较为秀健，战国时期又有向多种多样发展的倾向。战国砖瓦和制作技术发达，如燕下都、齐临淄、泰城出土的半圆瓦当花纹在艺术上可与铜器比美。玉器多玩赏品，已少实用物，多为小件成组的佩饰，如璧、环、珩、璜、琚、镝、衡牙、宝珠等联系佩用。并扩大了材料范围，凡玛瑙、水晶、各种美石无不使用。晚期又逐渐参用大量琉璃物品。骨、角、牙工，周不如殷代发达，但小件圆雕较前进步。蚌蛤、甲壳雕碾的螺钿小件饰品，西周墓中极为常见，晚期较少。竹、木、丝、革等物易于朽坏，保存不多，但如辉县战国墓的木椁、木棺、编藤，长沙楚墓的雕花木板、画彩木俑、带字竹简、剑匣戈柲、弩机、绢画、剑缑、皮色、革带、组绶等的出土，无不惊心动魄，真是古所未闻。漆器是中国独特创造的技术，西周遗品不多，到春秋战国就渐有发现。寿县楚墓彩漆画版和金村西墓漆壶，当时视为珍品；近年长沙楚墓所出，种类既多，物品更加精好。耳杯、食案、依几、剑椟、漆盾、漆瑟等都有彩漆花纹，精美无比。此外，战国时期新兴事物极多，物质资料内容也较前大为丰富。如带钩、镜鉴、剑戟、货币、印玺、符节、度量衡器、玉册、简册、玻璃器等，都是以前少有的。伴随铁制工具的普遍使用，在手工业上也产生了镶嵌、错金银、金属细雕、金属丝细工等技术手法。这些都是晚周文化的特色。

5. 两周物质文化生活状况

周在克商以前就是个农业比较发达的部族，占了渭水流域的黄土高原地区，土地肥沃，正所谓"周原既朊朊"，灌溉水源也极方便，所以周人以农业生产为主。早期已用了铜制农业生产工具的钱、镈、铚等。中期使用了铁制的锄、夷、斤、欘等，并已发展到了牛拉犁耕阶段。渔猎只是贵族阶级的娱乐。到战国时期生熟铁制农具大量使用，器类增加，生产效率也大大加强。交通车船极为发达，车工已有精细的分工。一般多单辕二马，四马高车，马带铜链，车附铜銮，必大贵族才能乘用。战车轴嵌句刀，上载持矛戈兵士，悬挂名色族帜。驾车的"御者"在当时是重要人才之一。船筏在南方发达，北方的骑兵战术也继之而起，可说是水陆舟车，服牛戈乘马无一不有了。手工业也有了更大的发展，并有了更细的分工，还出现了各种自由手工业者。如铸铜、制陶、冶铁、纺织、裁缝、制鞋、造甲、制兵、作车、皮革、梓镶、涂饰等都有专业。地方手工业中心也已初步形成：如韩国的剑、戟、弩、机，吴越的刀、剑，齐国的纺织，巴蜀的竹木器，长沙锡器，豫章铜器都是当时有名的。新兴都市很多，真所谓"名国万家之邑相望"。因农工商业的发展，人民生活也较前大有不同了。人民当然是男人在地主土地上努力耕作，妇女养蚕纺织，也日以继夜地辛勤劳动着，还是衣食不给。统治阶级则终日食粱肉、衣罗绮、鸣钟磬、聆歌舞，居是深堂崇阶，出则高车驷马，任情地浪费消耗。大都市中伴随着贵族的腐朽生活，也出现了流浪的游食集团。在齐都临淄的居民，无不吹竽、鼓瑟、击筑、斗鸡、走狗、六博、蹴鞠。中山的居民，男子相聚游戏为倡优，妇女就弹瑟、穿舞鞋，游媚于富贵人家。赵郑两国的发女也讲究装饰，弹着鸣琴、舞长袖、穿瘦鞋，不远千里，奔赴厚利。死葬仍多厚葬，人殉渐少，埋葬车马的似乎渐多，明器俑类已经出现，这与殷商是有很大不同的。

（五）汉—宋代考古

1. 汉代城址和居住址

（1）城址

我国古代筑城技术极为发达，每一地区的政治、经济、文化中心，往往都有这种防御建筑。它的建筑规模是和手工业、商业发展以及国防情况有直接关系的。一般发展规律是古代夯土城，城壁低薄而简单，城郭小；中古虽仍用夯土壁，但已厚壁高墙并加楼橹、马面、沟隍等调和，且多内外数层，规模很大；近世又多创楚石砖浆灰色土的城壁，更为坚固，另一方面又发展为国境线上防御外敌侵入的长城，有的高墙深堑，跨山越谷号称万里，竟造成人类史上前所未有的一大伟迹，不过发掘调查工作做得还不多，对各时代各地区的城郭，还没有一个全面的系统的了解。在此仅能作一个概略的介绍。

①洛阳西周王城、汉、魏、晋、隋、唐三大城址的发掘调查　从1954年开始勘察西周王城以来，在迄今三次较大的发掘调查工作中，不断地发现新遗迹，对当时城郭经营建筑规模形式，以及人民生活情况的具体了解很有帮助。2900多年以前周公姬旦所计划修建的"王城"残壁，已在洛阳西郊漳河东岸很深的地下被我们发现了，它是中国史上最有名的，也将是最古老的城郭，发掘部分东西长约100米，西被涧河冲断，东接汉代的河南县城，壁厚（宽）4.1米，残存最高处为1.9米。城壁筑法是直接奠基在仰韶文化层或殷代文化层上，两面夹版壳棍填土夯打而成，棍眼板痕都还保存。每板长1.3米，高0.3米，夯土每层厚6~8厘米，夯杵印直径只3.5～4.5厘米，版筑技术是很原始的，壁南6.6米处有与它平行的深沟一道，可能是当时就地取土所造成的城壕。

②河南县城　这个城据古文献记载是建筑在西周王城的旧址上的，地下出现的情况也就完全证实了这一点。这座古城位置在洛阳西南郊涧河东岸中部，郭近于正方，南北长约1400米，东西约1460米，周围约为5720米，方向北偏西约5度。城基全部厚度在6.3米上下。夯土层厚6~10厘米，夯印直径也在6~10厘米。在这座城里几部分地区的发掘，就出现了很重要的情况：在中心区发现西汉官署房址一座，正方形，用夯土筑成，长、宽都在11米左右。壁存高2米多。屋中填土中出有半两钱范、战国式陶片空心砖片等。另一屋略小，中有柱础、灶基及大陶瓮，并在附近灰坑出土了封泥（和今日公文封口的漆印文相似）20余块，其中有西汉"河南太守章""洛阳丞印"。此外发现有圆土仓4个、土筒水井2眼、灰坑11个，在偏东区发现了东汉时期密集的居住址，出土砖墙屋址4座、土窑式方圆粮仓9个，多用砖围筑，古井1眼，上半部砖砌，下为土筒。井口两侧各存砖筑灌溉用的水道两段，水洞

左右上下都用单砖砌盖。附近有石子路一段。这里出土的铜制品，如带钩、铺首、箭头、铜环等不多。却出土了大批铁制工具，计有犁、锄、铲、镰、刀、锯、斧、锛、锤、环钉、钩等120多件，可见当时这个县城的居民还是农民。货币多是王莽货泉和东汉以及东汉末剪边小五铢钱，很明确地指示出了遗址的年代。

③东汉魏晋京城洛阳　城在西周下都所在地，今日洛阳东金村附近。这次勘察也把城垣四周挖出，周围约19公里，西壁有一小部分为济水冲断。西壁门址4座，东壁门址3座。北壁1门，内接筑洛阳小城，西北角为金墉城。北壁残存版筑城壁高五六米，棍眼夯层非常明确。东壁残存的也有不少，也挖得了太学遗址（出土汉古经的地方）的位置。并探得汉魏陶瓦多种。

④隋唐京城　在洛阳，但较今日洛阳要大过几十倍，现已探得周围约30公里，在苗家沟、五门屯、古城砦、城角村、唐寺门等处发现不少城壁残迹，并在西城门址和南城鼎门址都发现了石基，或垣厚为16.5米，存高约有6米，宫城、皇城的城壁也有遗存，并都探明了四周情况。在宫城得绿釉大宫瓦、花纹方砖、各种莲花纹瓦当，及唐代瓦片多种。总之，洛阳这一地区可说是研究中国城市经营布置和建筑技术发展的典型地点。

⑤汉上谷郡治沮阳城　根据文献记录和实际勘察结果，今日河北省怀来县西南大古城址便是沮阳故城，西城在妫水（古清黄水）南岸，城是不甚规则，分大小两城：大城在西方，东西1.5公里，南北1公里；小城在大城东南角外，每面约0.5公里，与大城相连。大城北壁一部分被水冲失，其余各面还保存着断续的夯土城壁。城壁高存6米，厚8米。城中发现过刀泉、布钱、五铢钱、铜镞、铜壶和刀、布、五铢钱范等。出土战国到汉的陶片更多，汉云纹瓦当两种。东城外砖墓中也有东汉时期的陶罐和铜镜遗存。

⑥北京清河镇汉代城址　位置在北京市北郊清河镇西方1公里朱房村。城为正方形，南北向，每面壁长约500米。南面东西两角遗留城基较为高大，一般保存的版筑夯土城壁高度均在3米上下。夯土层厚薄不同，最厚20厘米，最薄为8.5厘米。夯窝直径6~7.5厘米，版筑棍孔也有遗留。夯土城壁

中包含的全属战国或战国以前的陶片，而且有汉代的，当是战国末到秦汉之际建筑的。城中出土遗物主要有：汉半两钱、三铢钱、五铢钱、五铢钱范、新莽货泉、货布等钱币。铜印两颗：一为子母式套印（子印已失），刻"划允印信"；一为小印，刻"王尚私印"四字。兵器有：铜剑铁炉一块，为坩子土所筑，推测全炉高不过60厘米，口径不过30厘米左右。城附近还有大批汉墓和瓮棺儿童葬。

⑦牧羊城址　在旅大西南海岸，城壁近方形，出土有明刀钱、明刀圆钱、半两钱、双刀纹半圆瓦当、长乐未央瓦当、铜镞、铁工具等。在辽宁省内发现的城址较多，如金县大岭屯城、抚顺东公园古城址（可能是晚期玄菟郡址）、沈阳东南郊上柏官屯古城址（可能是汉候城县址）、凌源安杖子古城址、辽阳亮甲山古城址（应是汉居就县址），都出有汉代遗物，附近又多有汉墓群存在。

（2）长城址

①河西四郡长城　西汉武帝设河西四郡——武威、张掖、酒泉、敦煌，并在四郡北边修建一道长城，西设阳关、玉门关，并与秦时旧长城相接，这条长城遗址仍存，残壁高约三四米，低的一米多，有时仅余痕迹。每隔五里或十里就有一堡寨，是当时戍卒守望烽燧的地方，叫作亭，一旦有敌寇侵袭，就用白日烧烟、夜中举火的办法向郡都或京城传报。长城壁都用泥土版筑，每版之间夹用芒苇三层。亭障泥筑又多夹用红柳条之类，此地土多碱性，日久土泥和夹杂物干结如钢水泥，迄今不坏。这种就地取材，城壁坚固，造价低廉，建筑史上真是伟大创造。这条长城的亭障遗址中保存了很多遗物，被外国间谍分子几次盗掘，掠夺殆尽，最有名的"汉简"就出在这里。

②内蒙古自治区赤峰古长城址　这条长城是1942年发现的。长城线由赤峰县红山北方西路嘎河北岸向东延伸，经过老爷岭、八家子、撒水坡各村，显著部分约长30余里，城壁有的土筑，有的石筑，存高三四米到四五米不等，跨山越谷，远望可见。每10里上下有一小堡，长城内外山头上多有烽台

遗址。在小堡中出土有明刀钱、一刀圆钱、铜镞、贝货、山纹半圆瓦当、方纹瓦当、绳纹瓦、绳纹陶片等。由遗物看来，这条长城当是由燕国到西汉的遗构。又由赤峰向西沿锡伯河西去约百余里，山上也多有烽台遗址，可能西与围场县古长城址相接，这是今后应加注意的。这条长城遗址的发现，打破了世俗误认为由山海关到嘉峪关的长城就是秦汉长城的看法，对历史研究上是有很大好处的。

（3）居住址

汉代居住址除上述长城戍卒住所和河南县城民居以外，过去对这方面的知识不多，仅知河北邯郸赵王城宫殿遗址发现有：鹅卵石铺砌甬路、砌甬路边缘、圆石柱础等。出土有：筒瓦、板瓦、绳纹圆瓦当、铜镞等。山东曲阜鲁灵光殿址发现有：各殿址和刻字基石、筒瓦、板瓦、素圆瓦当等。河南辉县周围村大墓上建筑基址有：台基、鹅卵石甬路、石板片甬路，筒瓦、板瓦、瓦当等。东汉长安城外下水道遗址，北京陶然亭古井遗址出有陶罐等。此外辽阳三道壕西汉村落遗址较为典型，在很大的村落中心掘出6户农家居住址，附带水井11眼、畜圈栏5座、烧砖半筑在地下的方形窑7座、河光卵石大车路2段、附近并发现成人墓群和儿童瓮棺群，6户都单独营建，分散不相连属，规模也都不大。每户约有土墙瓦盖或草瓦合盖小房3间，有的两所房约有6间。房西或房东端有用木柱围筑的牲畜圈栏，并连带厕所、土坑与每家有几个小形土窑式圆台。有陶管井或土窑木方井一眼，有的同时有两眼，推测它可能是公共饮食用水处，还作菜园灌溉或作砖坯子的生产使用，每家都出有车轴承残铁（车辖）、铁铧、锄、镰、镬、铲、锹、三齿耙、取穗刀等农具，也出土了一刀、小圆钱、半两、五铢、大泉五十等钱币和铜镞、带钩、铜镜、琉璃、耳珰、铁刀、锥、凿、锛、斧、钻等日用杂器以及大量陶器。河光卵大石路宽约7米，同时可走两排大车，铺石三四层，十分整齐。成年人和孩子们的墓地也相距不远。完全可以看出在辽东郡城附近当时分散的小农经济，以每一小家族为生产单位的情况。他们都可能有一小块土地，一所小宅院，也有车有牲畜，自备各种农业生产工具进行生产，借着靠近郡城的便宜，有的兼营副业砖窑业或种植蔬菜，生活是比较富裕的。

2.汉魏晋墓葬

（1）汉代墓葬

汉代墓葬的发现较前后各时代都多，其原因不外乎是当时领土广大（如朝鲜和越南都发现过汉墓）和年代较长，主要的还是战乱较少，社会生产力提高，厚葬风俗还很流行的结果。在分布上不但中原各地近年的发现是成千累万，就是边远地区两广、云南、贵州、辽宁和内蒙古自治区也都有发现，有的也是一群几百座。正因为汉代年代长、地方宽，墓葬的构造、葬仪、随葬器物等变化也极为复杂。汉墓构造极概括地说来是渐由土穴棺椁墓转入砖石墓室葬的。在时间上具体地说，西汉初期仍多用周秦以来的棺椁土坑旧葬法，有的地区如河南、陕西、山西等处又新出现了空心花砖墓，东汉已不多见。西汉末期汉中流行"小块砖筑墓"，东汉中期开始有"石室墓"特色的，在四川流行在石崖凿穴的"崖墓"，在辽宁辽阳附近盛行石板支筑的"石板墓"，大型墓多有五彩壁画。儿童多用旧陶锅、陶罐、陶盆等作葬具的"瓮棺葬"，并且多不和成年在一起而独自密集在一个大墓区，地上的构造一般多有截顶方锥形土坟头，有的墓前建有墓阙、享堂，都刻有内容丰富的线画像石，也有石狮子、石马、石兽的。葬具的木棺由从前的长方形，逐渐流行大头小尾式，棺盖早期用亚腰形叫"小腰"的木块封闭，东汉后期开始用铁钉。在砖室和石室墓有的用棺，有的不用棺，四川有的地区用船形棺，崖墓有的用雕花大石棺，辽阳石板墓又多用石板组合棺，画有彩色装饰花纹，有的地区发现过独木棺和瓦棺，这都是比较特殊的，或是民族风俗与因地取材不同所致。葬礼上两汉都以夫妇合葬为原则，但在西汉初期墓葬实例中却多单人葬。有的老人墓中陪葬了年轻子女，也有的几室相连埋葬十几个人，这当是一家生同居死同墓的葬法。穷苦人自然都是用被席裹尸，五铢钱几文，围筑几块残碎石的葬法（这种墓不少发现），尸体多仰面伸展，重葬的捡骨葬较少。随葬方面不但不见杀人殉葬情况，埋葬车马动物的也极少，明器中铜器很少，陶器渐多，有的画上彩花，釉陶明器也随之出现，西汉中期以后普遍行用陶制模型明器，越晚种类越多，包括了生活必需和欲望所想的各个方面，如灶、井、杯、盘、仓、畜圈、便所、水田、楼房，各种禽畜、男夫、女仆、车、船等不一而足，此外如铜尧、带钩、铜印、钱币、兵器、佩饰等虽然也是汉墓所常有，但这主要是出在富人墓里，不是一般都有的，汉代墓有神道碑，晚期墓有志石发现，但为数极少，基本上是没有通行。在东汉中期墓中往往出有隶书年款陶罐，或在画壁上题字，不过也不是普遍的现象，兹列5例：

①山西闻喜空心砖墓　墓在闻喜县城南1.5公里的官庄村，空心砖是一种砖体长大到一二米，中心空洞两面有花纹的砖，体形不一样，都是按照墓室各部形状做出，建墓时拼砌即成。此墓在前有斜坡墓道的长方土坑中，用长方、三角、截角、捐扉、门限、方形等120块砖建成。墓室长方，室顶三列砖块，两侧砖向中斜支，顶用平砖横挤，互有接榫，构造坚固。一头山墙设门，门扉上即有兽面含环铺首。室内木棺两具，各有铁钉。系仰面平伸的夫妇合葬。随葬铜器有弩机、车马饰、洗、勺、鉴镜、带钩等，又有铜制形体很小的斧、铲、锸等明器。铁器有剑、环首刀、博山炉，陶器有灶、甑、壶、罐，此外还有不少锡制品和少数玉器、漆器。根据砖文、棺钉、五铢钱看，墓葬当是西汉末到东汉初建造的。

②四川彰明崖墓　彰明县（今划入江油）南佛儿崖是涪江江岸高约100米处的一尊唐代造像，这处造像左右有6座崖墓遗存。一般构造是就石崖凿横洞，多长方形单室，有的分前后两室，后室较高，有的又在前室左或右方凿一小耳室，都直壁圆顶，墓门用砖块封闭。第2号墓前后两室全长7.05米，宽1.9米，高1.85米。后室后右角有砖砌棺一座，另葬骨一具。明器陈列在室中，计有陶俑、鸡、狗、猪、仓、屋、田、壶、罐、碗、铜镜、五铢钱、铁釜、铁刀、银圈等。这个崖墓当是东汉后期的。

③广州市生冈木椁墓　广州是当时木椁墓流行地区之一，墓在市东郊生冈公园附近的一个小山冈上，地上存有高约丈余的椭圆形封土坟头。墓坑

是长方形竖坑，墓椁用大木叠筑门壁，铺盖上下而成，也作长方形，全长8.50米，宽3.12米。内分棺室和器物室两部分，棺室在后部上层，又分左右二棺位，下层及墓椁之内为明器室，木棺两口，均为独木凿成，内涂红漆外黑漆，随葬物品很丰富，主要的铜器有：铜镜、带钩、弩机、五铢和大泉五十、铜镜、铜洗、小盒、灯、釜、片、灶、屋、仓，有的有墨书题字，木制品有木俑、木梳、木瑟、木船，漆器有铜扣耳杯、漆弓、方盘、三节套盒、椭圆漆盒、匣、盾、篦、案。这些遗物少的一两件，多的有10件或15件的，装饰品有：金珠、银珠、指环、银锅、紫白水晶、红玛瑙、各色琉璃珠等共1957粒。物品质类丰富，造型优美，技工精巧，在汉墓中是较为少见的。此墓绝对年代当在东汉初期。

④山东济南大观园画像石墓　墓在大观园商场附近地下。墓室是用画像石筑造的，共分前、中、后三室，全长7米，通宽6.1米。前室用巨石构造，两侧各有小室，两面四门，四壁和四门上都有雕饰。墓顶用五块巨石构成长方井，中雕花朵，两端圆圈中雕有怪兽，四角空障处也雕人兽花纹。正门两壁各雕一人相对立，一拱手一持物作门卒状。门楣中雕羊首，左右方各雕6人作跪拜形，东西壁雕有动物，可能是青龙白虎像。雕刻用剔地起突方法，强而有力。墓中早年经过扰乱，品物多遭破坏；其中彩画陶明器居多，彩色鲜明图案也很美丽。计有尊、壶、案、奁、洗、灯、耳杯、房屋、猪、狗、鸡、鹅等。也出土了铜镜、铜车饰、铜饰品和五铢钱、铁环等。时代当属东汉末期。

⑤辽阳北园壁画墓　墓室用南芬岩板支筑，平面南北约5米，东西约6米强。大室中纵分三棺室，周围廊路，墓门左右、两廊左右、后壁中部又都有突出小方室，而地面高于廊路、墓门向西南。各壁都画有彩色壁画，计有主人宴饮、楼阁、杂技、府吏、斗鸡、仓廪、仪仗队、马车队等，其中有四处隶书题字，一书"季春之月汉……"款。陶明器有房屋、井、灶、杯、案、甃、勺、盘、壶、奁、长颈瓶等。墓内也出土了五铢钱，时代当在东汉。

（2）三国西晋墓葬

三国和西晋墓葬资料迄今尚少，实际有的因无年款和明确的遗物以资识别，还不能全部和后汉晚期墓葬分开，从而很难作出全面的较为正确的概说。不过根据几年来的发现，如南京光华门外大校场赵史凤吴赤乌十四年（251）和凤凰一年（272）墓，辽阳三道壕魏令支令张君墓、太康二年（281）墓，洛阳太康八年（287）、元康九年（299）、永宁二年（302）墓，江苏宜兴元康七年（286）周处墓，广州永嘉五年（311）墓，四川彰明常山村魏晋崖墓等来看，大体可得这样一个粗略情况：绝大多数为砖墓，规模较汉为小。有的地区仍流行传统的崖墓、壁画石板墓、长墓道土洞墓等。木棺极为普遍，多用铜铁棺钉。南方筑墓砖往往印有年款和匠师姓名，北方渐渐使用石刻墓志。陶明器与东汉相仿而数量减少，但普遍出现了牛车。并出现釉陶小壶和大量瓷制品，虎子、灯、洗、杯、盂最为常见。铜镜以蟠螭和纵读"位至三公"铜镜为最多，铜银长钗、金银指环和抵针等也是前所少有，所用钱币极为杂乱，举凡汉半两、五铢，莽钱的大泉五十、货泉，蜀的值百五铢，吴的大泉当千；又有太平百钱和定平一面二种，过去不知朝代，现出西晋墓中，可证它们是十六国初期的钱币，剪边、凿眼、字不成形的小钱更多。总之，魏晋墓是东汉墓制的末期延续，规模小，遗物少，钱币混乱。处处都反映了当时长期战乱、生产萎缩、生活不稳定的情况。

①辽阳三道壕魏令支令张君墓　位于辽阳北郊三道壕窑业二现场。墓室用南芬岩石板支筑，石灰勾缝。长3.44米，宽3.62米，分为前廊、右小室、左廊，右棺室人骨2具、左室1具，都头北足南作仰面伸展姿势。头骨附近有大块元宝形石灰枕。前廊和右小室出陶罐、陶釜各一件，右棺室出铜带钩一件，右小室和墓门左壁都画有彩色壁画。人马图，画马六匹，马夫二名；家居图，画一男二女对坐方榻上，有侍立童婢五人，男子背后隶书题"魏令支令张□□"，妇女背后一题"柴夫人"，一题"公孙夫人"，壁画虽较当地汉墓壁画为粗略草率，但仍保持了风格上的一致性。

②南京赵史凤吴赤乌十四年墓　在南京光华门外大校场。是长方形单室

砖墓。墓室长2.91米，宽0.73米。木棺朽灰和铁棺钉保存在原有位置，墓砖长方形，一面有绳纹。出土遗物有：青瓷虎子（溺器）一件，形如蚕状，上有横梁，下有跪状兽足4，旋转很安稳。青绿色釉很光洁。器身右侧由前向后划书（未涂釉烧前）有："赤乌十四年会稽上虞师袁宜作"款。

③江苏宜兴晋元康七年周处墓　在宜兴周墓墩，是一前后室相连而有墓道的筑墓，墓多有印出的文字连线、麒麟、兽面等花纹。两室全长3.12米，宽4.36米，高5.16米。上起圆锥形墓顶，下铺人字形纹砖地。人骨多成朽粉，遗物早已被盗，现存的铜器有：三尺铜盘、铜盔、铜刀、铜饰，陶器有耳杯、陶盘、陶步障坐、三足盘、壶、勺、奁；瓷器有：罐、碗，铁器有：剑、镜、钉；金制品有：金圈多种、金珠、金块、金抵针、宝石片；外有骨梳一把，铜钱数目极多，有的锈朽成块，有半两、五铢、大泉五十、小五铢形无文字钱等。墓上印文一为"元康七年九月二十日阳羡所作周前将军传"，一为"议曾朱选将功吏扬春工杨普作"，周处《晋书》有传，说他于元康七年与羌战败死，墓砖所记死葬年月也相吻合，唯传称平西将军，或是死后追赠的官号。近旁加一墓，方向、构造、遗物多相同，当是他的直系后人墓，遗物也极丰富，这是研究西晋物质文化很重要的遗存之一。

3. 两汉物质文化遗存

两汉是青铜器全部被新金属的铁器所替代的转折时期，由于铁制工具的普遍使用，农业和手工业有了很显著提高，商业得到进一步发展，都市日益繁荣，文化艺术都有了长足进步。

（1）农业　大量使用铁农具，而且是普遍推行到全国。由于铁器官卖，当时对农业发展有过推动作用，尤其是边远的、技术落后地区。铁农具的种类渐多，翻土工具有：锸、铲、锹、耙、铧，铧上又有犁碗，装于木犁就成了复合的耕种机械，并且有人拉和畜拉的两种。除草、培土、疏苗的铁锄，有几种形式，可按作物的性质和土地特点、工作要求的不同来使用。收割农具有各式镰刀和取穗刀，也有长把两面刀的大铁镰，收藏粮谷有仓囷、囿的建造。灌溉很发达，除大量使用水渠外又通行水井灌田，使用桔槔、滑车、辘轳等方法汲水，不久又创造了龙骨翻车，由低处向高田灌水的方法。粮谷加工具有施转手磨和陶砻，手捣杵臼多发展为与木质机件结合的踏碓。家畜、家禽的饲养极为普遍，积肥粪田成为农业保收的主要条件。关于这些情景以及农民劳动、地主享受的具体形象，在当时遗留的画像石、画像砖壁画、明器上都有真实的描写。

（2）手工业　汉代桑蚕和山蚕业的进一步发展，纺织技术和产品种类及质量，也较前大有不同。织机虽仍用腰机，但在部件上有了改进，并已采用了构造复杂的提花机，这在当时遗留的复杂绮丽的花纹织法上是可以认出的。产品主要有锦、绫、绮、罗、纱、谷縑、绨、绢等。染色极为美丽多样，织纹多用自然、动植物的几何图案和古语文字，刺绣也相应地得到发展。这种遗品在我国西北地区和蒙古人民共和国、朝鲜民主主义人民共和国的古墓中都有过发现。纺织工作形象可在画像石中看到。

（3）漆器　在汉代手工制品中是极为突出的。它和瓷器分担了铜制生活器皿的全部任务。漆器的名产地是四川。汉朝廷在广汉郡设有官工厂，内有极细的八种分工，也就是制作过程上八道工序，器物极为精致，器胎有木橡（木）和夹纻（麻）两种，器多杯、盘、匣、盒、几、案、奁、槈等。做法除黑红漆加描彩漆花纹以外又有嵌镶金、银、铜、玉、石或和玳瑁、竹丝合制的方法，花纹用云水、神仙、龙凤、怪兽、奇禽，人物故事的为最多。器底侧多有官厂制造的年款和工人工官姓名，有的用主也加题姓名或吉语。这种精巧的制品，在当时一件要贵过铜制品的十倍，但它却行销得非常宽广。所以在我国广州、长沙、洛阳、阳高和蒙古人民共和国的诺彦乌拉、朝鲜民主主义人民共和国的平壤都发现过优秀的作品。

（4）铜器　铜器虽为铁器所替代，但铜器制造技术却是进步的，一方面表现在铸器胎薄，打造器渐多，另方面在日用小件器物的铜镜、带钩、印章、符节、灯盏、香炉等铸造方面也都超过前代，各种钱币的铸造，各种度（尺）、量（斗斛），权衡（称硬、砝码）的铸造，技术也都较前进步。当时制铁业是新兴事业之一，都由官厂操作，使用人力、马力和水力鼓风，大量生产，产品以农具为主，而小件铁刀等也有错金嵌字、制造精巧绝伦的。陶业渐向釉陶发展，制瓷成为专业。

（5）琉璃 琉璃制造业也在大城市出现，产品的小件耳珰、串珠已分布到汉领土的所有角落。此外如造纸、制作舟车、服饰、日用品以及玩具等，无一不有专业。

4.南北朝墓葬遗迹

（1）南北朝墓葬 南北朝墓葬在旧社会遭到盗掘和无意破坏的是不少的，如河南洛阳、陕西西安、河北磁县等地的北朝墓和吉林集安的高句丽墓，江苏南京、浙江杭州等地的南朝墓，都往往有多数墓志地券和大批明俑瓷器等墓葬遗物留传人间。这些失群的零星文物在这种情况下都只能保存着本身的艺术价值，却完全失掉了考古材料所能起的作用。建国六七年来，由于基建工程的大力开展，各地南北朝纪年明确的墓葬发现日多，并都经过考古发掘和整理研究，对南北朝墓葬的了解，得到了较好的标准尺度。北朝在墓葬形制上多用斜坡墓道的土洞墓，上作穹隆顶、有的在土洞中筑砖室，地上筑封土，墓门多用木门外加土坯、砖、石等封闭，间有用石门的。木棺，大头小尾，棺上线雕花纹，以人物故事和四神为多，人物故事题材晚期渐少。陶明器仍沿旧式而釉陶渐多。陶俑较前增多，有新兴镇墓兽（魌头）、驼、介士、甲马执盾武士、套衣立俑、操作女俑等。俑多深目高鼻、着短衣窄袖、大口裤的外族服装。晚期生活资料的模型类逐渐减少，而且日趋简化。陶俑更多，喜用单范，多长身突腹，彩画如生。瓷器的杯、盘、碗、碟、壶、罐实用品逐渐出现，釉色有青白、黄、酱、绿、黑各种。器多厚重平底，极为古拙浑朴。墓志流行，是由晋代禁止墓上立碑而来；初多砖读，后渐演化为石刻。长文细刻，附加篆文志盖，有的盖上刻为龙形、兔形或镂刻边饰。有四神、怪兽、莲花、忍冬，末期逐渐出现了八卦和十二生肖兽等。南朝墓制是土圹较浅，多砖筑长方单室或双室，券顶或穹隆顶，有的有墓道，多用木棺。陶明器的模型类渐少，瓷器和瓷制明器大批出现。如瓷虎子、蛙形盂、鸡头壶、四耳罐、塑巾人物瓶罐、畜圈、鸡窝、鹅栏等极为普遍。墓志极少，墓砖多有花纹和年月工匠姓名。买地券较为流行。瓷器有的刻有年款、产地、师匠姓名，也是北方不见的。

①南京邓府山南朝墓　原编号为六号墓，在邓府山教养院东南墙外，墓室砖筑，东西向，在地面下1.00米，平面作长方形，长3.80米，宽1.80米，前有极短墓道，上部券顶仅存东端。出土遗物有：青瓷虎子、瓷洗、瓷杯、瓷罐、铜钱、铁钱、铁棺钉、小铜穿等多件，还有铜印一颗，鼻纽，篆书"军司马印"四字。根据遗物看来，当是南朝（可能是刘宋）的小型墓葬。

②西安任家口北魏正光元年邵真墓　墓在西安西郊任家口村西北0.5公里许，原编号为M229号。墓室用长方灰色粗斜纹砖筑造，平面近方形，四壁中部微外凸，前有墓道，上为圆穹顶。主室长3.02米、宽2.98米、高2.87米，甬道长1.64米、宽0.89米、高1.45米，上为拱顶。室内在后壁有微起的棺台。随葬物品位置未大变动。甬道左壁依立墓志一方，主室门左右有武士俑、镇墓兽、陶井、陶磨，中央有拱手、男俑和女俑、大圆陶盘、陶碗、陶灯座、陶鸡，右前角有四处圆形漆器残迹，右后角附近有银饰具，人骨是头右足左横放，棺板仅存一部朽灰。武士俑二件（身首可以分开），头戴圆盔，短衣胸甲，下着大口裤，浓眉大眼，右手所持器物已不存。镇墓兽二件，四足伏台上，背有三发突起。它和武士同在门两旁，用意似与汉墓门犬门卒同，也可能与门前陈辟邪狮子有同样意义。男立俑三件，长衣圆帽，女立俑三件，长衣双丫髻。陶鸡一件，靠近棺台。陶磨、牛栏都是圆筒，仅具外形的象征样式。银饰具一件，中存牙齿三枚，当是头部所用。其形为箍捆头顶和兜包下腭的几条银斤构成，腭下银体成为勺形。这种头面饰具在西安的北朝到唐代的墓葬中曾有过发现。可能是一种专用敛具。墓志铭一方长1.00米，宽0.96米，厚0.12米。刻楷本志文，中填朱色。全文为"魏故阿阳令假安定太守邵君讳真，字天生，相州魏郡阿阳人也。玄祖京尹雍州刺史后之苗裔，曾祖黑魏郡太守。地籍联辉，德压民望，仁风起被，英声遐著，方移

方秦都，徙根姚末。群德范量，才过后秩。春秋九十有九，枕痾晦朔，奋辞荣世。新宾痛楚以伤摧，傣友泫欷而幕德。以正光元年十一月辛未朔三日癸酉，定于明堂北乡永贵里。神姿永谢，秘玉幽泉，无以扬志，托名念文，铭永千载，万古流芳了。"正光是北魏孝明帝元诩年号，元年为公元520年，此时墓葬出土不多，此墓既有墓志，又未经盗掘，是很好的考古遗例。

（2）高句丽墓葬和山城址　高句丽是东北原住民族秽族的一支，自称出于夫余。初起于鸭绿、佟家两江流域，前期都城在吉林集安，后迁都朝鲜民主主义人民共和国平壤，兴于西汉末期，亡于总章元年（668），传国700余年。领土包括今日辽宁省的辽河以东，吉林省南部，主要遗迹有下列两种：

①高句丽山上城址　高句丽的城址分山上、平地两种，平地城市多在生产丰饶地区，作为政治、经济、文化中心，山上城多在地形险要、山势陡峭的山上，以军事防御为目的。最有名的山城址有：吉林集安山城子（原名丸都城）、吉林市龙潭山城、辽宁桓仁五女山城（尉那岩城）、抚顺城北高尔山城（新城）、凤城高丽城（乌骨城）、金县大黑山城（卑屠或沙卑城）、盖平高丽城（建安城）、海城英城子（安市城）、开原威远堡龙潭山城、西丰高丽城、海龙南北山城子、通化山城子等，也都是规模不小的遗址。这种山城都是利用高山脊梁围筑而成，有的用大石，有的用土坯、夯土，也有利用削陡山脊使成山壁的，高大开阔，非常雄伟。一般都具备城门、水门、蓄水池、瞭望台等设备建筑。内多建筑遗址，有的发现有火炕的构造。出土物以铁镞、铁甲、陶片、砖瓦为多，红色绳纹或斜方格纹瓦和红色瓦当，是这种山城的明显标志。这种山城，易守难攻，多见于史书记载，丸都山城见《三国志》魏毌丘俭传，新城、卑屠、安市、建安诸城都见于两唐书，可知在当时的重要性。

②高句丽墓葬　高句丽墓葬在他们首都今日集安附近发现的为最多，大大小小数以万计，大体可分为石墓、土墓两种，石墓又分为金字塔形和石棚两式。金字塔式墓以土口子山"将军坟"为代表。墓坛用大型花岗岩砌筑为七级，上有三合土圆顶，通高12.4米，下层每面宽30米，每面各立护基大

石三根。第五级中央有长方形墓室，中设大石棺台两座。另一同式墓在好太王碑西南方，因该墓出有"原太王陵安如山固如岳"铭文砖，故称"太王陵"，全高16.6米，下层每面宽64.2米，较"将军坟"大一倍多，唯保存稍差。此外如出土"千秋万岁永固""保固千秋相异"铭文砖的"千秋墓"也是这种形式。这正是古史上所记高丽人墓葬"以石为封"的一类。石棚式坟都用四块大石板为壁，其上盖一巨大石块，有的长4.83米，宽3.60米，恰如新石器晚期的巨石遗迹支石墓——石棚。土墓数量较多，时间也似乎稍晚，地上都有纯方锥形封石坟头，地下用石条或石块筑造，有单室、双室、三室几种。墓室盖多用石条错角叠砌，取上成一方形藻井。前有墓门，接以斜坡墓道。有的墓室四角彩画柱枋、斗拱等木构形象，壁上多画五彩朱雀、玄武、青龙、白虎、麟凤、星宿、力士、仙人、伎乐等。有的画高句丽人家居生活、出行、狩猎、歌舞、踏碓、厩马、仓廪、战斗、角抵等。室壁上墨书汉文墓志的仅见一例。出土遗物有陶明器如炕、灶、釉甑、罐、铁镞、剑、刀、锁、铜镀金饰品和明钱等。

5. 隋唐代墓葬

（1）唐代墓葬　唐代墓葬在旧社会多遭破坏，以出土墓志估计，不下30余方，散在洛阳、西安民间的迄今还有千余方，无墓志的墓葬数目相当多，遗物明俑散在国内外的实已多至无法统计，建国以来考古事业随基建开展而发展，对唐代遗址墓都做了一些工作，有了一些认识，城市址的调查，前已述及，不再重叙。墓葬方面，墓圹多用竖井下部横挖土洞，或斜坡墓道上凿天井的甬道土洞。墓室方面单室多长方弧顶，复杂的多方形穹顶，或起筑同样砖室，甬道两侧开壁龛。砖室内多窗棂、柱枋、斗拱，并加画彩饰。棺台由简单渐加高大而加雕刻。石墓门多雕文武人像或加门环。有的墓室逐渐增多至二室、三室，或加壁龛。有的在主室四壁或墓道两壁彩画侍仆、花鸟、龙虎等。人骨多横放主室近后方的棺台上，或纵放于室内左右。手中、口中往往有开元通宝等铜钱。随葬品除少数实用品铜镜、剪刀、陶瓷器而外，主要多明器模型和人、兽俑像。早期多灶、井、仓、鸡、犬、牛、羊、彩画罐等。每与陶俑分群陈列。俑多文武官、男女侍、甲马、武士，骑仗、西域人、牛车、猩形镇墓兽，多彩画眉目衣饰。越晚越加大而种类增多，三彩陶俑、陶器和瓷器也渐多。后期出现大批群俑，如马上乐队、歌舞乐队、游山群俑、十二生肖像、侏儒、天王、西域牵驼马男女侍俑，多成群结队，或两两成对。驼马的鞍勒佩饰、人物衣帽、持物、多锦彩金铜相记，画彩贴金如生人。彩画陶罐形大而加盖、座，成一特殊明器，墓志普遍流行，墓志四侧和志盖四边，多线雕或减地隐起缠枝卷叶花纹，有的在繁缛枝叶间加以四神十二生肖像等。

①河南安阳大司空村唐墓　大司空村在安阳车站西北约2公里，洹水北岸，南与有名的殷墟遗址小屯隔河相望，墓在村东京汉路西侧。墓是单室土洞，上顶已毁，近南北向。墓底南北长2.3米，北端宽2.06米，南端稍宽，壁存高1.6米，洞顶当稍高。墓底至地表4.7米。门前有长斜坡墓道。室内右方有比地面稍高的棺台，棺椁置于台上，已成朽灰，棺两侧有铁钉，椁不很大。中葬人骨一架，头南足北仰面伸展。遗物多出在地上，武士和镇墓兽在门内附近。出土遗物以陶器为主，人物陶俑有：文武官、男女侍、套衣男俑、长裙女俑等33件；眉目、发髻，衣饰、器物都彩画精致。动物俑有：独角镇墓兽，车马、牛、狗、猪、羊、鸡等10件，兽马彩画，余多在台座上，模型类有：牛、车、灶甑、仓4件。灰陶罐2件，开元通宝铜钱1枚。根据遗物推测，此墓年代当在开元、天宝前后。

②湖南长沙北郊丝茅冲唐墓　墓是砖筑前后两室相连的长洞式，墓顶距地面85厘米。前室立壁拱顶，较主室为底，长148厘米，宽140厘米，高174厘米。两壁高处各有一小壁龛，中置小陶碗一个。前门有屋檐构造，下设砖筑排水沟。主室长332厘米，宽206厘米，高215厘米。上为圆拱顶，地面较前室为高。左右后壁各有小壁龛一个，中放釉陶碗。龛外小方壁洞12个，放置有泥俑人和泥兽。主室仅余人头一个，不知葬几人。遗物有：大小铜镜2面，铜熨斗、铜洗、铜压刀各1把。铜锛8块（按当时制度可考明墓主人阶级

之分）。铁刀2把、铁剪1把、铁尺1支，应系剪裁缝纫工具。釉陶碗3个，陶碟10个，罐、洗、炉各1个，瓷砚1个，泥俑数件，开元通宝铜钱40枚。其中铁尺长29.5厘米，应为唐代尺。大铜镜内为四神，外为12生肖，花纹带，铭文为"仙山并照，智水齐名，花朝艳采，月衣流明，龙蟠五瑞、鸾舞双情、传离仁寿，始验销兵"，是所谓隋代镜的形式。此墓当是唐初武德后不久的遗构，对唐代文化艺术的了解是很有益处的。

（2）渤海遗迹　渤海是松花江上游粟末靺鞨族建立的国家，时在唐开元初年（713），传国200余年，到五代后唐天成元年（926）为契丹人所灭。渤海创五京制度，国土领有辽河以东和松花、牡丹、鸭绿、图们、乌苏里江各流域。他们一方面继承了祖先的传统文化，又接受了唐代的文化，采用唐代政治制度，使用汉字，形成了渤海人独自的文明，故当时有"海东盛国"的称呼。

①渤海城市址　渤海的城市多建于平原沃野地区，版筑夯土城壁，高大方正多内外城两重。道路平直，街坊整齐，与唐代相似，是渤海城的一般特点。黑龙江宁安纪环镇古城，是当时的上京龙泉府址，规模最大，城址方形，每面长4650米。禁苑址、寺址多处。现存有石雕灯塔和石佛像，出土过不少遗物。延边朝鲜族自治州珲春半拉城石城，是东京龙原府址，也称析城府，规模较小，也有宫殿、佛寺遗址，并出土石雕佛像多件。和龙二道沟西古城子古城，可能是中京显德府址，规模与龙原府址相近，内有宫殿址多处，附近并有多数墓群和古寺址，年代较上二城的为古，遗迹遗物多近似高句丽。这三城都遭受了日本人盗掘，出土物主要有各色建筑琉璃砖瓦：鸱尾、兽头、绿釉柱座、莲花纹瓦当、印字瓦、塑佛、陶器、三彩釉器、钢铁器、装饰品、壁画残片等。

②渤海墓葬　渤海墓葬出土例不多，现已发现的有三处，宁安三灵屯石室墓，在纪环镇西北数公里，俗称为北宋徽、钦二帝陵，是没有根据的。墓室用大方石块建造，极为整齐，顶部石块由两侧向内叠为墓室顶。室长4余米，宽2米，高3余米。墓在平地上，不见封土形迹，墓上四隅各有大石

柱础，前面散布瓦片很多，似乎当时上有建筑物覆盖着，果然的话，却是少见的墓制。可惜久已破坏，内部一无所存。和龙二道沟石坛墓群，在二道沟村南五里的大屯，两群约存200余座。附近各屯尚存有小群不少。墓基为自然石块筑成方坛形，大的高3米上下，小的在2米以内。墓室用石墙围成方室，上盖较墙框为大的大石板，形式如高句丽金字塔式墓而规模稍小。贞惠公主墓，在吉林敦化东郊，该处原有渤海古墓群两区，共60余座，1948年，被发掘了几座，在一个砖室墓的墓道里发现石碑一座，石狮两对，出土物有陶瓶、铁锅、葡萄纹镀金铜饰、莲纹瓦当、壁画片、板瓦等。碑文称公主是"大兴宝历孝感□□□法大王之第二女，宝历七年十月二十四日甲申陪葬于珍陵西原"。原来这一墓群是渤海王族的陵墓，余墓都在原地保存，是应该注意保护的一处遗迹。

6. 五代墓葬

过去对五代墓葬的考古知识较少，建国以来发现渐多，但对一般平民墓葬也还是知道得很少。大体说五代墓葬是唐代埋葬制度的延续，在地方上有若干不同，它和宋代墓葬也有显著差别，但现在还作不出全面的概括说明，只能介绍几个墓例作为参考。

（1）南唐二祖陵　即李昇（徐知诰）、李璟（后主李煜的父亲）陵墓。陵在南京市牛首山南祖堂山下。李昇墓砖筑，前、中、后三方室相连，前室左右各有便房一，后室左右各一间，上为四阿式的穹隆顶，前门有仿木造样式的半拱柱、枋等。通长22米强。室内有各种彩画花纹装饰，石作部分雕有云龙人物浮雕。上画日月星宿，地面铺石、上列为江河迂回形状。后室有棺台，系青石筑造，满雕牡丹花纹和八龙浮雕。李璟陵的构造与李昇大致相同，而规模略小，墙壁及上下和过门棺等也没有那样豪华装饰。两陵久经破坏，出土遗物多为陶器和瓷器、哀册残片、铜饰、铁器等。陶俑中，男俑有：文武官、侍从、仆隶、卫士、伶人；女俑有：宫嫔、舞姬、女侍、女婢；还有人首蛇身和人首鱼身俑，为前此所少见。动物俑有：马、驼、狮、狗、鸡、蛙等。这些明器的造型和彩画,较唐代差得很多。陶容器有素陶和釉陶两种。瓷器出有邢窑系的白瓷、越窑系的青瓷,薄胎细致坚硬,釉色净明澈,制作和质量都很好。哀册是用玉石长条多块连接起来,在上书写工雕刻文字的一种古代书册形式的东西,以便对死者歌功颂德。

(2)前蜀王建陵 四川成都西郊,旧名抚琴台。墓室砖筑,前、中、后石室相连,前后有木门三道。全长24米上下,宽7米上下。各室左右两壁共有20个龛形构造,没有两厢的便房。中室最大,中为石造高大棺台,有12神王和乐工高浮雕像,极为华丽。后室后部为高台,前陈哀册和谥册,后为王建石雕像。出土有玉带、哀册、谥册、金饰漆匣、陶供器、各种镀金饰件、门饰等甚多。墓的建造当在公元918年前后(后梁贞明四年、前蜀光天元年)。

(3)成都北郊高晖墓 墓在成都站东乡双水碾,早已遭过破坏,遗物所存无多。墓室砖筑长方形南北向。长3.5米,宽2.26米。室中置石质棺座,前宽后窄上置大石椁。石椁长2.78米,宽1.07米,高0.58米。石椁前大后小覆瓦盖,前面雕成门形,两侧浮雕杖剑武士像。盖前端雕朱雀、后玄武、左龙、右虎四神像。椁前石方桌一,已不见一物。桌侧墓志盖一方,刻"蜀故清河张氏墓志铭",椁后北墙下平置墓志铭,盖刻"大唐故渤海高公墓志",两志都刻有精细花纹。棺内已不见有人骨,仅于椁门外见有牙齿和碎骨。遗物只存琥珀、鱼1对,头有小孔,当是铜饰。绿黄釉陶碗1个,内有烧成时渣垫痕5个、铜铃3个、铜扣1个、开元通宝钱数个。墓志铭文很长,据志:晖生于大中五年,在李克用手下为留守押衙兼甲院军使,后随孟知祥到蜀为西川节度押衙,死于后唐长兴三年(932)。

7. 宋、辽、金遗址和墓葬

(1)宋代墓葬 宋代以后小墓多只用木棺,直埋地下,因纸扎明器流行,墓中除随身零星物品外,以实用品的瓷器为最多。大型墓多用土洞土坑筑砌砖室,墓室内和门面多仿木式建筑,拟作出柱枋斗拱(多一斗三升式)

窗门，晚期雕饰繁杂，桌墙家什，器物用具亦多雕砖嵌壁，多有雕砖半开中露半身欲进女像。壁画也很流行，初只彩画装饰，后渐描画主人生活，连壁大幅，内容丰富，墓多单室，形式是方、圆、六角、八角无一不有，双室的较少。室内多有棺台，上置木棺，流行夫妇一棺。女性多有头钗、耳饰等装饰品，陶俑如模型类明器已不常见，偶有墓志也较前粗糙。瓷器多瓶、罐、盒、炉、盘、碗、壶、盏。景德镇青白瓷和龙泉青瓷、定州、磁州白釉里花瓷最常见，也多有印、雕、划的花纹。铜镜多菱花式，或加长柄，质劣花纹草率，有的无花饰只有制商印记，并因避赵匡胤祖父敬讳，改称"照子"。出漆器木俑的极少。铜钱除用当时流行的以外，也有专用开元通宝的。墓志铭已不如北朝和隋唐的盛行，唯志文较长，间有雕刻花纹或盖志二石之间夹以铜钱的。地券还在流行。

苏州博士坞南宋乾道六年赵喜苍墓　墓在博士坞朴家山，已受过破坏，为夫妇合葬于淳熙十年的方形砖石合筑墓，墓室壁左右用两种大小不同的长方青砖筑造，当是前后两次接筑而成的。墓室上都盖青石板三方，左室方砖铺地，右室泥地，但前后都有两列横砖的垫棺台。前后壁留有放置器物的壁龛。室长2.30米上下，全宽1.90米，左深0.98米，右深1.30米。人骨损坏不存，按墓志记载是左男右女。木棺尚存底部，四周有铁皮和铁棺钉。推测当是头北足南的仰面伸展葬。左墓室发现墓志铭一方，雕刻精细，字迹清晰，置头部壁上；铁板1、铁环4、陶器片1、铁棺钉若干；铜钱有开元通宝和天圣到政和的北宋钱。右墓室出土墓志一方，置头部；脚部景德镇印花青白瓷粉盒一个，头部朽坏；琥珀若干；铁板1、铁环4、铁钉若干；北宋铜钱数枚。两墓铁环、铁钉漆皮、棺灰都是木棺上的残遗。特别注意的是此墓埋葬时，南宋已将60年，用的却都是唐和北宋铜钱，不见南宋钱，若无墓志，必将年代定错。同时也可见南宋经济情况的一斑。

（2）辽遗址和墓葬　辽国遗址和墓葬在东北和内蒙古自治区发现得较多，保存得也较好。

甲. 古城遗址　"上京临潢府址"，在内蒙古自治区巴林左旗林东街前，是契丹人发祥地。城址很大，分南、北二部：北名皇城，是皇帝贵族宅第和官衙寺院所在；南汉城，是市民、商户所居。皇城存高9米，底宽7米，南北长2000米，东西宽2200米。城壁上不远就有一个小丘形的箭楼遗址。城内近北方有宫殿址（当时称作大内）。宫门、道路、内宫、禁苑、池塘、亭榭等基础还保存得很清楚。黄绿釉砖瓦、雕花柱础、铺地方石和残砖断瓦堆积很厚。此外寺址、塔址、官署址和瓷窑址也都保存，东南隅有露天高大石雕观音像，虽经长期的风雨，但衣纹璎珞还清楚完好。汉城较小，但建筑遗址也有保存。城南、城北各有塔，都是当时遗构。城南20余里的前后昭庙，是当时的佛宿寺，有辽代造像多出。佛幢两座，代表着辽代的佛教艺术成就。

乙. 墓葬　辽墓一般和五代、北宋极为近似，如砖仿木构建筑样式。壁画、刻砖、壁、棺床、门砧墓志、不见明俑等大体一致。遗物则因民族生活习惯不同而有很大差异，如铜、银面具、银、铜丝手足套、马具、武器、鸡冠壶、契丹字墓志铭等，都是特有的，墓上不建石碑、石人、石兽，有的建石经幢，多刻梵字陀罗尼经或佛像。火葬石棺墓很流行，这与佛教有关，棺上有的刻有四神或其他花纹和铭款。个别地方还流行一种画像石墓，形式则和砖墓一致。

A. 内蒙古自治区赤峰大营子应历九年驸马赠卫国王墓　墓在赤峰西大营子，是一座有斜坡墓道的砖筑多室墓，墓室近方形，分前、中、后三室，前室左右又有二小室，各室之间有木门。墓门石扉，有铜首孔，彩绘人物像已脱落模糊。墓底部长7.5米，宽7米，高5.4米。中室券顶压一平石，中嵌铜镜。各室都有木质护墙结构，画有彩画，多朽坏不全。室中有平台，上置木造尸床，床有板壁、雕栏，刻有精细装饰，上挂紫地织金龙凤大帷幔。床上铺有丝织品数十层。残碎人骨两具，一男一女，头北足南并排。此墓久经盗过，现存遗物大致如下：前室出土文物118件；右侧室1556件；左侧室76件；中室出131件；后室出281件；总计2102件。内有汉文墓志一合。各种铁器、铁大炉、火钳、铁壶等数十件，镀金银鞍勒等马具数套数百件，各色瓷器数十件，武器、工具数十件，金银首饰数十件，带饰服、杂用器什、铜镜、开元钱、丝织、漆器、骨角器等数百件，墓志盖刻有十二生肖像，因墓志破碎残缺，已不知驸马姓名，尾有应历九年（959）七月刻款。这是已知辽墓中最早和最丰富的一座。

B. 巴林左旗瓦儿满汗（地名、意为有风的沙坨子）辽永庆陵东陵　陵在山中，分东、西、中三陵，是辽圣、兴、道三帝埋葬处，久被帝国主义传教士所破坏，除西陵为道宗而外，中东二陵尚不知埋葬主名。东陵保存较好，墓室上不见高大封土（别处辽墓发现过封土）。墓前百余米外，有宽大达80多米的享殿址和配殿址、门址等数层，保存了不少刻花或光素柱础和堆积很厚的黄绿硫璃瓦砖等。也有很好的定州白瓷和景德镇青白瓷器片。墓室为砖筑圆形多室墓，由墓到后室后壁长22米上下，主室直径5.5米强，高5.7米左右。入拱门为长方前室，左右各连接小圆室，再进为大圆形主室，左、右、后通三个小圆室共7室。门脸砖筑仿木造柱、枋、斗拱、屋檐，并涂彩色，墓内周壁如大穹隆式圆顶满抹石灰，画有设色壁画。前室画恭立人物像数十个，着蕃汉服装，文武杂列，面貌、年龄都不相雷同，肩上有契丹字题名，可能是功臣像，主室四壁（每壁宽3.6米，高5.6米）画设色春夏秋冬四季山水，夹杂花、鹿、鹅、鸭游走于桃杏杂花间，一片当地风光，十分美丽。壁门和画杠上部也画出了染柱帷幕及龙凤、云雀等五彩花纹。当时尸体和遗物如何布置，已不得知。仅知出有石雕帝后哀册一合，如墓志而大，刻契丹和汉字两种文字，并有线雕十二生肖像和云龙等，非常精致。中西二陵制度也大致相同。

（3）金遗址和墓葬　金国的遗迹调查发掘得较少，除阿城白城金上京会宁府址和完颜娄室墓（在长春石碑岭）被日人破坏而外，出土例不多，女真人墓葬更少，所以现在还作不出很明确的概括说明，只能提供两例作为参考。

①辽宁鞍山陶官屯金农家遗址　在鞍山市郊陶官屯西，发现情况，证明是农家遗址。出土石墙房基一座，土院墙址一道，院前流水沟两道，屋后

垃圾两大堆，地垄址两大段。附近出土有铡刀、镰刀、犁铧上的镗头、小石磨、大石磨、牛马骨、大瓷缸一口，内盛很多碗盘瓷器。又出有铁锅、铁铧、箭头、铁锁，也出土了妇女装饰品、宋金铜钱和骰子玩具。从这些发掘的情况和遗物来看，这座农家有部分用砖或石筑造的土房子，房内有土炕、锅灶。有牲口和车辆，种禾本科矮粮和高粮，自种、自产、自收，以自磨加工粮谷自家食用。生活用具的瓷器种类最多，多是远地运来的商品。妇孺使用着流行的琉璃装饰品，有时玩骰子，持有一定数量的货币，使用铁锁来保藏细软，并有弓箭。他们的生活是比较富裕的。这种农民的生产和生活的材料，过去在考古工作中发现很少，所以非常重要。

②巴林左旗林东哈隆归金奉国上将军墓　墓在林东街西12.5公里查干哈达村哈隆归屯。北靠群山，前临平地。墓园围方形墙，南有正门，门两旁有向前延伸很长的石墙两道，前端辟有一门。墓园内有古墓四座，两座有被掘痕迹。地面存石碑龟趺一个、石人头四个，石人身已被农民改作石磙，在一座残墓中掘出石碑一段、碑额残片数块、石棺一座，知是金奉国上将军某氏墓，惜不知主名，附属三墓当是他的家族。发掘的三座墓都出土了火葬石棺，地上封土构造也都相同，今以第2号墓为例说明于后。墓地面上有用自然石块砌造的方形坛，高约70厘米，坛上有封土坟头。坛前正中有向前延伸石墙一道，高度与坟坛同而长度较坟坛每边为长，平面恰如地上放一把方铲，而与墓园的形式相同。坟坛下为方形土圹，上口大小与坟坛相当，前方长墙下即为斜坡墓道。圹中填土很坚实，似经夯打。圹底近后边横入长方石棺一只，棺口用石灰固封，内底铺苇席，上置火骨灰木箱一，箱外描裱花绫，内衬细绢，骨灰用棉花、绢袱包裹，上放万字地花纱女衣一件。奁箱一只，内装油刷、油碟、分发簪、耳挖内、木梳、粉盒、镜囊、铜镜、石墨、化妆具袋等数件。外有木漆洗脸盆一个，长方形铁片一方。石棺底有五个透孔，这种情况在东北是埋葬未婚女子的所谓"没有底棺材"，如果金代就是如此，那么这种风俗来源就很古了。

第三编　考古发掘与研究

（一）遗迹调查

遗迹调查是田野考古工作第一步，其目的在于发现遗迹，了解其性质、规模、情况、分布等，以便采取保护、管理、发掘等具体步骤，当然也可作为遗迹地表上初步研究和遗物采集的基本活动，来解决一定的历史问题。调查工作虽有前人经验可为事半功倍之助，但不论哪些办法，终归主要方法还是调查者的勤跑、勤问、勤看。取"秀才不出门，便知天下闻"的方法是不成的。此外有几项事对调查很有帮助：

1. 地形与遗迹

人类生产力逐渐提高，生活方式也不断改变，因此每一时代人类遗迹都具有一定的地球学上的特点。以住居遗址为例来说，旧石器时代人类多利用山洞，新石器时代人多在河岸台地或距水源不远的孤立高台及小山上居住。另一方面牧民多在草原地带，猎民多住山林，渔民自然多在湖海江河岸边，农耕发达以来又多向水源丰富、土地肥沃的地区发展。总之，他们长期住地的选择是以接近水源又无淹没危险，生活资料丰富和生产条件适宜，背风向阳，交通便利而又易于自卫为主要条件的。因此作遗迹调查必须注意：

（1）洞穴——石灰岩洞穴是天然形成的，内部往往有石笋和钟乳，多被古人利用居住。有的又是人类利用岩隙或石壁加工补建的洞穴。凡经人类居住过的洞穴其内必有文化堆积层，有时由洞口沿山坡下流，层中和附近多有工具、器皿残片和岩灰、烧土、碎骨的遗存。

（2）河岸台地——远古以来河流在大平地上左右屈曲前进，冲刷侵蚀，造成非常宽阔的低降河床，两岸形成高一段的台地。这样侵蚀作用继续进行，又会在第一次造成的宽阔河床中心形成同样一个更深的河床，两岸成为低一层的台地。河流水量越大，形成这种阶梯式的台地层数也越多，最接近河流的一段称为第一台地，依次为第二、第三。大体古代人类多住在最上台地，随时代前进而逐渐接近河水，所以在第一台地上很少石器时代的居住址和墓地，多为后世的遗存。

（3）大水附近或平原上的孤立小山和土台——这种孤立小山多在大流域的两边，高不过百米，接近水源，通连平地，向阳高旷是原始村落常用的地形，在低湿多水地区，土台高岗也是古人喜用的。远古人类住居和墓葬往往在一起，时代越晚墓葬离住址就逐渐远些。住址有灰层和遗物，墓葬有墓圹、人骨和随葬品的遗存，我们只要利用耕地面、水沟崖、采土坑、挖渠、打井、修屋等动土机会，就会看到文化层的"露头"和遗物的出土，这种方法在原始社会遗迹的调查上是很有用的。当然，在后世遗迹调查上也有一定作用，如城市的形成和建筑、住宅、陵墓用地的选择，尤其是堪舆迷信流行以后，都有地理环境上的一定条件，掌握了它们的规律，对调查工作也非常有利。

2. 文献记录与遗迹

有文字以后，人类不但把当时的生活和生产活动加以记录，而且把代代相传的先人事迹也加以追记。所以调查阶级社会遗迹，文献记录是很好的线索。我国历代文献丰富，碑刻、墓志、造像、摩崖、题字等普遍流行，古地理书、地图学相当发展，这种参考资料是极为方便的。

（1）文献方面最重要的是地理书，有：历代正史中的地理志（地形、河渠、沟洫、道路等都包括在内）、历代官私修地志［一通志、省、府、州、县志、乡土志、山志、湖志等舆、历代地理专著（《水经注》《元和郡县志》《大唐西域记》《太平寰宇记》《元丰九域志》）、地广记、读史方舆纪要、蒙古游牧记等最为有用］，各种有关地理考证、注释、旅行记（如胡三省通鉴注、王先谦汉书地理志补注、宋人使辽使金使元的各种行程录等），对历代地理沿革、山川、宅京、陵墓、寺观、关津、矿产、瓷窑、古迹、金石、运河、道路等记载很详细，对调查工作极为有用。

（2）各地石阙、石碑、墓志出土和摩崖、造像、题字（如井栏、桥梁）的存在，或原物虽已不存，但经前人著录，其数量是很大的。其本身就往往能证明遗迹所在，内容多述及当时当地一切有关史迹，在调查上是一项不容忽视的材料。

（3）古地图和地方志图、新地图。这里有古有今无的地理标志，有分布的史迹，根据它可以寻得古代遗迹的位置或一定线索。从地图上的地名或现行地名中也可得到一些遗迹的存在的暗示。最明显的如城子崖、古城子、破城子、土城子、半拉城、大王城（东北多称高丽城）等，十之八九是有古城遗址；三陵屯、王坟沟、高丽墓子、石人沟、石碑岭、五盔坟、东京陵、曹王坟等往往都是陵墓所在地；缸瓦窑、涧瓷村、皇瓦窑、缸窑镇、五窑村等往往有陶、砖瓷窑（一部分煤洞也称窑）；矿洞山、古洞沟、化铜沟、金场、大冶等往往与采矿冶炼有关；其他如老房子、大房子、古庙子、老边墙、长城口、墩台山、三座塔、白塔子、山海关、清河门、字罗堡、烂石驿、古城砦、佛爷崖、卧佛峪、石棚山、姑嫂石、石柱子等一类的地名，也大多数与遗迹有关。有时本来是古代的地名传到现在，但后来讹写了同音字，在东北如唐、辽的岩州今讹为燕州，辽中京大定府城讹为大名城，耀州今名岳州，金彰义县今为章义站，辽宾县，因有塔而村名讹为辽滨塔等，这种例子全国到处都有，留心考查研究，往往对史迹的调查和考证有很大益处。至于各种地形图、历史地图、地质图、自然地理图、物产分布图、民族志图等都应利用。

3. 采访

每一地方的古迹、名胜、特殊建筑、古老院宅、陵墓、江河湖水、洞穴、奇峰以及古树、怪石、稀有生物化石（乡民叫龙骨）等，往往都附有一种传说神话和乡民自己的口头记载。调查时向当地群众采访听取，他们也乐于向我们说明，然后加以分析查看，是很有好处的，尤其是老年人和知识分子、教师、医生、区村干部等，告诉给你的就会更多更确实。此外，群众对地下出土的东西也非常感兴趣，几代以来那里出过什么，什么人得到过什么东西，被什么人拿走，谁家还有什么都会详详细细地告诉你，也乐于领路去看。群众大致都热爱地方史迹，对遗迹调查保护等事项非常积极；小孩子和学生积极性更大。把一些文物图片或标本给他们看，他们就会把收藏的文物献出，并帮助我们作更广泛的了解或将来代为搜集。同时启发群众的爱乡土爱祖国文物史迹的热心，进行文物保护宣传。培养乡村中考古调查和文物保护的广大力量，也是考古工作中的一项重要任务。所以要做好调查工作，必须走群众路线，脱离群众，看不起群众，工作一定失败。

这几种方法虽然各有特长，应用的时代断限也有所不同，但总的是要同时并用，收效自然较大。

4. 调查与季节

地表遗迹调查工作与季节气候有直接关系。夏季草莽茂密，田禾在野，或阴雨时节，积涝难行的情况下很难进行调查；冬季严寒，地面为冰封雪盖，也难把调查工作做好。所以最好是选温和气候，地面外露的春秋两季进行工作，因这种时期农民都在动土兴工，打井修坝，采肥筑墙，大地上也在夏季水中冲刷之后，文物灰层露明显，借此进行调查采集最为适宜。万不得已必在夏季调查时，就必须在植物生长习性上多加注意，大凡庄稼和草木都在肥沃灰土中长得高大而色绿，下有石块瓦片或夯土就瘦小而色黄；又各有适宜的土质和环境，这样土质生这种植物，那样土质就不生这样植物而生另一样，所以由一处古代遗址地面的植物上可以看出哪黄哪绿，哪高哪低，这种植物和另一种植物生长群落的分布都不一样，就往往把地下情况表示了出来，像一片深浅不同的绿色地毯铺在面前，用空中照相或高处观察更为清楚。比如：地下的路、夯土、柱础、墙基，踩硬的土道等植物都黄瘦而短小，有时只生一种特殊植物，颜色显然不同；相反的，地下原为灰坑，垃圾、壕沟、水池、柱孔、石柱础被起走的坑位都填满了肥沃的腐殖土，植物生长得特别高大而浓绿，这些现象是不难看出的。若在冬季根据人类多在背风向阳处居住，可以由雪层堆积的向阳面融化和背面残存看出遗址和墓葬、城壁等地形。此外在灰土层上的冰雪较一般的易于融化。有时也能看出一些遗迹苗头。在这种情况下就必须觅看水沟沟崖、田中的石堆、水渠边岸、土窑周壁、取土坑坎、坟地、小庙、人家土墙等不被雪水遮盖处所来检视，自然也会有所收获。

在这些方法之外，要作进一步的确定，就可用探铲钻探或做小型探沟、探井采取地下样或中地层剖面来鉴定。但这种方法不是一般随便什么人都可使用，必须是中央文化部和科学院批准的正式考古工作单位才能进行，否则是违纪的。

（二）遗迹发掘

取得政府批准以后，要根据遗迹调查决定的情况，进行田野发掘时，必须事先把一切应有的准备如可能发生的事故，周密布置，做好计划，如根据发掘工作规模大小，编定预算，依工作物的性质，组织应有的各门人才，按时间久暂，预备足够的劳动力和应用工具。地方政府或工程单位的联系，土地所有人的同意，工作站或宿营以及生活细节，都应考虑周到，以免临时措手不及。

1. 准备工作

除上述行政事务方面的准备以外，必须准备应有的工作工具和器械。一个考古工作组除因工作情况特殊，有时使用抽水机、发电机等以外，基本应有下列各种器具：（1）发掘用具——铁锹、洋镐、镢头、小镐、探铲、三角手铲、平头手铲、手钩、抬筐、扁担、土篮、土筛、铁撮等；（2）整理用具——大小竹签、各式毛刷、排笔、炊帚、扫帚、石膏、黄蜡、白粉等；（3）记录用具——照相机、测量仪器、望远镜、坐标三角尺、倾斜仪、大小卷尺、指南针、木折尺、扩大镜、画图器、各种定线规、三角板、方格纸、色铅笔、水彩颜色、拓印工具和绵连纸、各种地形图等。（4）装运用品——报纸、洋灰袋纸、毛头纸、玻璃夹、木匣、木箱、筐笼、标签、飞子、麻绳、废棉、刨花等。此外如帐篷、雨具、脚踏车、救急药物等有时也非常需要。

2. 发掘工作

发掘地点和工作范围确定后，对遗迹现状必先作好文字记录，重要部分应加照相，测画各种大小不同的平面图和等高地形图，并将遗迹坐标基点正确地注入地形图中。下一步就将正式开掘。发掘的目的主要是了解地层中保存的遗迹情形和各种遗物，所以开掘时必须按照既定计划，审慎进行，依地下情况随时修正自己的初步假设，不可存一点成见，强使遗迹变成个人主观意图的创造品。也不可因地下一无所获就半途停止，必须按原定计划做到最后一锹土，因这种证实一个遗迹中一无所有的事实，也是一介科学成果，它本身就能说明某一方面的问题，在考古学上并不是白费工本的工作。至于发掘开土的各种方法，如探坑、探沟、遗构单位开掘、分层划方大揭盖等，都必须按照发掘遗迹的性质、规模、范围，发掘的目的和人力、财力、设备、期限，以及建筑物、农作物等具体条件而后定，既不可经验主义的老一套，也不可教条主义地硬搬先进方法。尤应注意安全作业，免生人身事故和人命事故，掘墓更为紧要，大体说来，可注意下列几事：

（1）居住遗址的发掘——这种发掘，识别各种土色，分清先后层次是首要任务，不同的土质不但色彩不同，它的软硬、排水量、发声也不同，是可以分别出来的。认清堆积层次，形成范围以后，即可按层进行开掘，开掘时要留些土柱，以便观察堆积情况。一般先用探坑确定遗址范围，然后决定开掘方法。如规模不大，人力、财力、时间都有可能，最好采用大揭盖的方法，按层分方，细致进行，使遗址全部露出，以便明了其全部结构而加以复原。如果遗址分散过甚或规模巨大，不能或不便全部开掘，也可采用几个遗址中心区或几种代表结构的单位开掘，了解几个遗址中心或代表地点的情况，并使用探坑、探沟、铲探等来辅助大范围的了解，这样对遗址也可有个大体不错的认识。一处居址往往使用时间很长，历经改建，上下叠压，有的后期的深窖、水井把早期的遗址打破，因此就必须按照文化堆积和内涵的特征把最上层（即最晚的遗址）做完，在上层遗址以外或次要部分再往下做，使下层遗址露出，以至最下层遗址出现而后已。如遇深井巨穴不扩大开掘面积不能进行到底时，可先将上口掘出一部分即止，以免破坏遗址形象，等照相测量记录等全部工作完成后，最后再彻底掘作。

（2）墓葬的发掘——墓葬发掘的目的，主要在于了解古代埋葬风俗和礼仪、民族体质特征、经济生活情况和生产技术水平以及阶级社会的残酷压迫和贫富对立等。古代墓葬多无封土或封土不存，必须探明而后始能开掘。这种发掘虽较居址、村落、城市为简单，但由于墓葬形式多种多样，也不可能有一个固定的方法。动土前做好地上工作，和遗址相同。大体除秦汉帝王陵墓有极大的以外，一般墓葬的规模都不会过大，必须大面揭露，土坑土洞墓，或木椁木棺葬年久朽坏，更必须如此。开土时要注意原来墓圹边缘和墓道方向极限，填土方法和土层有无扰动，有无盗掘痕迹和二三次葬入情形，搜集原封土中的文化物，这对墓葬筑成年代的鉴定上往往有用，但必须注意确是原土层中的标准遗品，如有可疑，宁可放弃不用，以免造成混乱。如土层经扰动或曾经盗掘，墓中或填土中往往遗有后代物品，甚者盗墓人也有塌埋墓中的可能，事不少见，不可不谨慎。如系封土高大的砖石室墓，墓室并未塌坏，就可掘开一部封土，觅得墓门入内，工作完成后并可复原保存，极为经济合理。进入墓内整理时，应注意：墓室建筑和各部结构，如木椁、木棺存否，砖石墓门脸、翼墙、甬道、券顶、壁龛、棺台的构造，装饰彩藻的有无，人骨葬法如何，如一人、双人、多人、仰身、俯身、侧身、直肢、屈肢，火骨灰二次捡骨等；随葬物品情况，如物品位置、组合、放法、是否二次放入、有无经过自然力和人力的移动等。这种种情况要逐步作出记录、照相和绘图（一般要有墓室构造图和人骨遗物分布图，有时更多），最后达到可以根据记录、照片、绘图、遗物等把全墓作出复原程度为止。

（3）城址的发掘——古城址的发掘，采用全面揭开的时候较少，用部分掘开的时候较多，而且工本低也易收实效，因古城多数是墙壁很长构造相同，城中保存的遗址也比较分散。发掘时可选城门、城壕、城壁、箭楼、水门、城角等主要部分进行了解，研究城郭建筑，几次建成，有无重修等，尽可能地恢复原来形状。城内可选官署址、市街址、寺庙址、民居址等，作部分开掘了解，如果这类遗址不甚显著，也可采用探沟方法作分区的了解。城外如墓区、望台、寺观、桥梁等一应与城址有关的遗构，也应尽可能地进行发掘或了解，对附近出土文物情况的记录和搜集也是极为重要的工作。各地区出土物必须分批、分层注号保管，城壁中的遗品更为重要，而城壁下的土中有无遗存也必须了解。

此外如窑场、作坊、窟寺、渠坝等特种遗址的发掘，虽都应有工作上的特点和注意事项，但"一法通、百法通"，灵活运用是差不太远的。不过在做大面积开掘时，废土外运是繁重工作，工作成本也特高，在不影响遗址露出的情况下，可采用分区倒土的顺掘法，即甲区做完后，作乙区时可把废土倒置于甲区中、如此依次掘倒，既不用远运泥土，也不用最后填土复原，比较便利。如果遗迹深入地下，运土困难，土坎已有易崩危险，最好采用分段扩大坑口，泥土层层上倒的阶梯掘法。如果目的仅在于搜集文化层中的资料，最好采用如露天采煤的分层分段的梯形掘进法，层位既不混乱，又易处理余土。运土时近用锹倒，远用筐篮挑抬或传运，更远可用推车。深井可用桔槔、滑车运上。都必须因地制宜，多用思考创造办法，不能为老一套所限制。

3. 记录方法

考古科学的工作目的，不是仅仅在于搜求地下的遗物，而主要的是要了解遗迹的详细情况，遗物的保存状态，以及两者组成的各种现象，考古资料与普通古物不同也在于此。因此，小至一石一瓦的出现，炭屑烧土的分布，都应择要地加以记录，以备考察研究，不可因暂时微少或无用而不加重视。

一般发掘记录可分三种:

（1）文字记录——文字记录的内容，主要是补照相、绘图的不足或不能表明的情况，如遗址和遗物上下层次关系、时间关系，观察时所得的如何堆积、如何经过变动等等，推测判断和估计等。并应该当场记载，不可凭一时记忆清晰，以待将来补记或晚间整理时一起补写，以免遗忘或印象模糊。

居住址记录，可分三项进行：①翻土时应注意堆积形成诸要点。②遗物的出土繁杂纷乱，断瓦残砖动辄数万计，必须采用普通遗物出土层和重要遗物出土地点的分别记录法；依一定地区分清层次，按坐标确定位置，扼要地明确地加以记录。③遗址多残破不全，又上下叠压，或互相错杂，哪些是早期的，哪些是较晚的，哪几部分原系成组建筑，哪一部分是单体结构，都必须精密观察，根据堆积层次及含有一切遗物的时间特征、遗构位置布局、层位方向种种实情，详细记出，以备研究。如为方便易行，免有遗漏时可用预先制定的表格记录，其中规定必要的项目，临时按条填写极为方便。

墓葬记录，内容较简，主要记录：①地上情况，如有无封土及建筑物、石造物等，坟墓位置所在，附近山川形势与有无其他有关遗迹。②墓室构造形式、各部大小、长宽、高低、深浅、尺寸、封土、填土、盗掘破坏情况等。③葬具各类、葬仪形式、遗物陈列分布等。使用表格记录最为便利，文字要简明扼要，明白精确。照相绘图可经充分表示的形象不必详细描写，必要时可辅以草图，其他各种遗迹发掘记录也都大同小异，不必一一赘述。

（2）绘图记录——测绘遗迹地形图，平面及剖面图，是主要记录方法之一，有时使用一部分写生图来表示遗迹构造、四围自然环境和遗物相互关系，也是非常必要的。

①遗迹地形状、位置、分布及附近地形图——应在未发掘前即行测绘，或用成图添注。如古墓封土、壁垒、高台等也必须在开掘前测绘完毕，否则一经掘除，毁灭后就无法追画。遗址、墓葬的分布图也应测好大图，然后随掘随记测入图内。如系城郭、村落、灌溉系统、长城、山城等大型遗迹。虽只拟发掘若干部分，但测绘地图时则必须完全或足够的部分。此种测绘工作

最好有专职人员负责，否则也必须亲自动手完成。

②遗址发掘图——除上项所述地上测图外，最不可少的是：遗址发掘平面和剖面图，如分层掘露亦应分层测绘。如遗址单位分散，也可分部测画，各加剖面图，但比例最好仍取一致，以便连绘大图。如遗址某些构造部分复杂，出土遗物能说明主要问题，都可测画较大的详细部分图。

③墓葬发掘图——除地表封土遗物等需要测图如上所述外，主要必有：墓室构造平面，一个或一个以上的剖面图，有必要时又可测画局部构造图。遗物人骨分布图，可将遗物缀入号字，外注器物名称，以免图内加字混乱不清。有时可以加入一部分推测复原图面，使人易于明了。

④探沟图——探沟目的在于了解地下堆积情况，因此它除平面位置图以外，主要的是剖面图，其中应画清层次、土色、遗物以及部分遗址构造、上下层积、扰乱破坏等，并应以图例明白标明。

这几种测绘工作，必须发掘人亲自动手，不能全赖技术人员代庖。各种绘图中必须具备精确的方向、比例尺、图例或符号说明。遗址、墓葬名称、编号、绘制年月和工作人都应记入。文字记录和照相号次也应互相注明，以便查对。

（3）照相记录——发掘照相是考古科学主要的记录方法，一个发掘工作成绩的好坏与照相有很大关系。

①田野工作照相应有下列各类：甲. 遗迹地发掘前和附近的自然情况；乙. 发掘过程中的重要情况；丙. 遗址、墓葬等的详细构造及细部；丁. 遗物、人骨等出土状态和互相关系；戊. 特殊遗物如木、竹、漆器、丝织、皮革等、壁画、印迹、色泥等，骤见日光，干燥会破碎、收缩以至化为朽灰，色彩则多脱褪变黑，所以也必在现场照相，否则往往造成不可弥补的损失。

②目的要求——发掘照片一般都具备记录、研究、印刷图版三项功用，因此必须：甲. 主题明确，方向、角度、高低都应详细对取，符合要求，不可怕麻烦一摄了事；乙. 光度适宜，影像清晰，必要时应采用遮光、反光等措施或对遗址、遗物加以整理化妆再行摄照，以免放大制版时影像模糊。若

用较大底片效果比较良好。

③照相记录——照相必有照相登记簿逐片加以记录，以免错误。登记内容应有：照片卷张号数、对象名号、方向、距离、天气、光圈、速度、机种、底片规格性质、拍照人、拍照年月日时等。底片和印片都应按照每一遗迹单位归封帖册，和绘图、文字记录、草图、拓片等都汇置一处，对下步整理研究工作极为有利。

（三）资料整理

考古资料整理工作，是田野发掘和室内研究的过渡阶段，它一方面结束野外工作，另一方面又为研究工作准备条件。看似琐碎，实在是考古研究的重要环节。有些技术工作必由专职人员始能胜任，也有专书、专文足资学习，现在只把每一考古工作者应读而且能做的介绍出来，作为参考。

1. 编号登记

遗物是考古研究的主要物资基础，一方面必须妥善保护，使其不至变色、变形、变质，另方面必须出土地点和共生器物明确而毫不含混，才能真正解决历史问题。因此，编号登记、妥善保管就十分重要。一般遗物提出时，应做好清册或遗物表格，分区分层、定名编号，遗物本身也在洗刷（有的不能洗刷）处理之后注明出地号数，最好使用油漆，以免日久脱落。同一地点出土的遗物必须放置一处，以免混乱错误，如有特殊性质体积的遗物不便一同收藏保存的，也可另行保管，但在遗物清册或表格上必须注明。

2. 修理复原

出土资料多数破碎，即有少数较为完整的也多变形、裂口、残缺或为上皮、朽锈所掩，为了了解原物造型、制法、质地、花饰、铭款、尺寸，并进行拍照、画图、拓印、翻模、摹绘，就必须进行复原修补、脱锈去污等工作。

（1）陶瓷砖瓦器——碎碴可用酒精融解漆皮糊、树胶石膏浆、丙酮赛璐珞溶液，白芨糊等贴接。缺失部分一般用黄蜡内外范灌石膏浆补足，也可用陶土补足取下烧后再贴上，但陶片烧成后有一定的收缩，必须有经验的技工才能使用。一体容器残缺过多，但只要存有口唇、肩、腹、底、足又都直接连接，就可根据平面的弧度、纵剖面的曲度等加以复原。

（2）玉石器——小体可用软石补足，水泥贴接最为方便。

（3）金属脱锈复原——这种方法很多，基本都用物理化学原理，多数要有一定设备和专职人员。若考古工作者亲自能动手的简单便利方法：（A）铁器去锈还原用锌片把脱锈的铁器包裹好，最好把锌片剪成长条贴到铁器上，越贴紧越好，然后浸入5%～15%的苛性钠溶液中加热，时间要看锈皮情况而定，最后洗刷去锈即可。如无苛性钠可用火碱代替，无锌片可利用废电池外壳的旧锌片。苛性钠是烈性药品，器物、皮肤不可接触。铁器复原后长与空气接触，还易生锈，最好涂以油质、透明胶或烤挂黄蜡使其与空气隔绝。（B）铜器去锈——可用10%水醋酸溶液浸泡，无水醋酸可用食醋代替。硝酸、盐酸、液体阿母尼亚浸泡也可，但前二种性烈往往伤损器物。各种晶体阿母尼亚（硫铵）捣粉水调成糊敷于锈处，时加水湿不使干燥，最易脱去局部厚锈。铜器去锈后亦应涂烤黄蜡或涂明胶油质以免脏污。

3. 描述、绘图和拓照

出土资料经过整理修补、恢复原形以后，就应进行详细观察了解，作出精确记录，测画各种图形，拓印必要的花纹铭刻，并须拍照清晰相片以便比较研究、印刷报告等使用。

（1）遗物描述——主要是简明扼要地描写照相制图所不能表现的各方面，如时代类别、质料精粗、硬度大小、制作方法和过程、物理性状的变化、破坏程度及原因、特点和功用等。最好有特定项目的卡片填写，既省事又不致有所遗漏。

（2）遗物绘图——遗物制图不能用照相替代，但它也不能替代照相，因照相术受远小近大、光影明暗等限制，影像反不能得实物大小之真，若干部分又不甚明了。制图则可避免视觉上的幻象，可作出"正投影图像"；并可绘出"器物剖面图"了解其内部情况，"展开图"了解其多方面，"复原图"了解其原状，"仿饰图"了解其工艺图案的艺术性等，这都是照相办不到的。正投影制图技术也并不过分复杂，先将欲画器物的高、低、大、小、厚、薄等尺寸，用卡尺精确测出，如作原大图时，即将测得诸数正确地记于方格米厘纸上，然后以画线将记入各点连接即得。如作二分之一图时，即将数字缩小一半画出。一件器物往往构造复杂，欲明了内部构造则必用剖面图，画出器胎厚薄、中心虚实、如何结构等。一般为了节省人力，都在正投影器物图的左半面，极为便利。这种制图以精确为主，不必增多艺术加工。表示立体阴影时，可用洒点法、线条法、渲染法，以线条画法最为简便明快。遗物纹饰摹写也应使用正投影画法，按一定倍数或原大、扩大画出。遗物图用透视投影画法的在古代较多，现不常用；如为表示一件艺术品的美术价值则不妨使用。

（3）遗物拓影——是中国独创的一种拓印方法，隋唐以来为古器物学家所应用。它是用棉性薄纸湿贴于器物花纹或文字部分之上，上面加墨印出花纹、文字等墨影的一种方法，又叫打本、拓片。这种墨印方法既经济又简便，且比照相、画图逼真，无法照相的部位如铜器内部或器中的铭文它都可拓出。方法是把棉性纸水湿后（不可过湿）铺于器物花纹铭刻上，用棉类压实贴紧，待至将干而不至脱落时，用绢包棉类的小球形墨扑蘸墨微微拍打，循环几次，由浅入深直到完成取下即可。如用油墨可不等纸干即可拍印，因油墨不甚浸润。如冬季天冷可用白酒湿纸，光滑器物纸张易脱时可用淡树胶或淡白芨溶液贴纸印拓，完后稍润即可脱下。

（4）遗物照相——遗物照片在近代科学的考古报告或文物图像中，占极其重要的位置，因它对文化艺术资料的比较研究，文物真面目的保存上都有首要意义，至于扩大文物的文化作用和教育作用，更是它的特殊功能。遗物照相应以一两件照一片为宜。如件数过多不但互相遮掩光线，而大小高低不同，全面影像不易清晰，中部与边缘部尤不一致。不得已一片多件时，应选大小相近，色度也相差不大，且为一地一类东西才好。背景只用一色，宜力求与器物色素分明。遗物要照出重要部面和正常图像，大体立体物不可过于俯照，平面物不可过于侧照。遗物反置斜放都会影响照片的庄严。一组物品最好用同大比例，采用同型光线。更不可把不同比例的图像印制或粘贴一页，使人有蚁大人小，莫名其妙之感。照像记录簿也应详记，并注明遗物号数以免错误。

以上各项工作完成以后，将每墓或每一遗址的材料汇总保存，造一清表，注明文字记录若干、发掘照相几片、测图多少幅、遗物描述卡片、制图、拓影、遗物照片若干张。最后装入一袋以免错乱遗失。

（四）资料研究

考古资料的研究，是实现考古发掘终极目的的重要工序。研究工作如果做不好，前几道工程虽然好也等于无用。研究的目的是在于根据遗址、遗物全部材料，确定其年代，了解其文化渊源和种族系属，估计其经济发展和技术文化高低，探究其社会组织和精神文明情况，恰当地恢复当时人类社会面貌的某些方面。但每次发现的考古遗迹不会都是全面的、典型的，应谨慎地作出科学结论，不可毫无根据地或根据薄弱的遗迹，作出错误的或不确实的推论。遗物研究工作第一要确定名称，继之以每一出土单位为范围加以分类（一般多依质料分，也可依用途分），通过比较、统计以及用种种研究方法断定它的年代和工艺技术的水平，所起的作用与反映的情况等。最常用的方法有：

1.层位的方法

是最主要的研究方法，是用文化堆积层的上下来定年代先后的方法，也就是根据遗物出土的地层来确定遗物本身和遗址时代早晚的方法。首先确定层次先后，然后由任何一层中找出绝对年代确定的遗物为基点，再向上或向下层遗物进行比较研究。就是同一层中上部的遗品和下部的也大都有时期前后的不同——下部的早，上部的晚。例如有一座古城中掘出一段夯土城壁，下半段是原建，上半段是后修，这样起码可把这座古城划分为四个时期：甲.城壁下地层，乙.下段城壁，丙.上段城壁，丁.古城地表层。如果两段城壁中的遗物（不是单物孤证）变差不大，证明两次修建时期距离不远，否则就是两个不同时代的遗存。假如恰巧丙层出土了西汉半两钱、五铢钱、印章、封泥，乙层出土了战国明刀钱、有字的陶片，甲层出土了殷商卜骨和刻花白陶片，而丁层却出土了北朝石造像、唐代海兽葡萄镜，这样不但每层时代，就是古城全部时代也都搞清了，它是战国时期的燕国，在殷商遗址上修建的，到西汉重修过，北朝和唐代这座城还继续有人居住。墓葬也是这样，扩坑地为一层，墓葬本身为一层，填土封土为一层，地表土层为一层。各种特种遗址都可应用此法。

2. 类比的方法

也称比较法。这种方法是用已明确的多种多样的例证，来推比新发现的未知的东西或遗构，求出比较可靠的年代。一般多采取类聚的办法作成集成目录，然后进行比较。例如发现了一座墙上有仿造木构斗拱做法的砖室墓，墓中遗物也都不知年代，这样就只好把过去已发现的年代明确的这种做法的墓葬，包含一切内容通通加以搜集，作成表格进行研究，得出它发生、发展、衰微、消灭的前后时代关系，然后就可比定自己发现的墓的年代。一个箭头、一件陶器、一口水井、一座城郭都可采用此法。

3. 标型的方法

或称"类型"或"型式"方法。是由遗物造型、装饰等本身发展演变推定其时间先后的方法，但作为一例说明它不是百分之百的可靠方法，而且有时还有得出相反结果的危险（比如把退化的当作是初起的），必有多数事例，才能可靠。因这种器物演变虽也可找出一定规律，但它系人类所造的工艺品，受经济、技术和作者个性的限制，与几千万年形成的自然物进化规律是不同的，强把达尔文自然物进化原理搬来研究人造物是不能完全有效的。方法是把器物分为一定的类型（如陶鬲、陶罐等），根据东西形状、构造、花纹等外形排成一个系列，时代联系越宽泛，它的正确性也就越强。系列中先后器物的排定，大体都是根据由简到繁，由实用到不实用，由有意义到毫无意义等原则进行。例如陶鬲初型是三个高大空足的架火熟食器物，末期的就变成了一个微微凸起短足不能架火的了等等。

4. 集品的方法

是用很多个同一地点同时出土的成组的或大群的共存遗物系列为比较研究基础，其方法原理和标型研究近似，不过标型法从纵的方面看演变，这个方法是从横的方面看联系。例如一个墓葬出土几十种遗物，其中仅有一枚五铢钱年代比较明确，但五铢钱行使是由汉武帝元狩五年起到晋末才渐渐不用的，还不能断定此墓究属西汉、东汉、三国抑或是两晋。因此就必须把所有出过五铢钱的成群遗物作出比较统计表，由各群其他共有遗物（如铜镜、陶罐等）的发展变化规律，排出哪些群最早、哪些群较晚、哪几群最末，回头再看新发现的墓葬应在什么时代、什么时期。又如貔子窝新石器遗址有战国货币，可用此法研究东北新石器时代的年代。如果能把历代或每朝每代有纪年遗物的大群集品作出比较统计全表，就等于找到了遗物年代鉴定的总水准仪。

5. 民俗学的方法

出土古代遗物的功用和装配，往往有今日不能知道的，如石斧如何装柄，环状有刃石器如何使用，都必须从落后的部族中去了解。古墓出土人骨口有玉蝉或铜钱，当从近代人死不空口的风俗来了解。中世纪火葬石棺有五个穿孔，也只有懂得了后世流行没结婚女子死用无底棺的风俗，才能加以说明。所以一个考古工作者对民族志和各地的风俗，应不断学习搜访，使有一定程度的了解，对研究工作是极为有利的。

6.年代的决定

遗物、遗址年代的决定，是考古研究上最重要的关键之一，它保证一定的文化遗存，反映一定的历史发展阶段，一有差错，不管提早还是推迟，都会影响历史研究工作的正确性。考古学上所用的年代有两种：一为绝对年代，也称实在年代，即距今多少年或公元前或后若干年。一般除遗址遗物本身能确切指明年月的以外，多用较宽数字如某朝某期或某某世纪。二为相对年代，有时也称假数年代，即根据地层上下和标型新旧等大体可知某物较早某物较晚，相隔约有多少年，但还不能确指到现在多少年。一般多用初、中、晚三期法，有时再将每期三分，化为九期。鉴别定年代除根据上述各种研究方法的结果而定，文献和铭刻也是很重要的，但今后将起决定作用的必须是采用较新的科学方法，如前已略述的化学的、光谱的、X光的、放射性碳素的、含氟量的、年轮的鉴别等，否则将是落后的。并且有可能的话，应把所有的方法都做到，而后综合比较得出结论才有更多的真实性。如果断不出绝对年代就应实事求是，不要勉强硬做，以待将来资料出现再定。

（五）报告编写

考古发掘报告的编写是考古工作最后一道工序，发掘机关有责任在最短期间作出简报，三年内作出发掘报告，并印刷出版。至于考古研究报告则是基于某地区某时代某种遗址遗物的综合研究的成果，它需要一定材料和一定人力与时间，是不能仓促完成的。

考古报告，它的目的在于尽快地把发掘经过情况，获得的遗址遗物系统地提供给历史研究者。因此必须文字扼要简明，编排有条不紊，插图和图版清晰明快，便于参考。总而言之，应以图录为主，以文字作补助说明，不可过分冗长。作出恰如其分的估计是必要的，但不可加入个人种种过多过早的推论；联系文献说明遗址遗物是必要的，但也应该避免做无边无际的考证文章。否则都不是发掘报告编写的正规。

一般发掘报告内容：

（一）序论——叙述发现始末，研究历史、发掘经过、有关团体、单位与工作人员等。

（二）本文——遗迹的地理环境和历代史迹分布情况，先写遗址、墓葬，后写遗物。大群墓葬不能一一叙述时，就先概括，后举代表例，不可不举实例，使人无法作具体了解，有"只见森林不见树"的感觉。遗物可依出土地为组，再分种类，次分时代，不可几处遗品混到一起来说明，有专谈古董的倾向。遗物过多仅仅能提代表品而不能全加说明时，就可利用遗物表来补充。

（三）结论——（1）报告本身说明了哪些重要事项；（2）绝对年代或相对年代；（3）解决了什么问题，提出了什么问题；（4）反映了当时社会哪些方面的一些什么情况等。

（四）附录——遗址墓葬及遗物登记、统计表格，专家对人骨、动物、植物、岩石等鉴定报告，化学分析、年代科学鉴定报告、参考书目等。

（五）图版插图等——图版是考古报告书的重要部分，大体可分三种：

（1）地图类，包括遗址墓葬位置图、分布图、平面图、剖面图等，多用锌版。

（2）器物图和拓影、遗物正投影图、剖面图、铭文、钱币拓片等，多用锌版、石印或网目版。

（3）照片，包括遗迹和遗物两种，多用铜版、胶版、珂罗版、套色版。图版的排法有另装成册的，有附于本文后面的；应该是和本文配合在一起查看方便，不过这样在印刷装订上都有不便，成本也要高，所以这样印装的还很少。

（1956 年于吉林大学历史系）

沂南画像石古墓年代的管见

　　沂南画像石古墓保存完整，画像内容丰富，是研究画像石古墓的好材料，也是研究当时社会历史发展的好材料，《沂南画像石墓发掘报告》一书的出版是非常有意义的。它记录了古墓的详细实况，搜罗了所有的有关材料，给予想了解这座古墓的人很多有益的帮助，著者们这番辛勤劳动是值得我们感谢的。

　　对年代考订上，原书作了非常广泛详尽的比较研究以后说，"这墓的建造年代，大致在东汉末年灵献之际，但当在献帝初平四年（193）鲁南地方还未遭受曹操攻陶谦的兵祸以前"（按即168—193年的26年间）。又很谦虚地说这年代结论不一定正确，希望大家进行研究。同时他们不同意安志敏此前在《考古通讯》1955年第2期上"论沂南画像石墓的年代问题"一文的主张，安志敏从墓室构造、画像内容、艺术演进三方面进行了综合分析之后说，"沂南石墓的年代，应当晚于汉而早于北魏"（按即220—386年的166年间）。我读这本报告书时注意了这以上前后不同的年代主张，并由于这个启发，也产生了深入研究一下的兴趣。不过我对两方的主张和内容的解释都有一些不一致的看法，暂且一一说明。

　　我根据画像中有关文物制度沿革以及其他细节的比较，认为这座古墓的建造年代可能是西晋的，现提出下列论证，供作讨论参考，错误处希望得到纠正。

一、建鼓侧加小鼓，鼓上加翔鹭，是晋宋以来的制度

　　原书34页关于乐舞百戏图的考证中，建鼓一项集聚了不少有关文献，作了详尽说明，但忽略了建鼓发展上一个新兴事实——鼓侧附鼓，上加翔鹭。原书图像中共有建鼓五例：（一）拓片第5幅左首建鼓一，侧附小鼓；（二）拓片第4幅上段建鼓一，侧悬小鼓；（三）拓片第10幅上段建鼓一，侧悬小鼓；（四）拓片第34幅左首建鼓一，上立翔鹭；（五）同幅右首车上建鼓一，柱上旁支小鼓。其中三例在大鼓旁悬一小鼓，一例柱支上贯一小鼓，一例鼓上加一翔鹭，这个附鼓加鹭的事实极为突出，而且是在年代明确的汉代画像石和壁画中所不常见的。我们认为这个改变是在晋代。

　　现从古文献和传世图像两方面来进行研究。

　　汉代以前文献上从来没有在建鼓上悬小鼓加翔鹭的说法，下列各条可以充分证明此点：（一）仪礼卷7大射仪："建鼓在阼阶西，南鼓；应鼙在其东，南鼓。"（二）郑玄《周礼》春官小师掌教鼓下管击应鼓，注："应，鼙也，应与鞞及朔皆小鼓也"。（三）刘熙《释名》释乐器："鼙裨也，裨助鼓节也。声在前曰朔，朔始也；在后曰应，应大鼓也。"到晋代建鼓才开始加了小鼓和翔鹭，后来很多朝代沿用未改。（一）郭璞《尔雅》大鼓谓之鼛，小鼓谓之应，注："诗曰应鞞悬鼓，在大鼓侧。"（二）沈约《宋书·乐志卷》一："八音四曰革，革鼓也。大曰鼓，小曰鞞又曰应，应鼓在大鼓侧，诗曰应鞞悬鼓是也。"（三）《旧唐书·音乐志》；"晋鼓六尺六寸，金秦则鼓之，旁有鼓谓之应鼓，以和大鼓。"（四）宋陈旸《乐书》："建鼓，魏晋以后复商置而植之，亦谓之建鼓，隋唐又栖翔鹭于其上，国朝

图一　顾恺之《洛神赋图》中的建鼓

因之。……以五彩羽为饰，竿首亦为翔鹭。旁又挟鼙应二小鼓而左右，然诗言应田（即辍）悬鼓，则周制应田在悬之侧，不在建鼓旁也。"（五）《元史·礼乐志》："宫悬乐，树鼓四，每树三鼓。其制高六尺六寸，中植以柱曰建鼓，柱末为翔鹭。……建旁挟二小鼓曰鼙曰应。"

这五条材料都一致记载建鼓旁（或侧）有小鼓（应，鼙＝鼙），从晋代到元代，大致一直保持着这个新的制度。宋陈旸明确指出建鼓旁挟二小鼓不是周代建鼓制度，而是魏晋以后的变革，这是很正确的看法。

对建鼓上栖翔鹭的开始，古代有种种推测和传说。《隋书·音乐志》下："近代相承植而贯之谓之建鼓，盖殷所作也。又栖翔鹭于其上，不知何代所加。或曰鹄也，取其声扬而远闻。或曰鹭鼓精也，越王勾践击大鼓于雷门以厌吴，晋时移于建康，有双鹭唳鼓而飞入云。或曰皆非也，诗云，振振鹭鹭于飞鼓，咽咽醉言归，古之君子悲周道之衰，颂声之辍，饰鼓以鹭，存其风流。未知孰是。"前引陈旸乐书说隋唐又栖翔鹭于建鼓上，显然是错误的。《隋书·音乐志》下说翔鹭不知何代所加，有人说自周代就如此，有人说晋时才有，它不能决定。我们根据多数文献综合的结果看来，翔鹭开始在晋代是可信的。

由此可见，建鼓旁挟小鼓上加翔鹭是魏晋时期才开始的。

其次，再从传世的建鼓图像方面进行考察。汉代画像石和古墓壁画表示建鼓的图面很多，仅就手头有的汉代画像集二集一书中就拣出九图（第2、4、20、66、72、129、213、216、253图），他若河南南阳的画像石中也多有之；辽阳北园和南林子两汉墓壁画中各一图；但都没有发现过挟带小鼓及上加翔鹭的证例。晋代顾恺之洛神赋图（一本藏东北博物馆，一本在美国华盛顿弗利亚美术馆）中的建鼓就与汉代的大大不同，他非常明确地在建鼓鼓腔旁画出一小鼓，在鼓上几层装饰的上端立一翔鹭（图一）。宋初聂崇义新定三礼图卷七建鼓图上仍然保存着这个传统。由图像上看汉晋两代的建鼓制度也是迥然不同的。

综合文献，对照图像，两者表现建鼓制度变革的时代非常一致，完全可以达到本项标题的结论。

二、腰缀兽头鞶囊是晋代形成的服制，南北朝多沿袭不改

原书拓片第44幅下段左方人物和45幅上段右方人物腰间，各有兽头花纹方形物一（另46幅下段右方人物腰前仅露出一部分），上连于腰带，周围有边饰，两侧垂较长绶带，实名鞶囊。鞶囊也叫绶囊、旁囊、挈囊、契囊、荷囊、紫荷，系皮带上的小囊，实即后世俗称的荷包，以备装零星小物的，它是在汉魏到南北朝时很流行的一种服饰品。

鞶囊的发展可分为两个阶段：

第一个阶段是两汉三国时期。这个时期中鞶囊还没有法定制度，并未普遍流行，可以手提，也可以挂于肩头，并可互相赠送作礼物。较重要的文献有：（一）《汉书》卷69《赵充国传》："印道车骑将军张安世始尝不快上，上欲诛之，印家将军以为安世本持囊簪笔事孝武帝数十年，见谓忠谨，宜全度之，安世用是得免（注引张宴曰：囊，契囊也）。"（二）班兰台（固）集与窦宪钱："固于张掖县受赐虎头绣鞶囊一双。"（三）又与弟超书："遗仲升虎头金鞶囊、金钩（《隋书·礼仪志》引作旁囊金错钩）。"（四）《三国志·魏书·武帝纪》裴注引《曹瞒传》："被服轻绡，身自佩小擎囊以盛手巾细物。"（五）又《吴书·薛综传》裴注引《吴书》："权赐紫绶囊，综陈让紫色非所宜服。权曰：太子年少，涉道日浅，君当博之以文，约之以礼，茅土之封，非君而谁。"

第二阶段是晋代，这个时期鞶囊除民间男女都可佩带而外，它已成为统治阶级等级服制的显著标志之一。（一）《晋书·舆服志》："革带古之鞶带也，谓之鞶革，文武众官牧守丞令下及驺寺皆服之。其有囊绶，则以缀于革带。其戎服则以皮络带代之。八座尚书荷紫，以生紫为袷囊，缀之服外，加于左肩。昔周公负成王制此服衣，至今以为朝服。或云汉世用盛奏事，负之以行，未详也。"（二）《晋书·邓攸传》："梦行水边见一女子，猛兽

162

自后断其盘（应用鞶）囊，占者以为水边有女，汝字也，断鞶囊者新兽头代旧兽头也，不作汝服作汝南也，果迁汝南太守。"

南北朝各代仍多沿用这种服饰制度，不过各有各自的规定，更加繁琐而已。或官给，或自备，亦男女同用。（一）沈约《宋书》卷18《礼志》："鞶古制也，汉代著鞶囊者侧在腰间，或谓傍囊，然则以此囊盛绶也。或盛或散各有其时乎。……诸假绶而官不给鞶囊者得自具作。"（二）《南齐书·舆服志》："百官执手版，其肩上紫荷囊名曰契囊，世为紫荷。"（三）《隋书》卷11《礼仪志》："紫荷者以生紫为夹囊，缀之服外，加于左肩，案赵充国传云张子儒持囊簪笔事孝武帝，张宴云契囊也，近臣负囊簪笔以备顾问，有所记也。"（四）又同书12卷《礼仪志》："鞶囊，案礼，男鞶革、女鞶丝。东观书诏赐邓遵兽头鞶囊一枚，班固与弟子遗仲升兽头旁囊金钩也。古印皆贮悬之，故有囊称，或带于旁，故班氏谓为旁囊。……今采梁陈东齐制度，品极尊者以金织成，二品以上服之；以银织成，三品以上服之；下以挺织成，五品以上服之：分为三等。皇太子五时朝服，兽头鞶囊，三妃服褕翟之衣，金缕绢成兽头鞶囊。"

对于鞶囊的起源和紫荷制度的形成时期，古人有过讨论和记载。他们的结论是：鞶囊起于西汉的挈囊（也叫持囊），缀于腰间的紫荷囊则自晋宋以来才有。例如：（一）《梁书》卷50《文学刘杳传》，（《南史》卷49附《刘怀珍传》）；"杳博综群书，周舍问杳，尚书官著紫荷囊，相传云挈囊，竟何所出？杳答曰《张安世传》（案系《赵充国传》），持囊簪笔事孝武皇帝数十年，韦昭张宴注并云橐囊也，近臣簪笔以待顾问。"（二）《野客丛谈》："前辈言尚书紫荷囊事广，……是则紫荷之说自晋宋以来有之也。"

综合上述13条记载看来，可证鞶囊在汉魏时期尚不大通行，而是肩负手提没有定制的。到晋代才大为盛行，官民男女通用，都挂在腰间，八座尚书特有紫色的规定，才产生了紫荷之说。反映到画像上来，也应在这个盛期，检看多种年代准确的汉代画像不见此物，也是有力反证。

三、簪白笔是晋代新有的制度，它起源于珥笔，后又缀于笏首，隋称作昵

原书拓片第5幅有9人，第6幅存1人，第7幅有3人的冠右侧各有向上斜插的一支笔，形象很清楚，它应该叫白笔。这种白笔制度据说起源于古代的珥笔，但以晋代形成服饰制度后，它就不再像古代的珥笔那样具备实用性质了。

珥笔时期的文献有：（一）应劭《汉宫仪》（据《北堂书钞》引文）："尚书郎，赐珥赤管大笔一双，分墨一丸。"（二）崔骃与窦宪笺（据汉魏六朝百三家集本）："选注载秦记曰，珥笔持牍，拜谒曹下。"（三）《汉书·赵充国传》："持橐簪笔。"（四）曹植《陈思王集》卷1，求通亲亲表："执鞭珥笔，出从华盖，入侍辇毂。"（五）《魏略》（见《太平御览》引，亦见《隋书·礼仪志》7）："明帝时尝大会殿中，御史簪白笔侧阶而坐，上问左右此何官，侍中辛毗对曰，此谓御史，旧簪笔以奏不法，今但备官耳。"

这一时期珥笔的人仅限于在皇帝左右的尚书郎、御史之类的几个少数人，所以魏明帝见了簪白笔的御史感到奇怪而且不知是什么官。但到了晋代关于白笔的记载就很详细，而且凡是二品朝官和王公卿尹以及武官加以侍衔的都须簪用，定有严格制度，俗呼簪白笔。它与两汉三国时期在皇帝左右备顾问的少数人簪的珥笔具备实用的不同，只是一种簪带的装饰品，所以叫白笔，仅具古代珥笔的遗像而已。如（一）晋崔豹《古今注》："白笔，古珥笔，示君子有文武之备焉（马缟注略同）。"（二）晋徐广《车服杂注》曰（《太平御览》引）："古者贵贱皆执笏，有事则书之，常簪笔，今之白笔是其遗像。"（三）《晋书》卷25，《舆服志》："古者贵贱皆执笏，……笏者有事则书之，故常簪笔，今之白笔是其遗像，三台、五省二品文官簪之；王公侯，伯子男卿尹及武官不簪，加内侍乃簪之。"（四）《隋书》卷

11《礼仪志》7：“白笔，案徐氏杂注（即上引徐广文）云：古者贵贱皆执笏，有事则书之，故常簪笔，今白笔是其遗像也。……今文官七品以上通眊之，武职虽贵不眊也。”

同时又把白笔簪于笏头上，成了笏的附属品。如：（一）《晋书》卷25《舆服志》：“手版即古笏矣，尚书令、仆射、尚书手版头复有白笔，以紫皮裹之，名曰笏。”（二）《隋书·礼仪志》：“笏者白笔缀其首，以紫皮裹之，其余公卿但执手版。”

由此可见画像中多数人首簪白笔，当系晋代服制的表现，而非汉魏时期所能有；以我所知过去发现的所有汉画像中不见一人簪笔，也是有力的证明。

四、木剑是晋代的新制度，原出于櫑具剑

原书拓片第41到49的9幅中，有26个人腰佩宝剑，看形象应该是木剑，也叫象剑，不是金属剑，只能算作礼制上的一种仪饰品。何以知之？古代一般刀剑都比较短小，画像各剑则特别长大，几乎和人身相等，并且有的刻有特殊花饰，具备文献上所记木剑的特征。古代贵贱都有佩带刀剑的习惯，但刀剑多短小。汉刘邦佩1米斩蛇剑是众所周知的例证。长剑在汉代是少见的，这在考古和文献上都能得到充分证明。《汉书》卷53《广川惠王越传》：“其殿门有成庆画，短衣大袴长剑，（王孙）去好之，作七尺五寸剑，被服皆效焉。”可见当时是不行长剑的。到晋代朝服都佩木剑，有种种花纹刻饰，采取了汉代櫑具剑的形式，也叫鹿卢剑（鹿卢是井上汲水用的细腰滑轴，本墓画像的井上也有刻画，今字作辘轳），也就是原书著者解说中称作大套子的剑，晋世始代之以木，贵者犹用玉首，贱者亦以蚌金银玳瑁为雕饰。

关于櫑具剑的形式，晋人有很详明的记载。晋灼《汉书·隽不疑传》带櫑具剑注：“长剑，首以玉作，并鹿卢形，上木刻作山形，如莲花初生未

165

敷时。"这些特点是完全可从上举画像拓片佩剑上对照明白的。所以后来类篇说：檑具，剑上鹿卢饰；正韵说：檑剑，古木剑也。到刘宋时就直称作鹿卢剑，并且原样承袭了晋代的木剑制度。如：（一）《宋书》卷18《礼志》5："汉制自天子至于百官无不佩刀，司马彪志具有其仪。汉高祖为泗水亭长，拔剑斩白蛇；隽不疑云剑者君子武备，张衡东京赋纡黄组，要干将；然则人君至士人又带剑也，自晋代以来，始以木剑代刃剑。"

北朝也沿有这个制度，隋始改佩常剑。如：《隋书·礼仪志》卷7："剑，近代以木，未详所起。东齐著令，谓为像剑，言像于剑。……又准晋咸康元年定令故事，自天子以下皆衣冠带剑。"可知画像长大尖端刻有如莲葩又如山形的佩剑，确是表现了晋代以来的木剑特点。至于祭奠画像人物何以没有佩剑？当是着祭服礼不应有的缘故。

五、步障通行于魏晋，南北朝也不少见

原书拓片第35幅右端有围成露天庖厨的一大步障，这种步障是用立杆支挂，不是由上悬挂的帷帐。它俩在用法上是迥然不同的。由文献上看，后汉初期宫廷中复道上障风只是多用帷帐塞窗，那时可能还没有出现步障。如《东观汉记》卷13《冯鲂传》："永平中行幸诸国，勅鲂车驾发后，将缇骑宿玄武门复道上领南宫吏士，南宫复道多恶风寒，老人居之且病痱，若向南者，多取帷帐东西完塞诸窗，望令致密。"到了三国时才有用步障围起来吃酒的。如：曹植妾薄命（《陈思王集》卷2）："华灯步障舒光，促樽合坐行觞。"到晋代它就盛极一时，不但王谢之家有之（见《晋书》卷66王凝之妻《道韫传》），并且成为豪门斗富较侈的一个项目。如《晋书》卷33《石崇传》（附《石苞传》）："崇与贵戚王恺、羊琇之徒以奢靡相尚，恺作紫丝布步障四十里，崇作锦步障五十里以敌之。"南北朝时期的文献上也多有记载（如《南齐书》卷31江夏《王宝玄传》，《北齐书·列传第四琅邪王俨传》）。它和帷帐是绝然不同的。如吴均齐春秋（《图书集成考工典

图二　北魏画像石墓步障图

引》）："齐东昏侯在位，殿中帷帐及步障皆衿。"

　　关于步障的构造也有记录。如：晋东宫旧事："太子纳妃有丝布碧里步障三十、漆竿、铜钩。"由实物来看，我所知道的汉画中迄今还没有步障图像的出现。南朝墓葬中往往出有带孔器座，有人推测是步障竿座，似乎很有可能。北朝石刻中表现步障图像的有北魏画像石墓（传出洛阳，藏美国波士顿美术博物馆，图二）一例，其中有两个图面都刻有步障，足资比较。

六、椎斧钺吏是晋宋的仪卫制度，锽逐渐代替了它和黄钺、玄钺，成为了历代仪仗

　　原书拓片第1幅桥上战争图右方有持斧钺四人，车前后有骑马持椎的四人，当是钺吏或椎斧武骑虎贲。这种步骑和棨戟、刀质、诸导从的性质相同，与赐给王公及专征将帅表示专杀之权的钲鼓斧钺不同。特赐的斧钺只有一柄，出行则载以专车（东晋改乘马执之，见徐缓释疑略注），这在汉壁画（辽阳棒台子）及阵像砖（四川成都德阳）中都有画像；与此相反，持斧钺骑队的画像在汉画像中倒是很少看见的。由文献上看，关于钺吏椎斧武骑的记载也较晚。如"（一）《晋书》卷25《舆服志》："中朝大卤簿……司马史引椎斧一行，殿中将军持凿�　夹车。"又："次大鸿胪驾四，钺吏六人。"（二）《宋书》卷18，礼志5："持椎斧武骑虎贲，给降袴武冠。"晋又改变钺为锽，作为高级统治者的仪仗。如：崔豹《古今注》卷上《舆服》第一："锽，秦改铁钺作锽，始皇制也，一本云锽秦制也，今乘舆诸公王妃主通建之也。"汉魏很少有关于锽的记载，可知这种托古于秦的说法，当然不足取信；但后世却都沿用为仪饰，直到清末，而钺吏和椎斧武骑却都不用了。这可说是汉后仪卫上的一项显著变化。

七、俎几两端有曲栅横跗的足，是魏晋以来的通行式样

原书拓片第6幅右方门前祭几一，7幅右方祭几一，35幅右方食几一，36幅右方祭几一、左方院中空几一，39幅左方空几一，68幅上下段盛物大几各一，70幅下段置鞋大几一：共九件，几面均作长方形，两端各有外曲四桄下连横跗的几足，这种样式的几案，在周汉时期是不多见的。文献上汉人讲俎几案时很少谈到这种式样。俎、几、案三种器物除特用的凭几、肉俎等以外，功用上多无分别，如书案、奏案、妆几、俎几、食案、祭案等都是。又有不少方言名称，如案叫柎、俎几叫杜、榻前几叫桯又叫椸或承等等，但在构造形式上它们是相似的。秦汉以前俎几多四直足，有的两端二足间加横距，有的双足下再加横跗。如：（一）礼记明堂位："俎用梡嶡，郑注曰，梡始有四足也，嶡为之距。"又："周以房俎，郑注曰，房，谓足下跗也，上下两间有似于堂房。"后来才出现了卷足和两端皆圆的俎几。如：（一）梁简文帝书案铭："刻香镂彩，纤银卷足。"（二）宋聂崇义《新三礼图》卷13《房俎图》下注云："窃见祭器（五代周）内俎两端皆圆，其饰亦异，唯跗足与距，则似此房俎。"聂氏觉得他见过的俎几两端皆圆，不与郑玄注释以及古代礼器图相符，是有道理的。

其次，再从出土实物和古图像上看。（一）周饕餮蝉文铜几，几板长方，两端微翘起，板尼有花纹（日本删订《泉屋清赏著录》图版41、解说165页）。（二）寿县楚铜俎，俎面长方，两端微翘面有四个十字孔，四方柱足（《中国参加伦敦国际艺术品展览图录》著录图像和说明）。（三）汉墓明器陶俎，辽宁省汉墓出土的陶俎概系板足，或下加缺刻足，俎板上，上面有的刻或印出鲤鱼文。（四）三国魏曹植墓陶几，山东东阿曹王墓出土。几板长方，两端各有外曲栅栏式足四条，下连于跗。两足是烧成的部件，可以安在俎板孔中。现陈列在北京历史博物馆。（五）魏令支令张君墓壁画几，辽阳三道壕窑业二场发现，榻前几的几板长方形，两端各有曲栅式足五

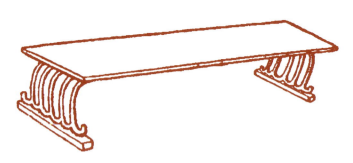

图三　顾恺之《女史箴图》中的床几

170

条下连于跗（图像见《文物参考资料》1955年第5期《辽阳发现的三座壁画古墓》）。（六）晋泰和元年墓陶几，南京近郊出土。几面窄长方，两端各有曲栅栏式足五条，下连于跗（图片和说明见《考古学报》1957年第1期，南京近郊六朝墓的清理）。（七）晋顾恺之《女史箴图》同衾亦疑节床前几（梐、榹承），几面窄长方形，两端各有曲栅栏式细足五条，下连于跗（图三），这些事物图像中俎几足部构造的变化情况，大致是和文献一致的。相反的在汉画像砖石中常见的几案图像则多四直足，迄未见有曲栅式足的俎几，那么可知这种形式是魏晋以来最为流行的了。

八、绳拂是魏晋以来的新兴器物

原书拓片第68幅下段女侍三人，中捧镜奁，左持镜台，右执绳拂。拂子短柄垂穗，条纹加点，充分地表示出绳拂的特点，按古代拂子有两种形式：一为尘尾，汉已有之，用途与扇为近，在于"拂秽清暑"（晋王导《尘尾铭》）；另一为绳拂，其用为拂尘垢，驱蝇蚋，在晋代与尘尾并行，后多用棕丝或兽鬃尾制作。后者起源较晚，两汉的文献和图像中很少见。到两晋才见流行。是清淡之士和高僧道徒不能缺少的仪物。后代尘尾绝迹，绳拂盛行至今。文献记载的如：（一）《晋书》（《太平御览》卷703拂条）："武帝泰始四年，有司奏先帝旧物，麻绳为细拂以明俭约。"（二）《东宫旧事》："太子有白眈拂二。"（三）《宋书》卷3《武帝本纪》永初三年："孝武大明中壤上所居阴室，于其处起玉烛殿，与群臣观之，床头有土障壁上葛灯笼，麻绳拂。"（四）《南史》卷45《陈显达传》："陈显达子休尚为郢府主簿，九江拜别，显达曰凡奢侈者鲜有不败，尘尾绳拂是王谢家许，汝不须操此臭遂，即取于前烧除之。"这些记载不但说明拂的起源发展和种类，而且也充分表明它是当时统治阶层的专用品，并在晋代形成了普遍好尚的风气。

上举画像中八项事物，大多起始于晋代。有的虽发源于前朝，却到晋代

图四　1. 拓片 42 幅上段人物冠
　　　2.《女史箴图》人物冠

图五　1. 拓片 47 幅下段人物冠
　　　2.《女史箴图》人物冠

图六　顾恺之《洛神赋图》马头饰图

图七　《女史箴图》镜台图

才形成了法定制度；有的后代沿用了很久，恰是晋代所创始。这在文物制度沿革上说是应该注意的。此外如画像中卫姬服饰和顾恺之《女史箴图》妇女装束近似；齐桓公冠作莲花初开形和该图一种男冠同（图四）；拓片47幅下段右方男冠前低后高稍圆，和《女史箴图》以及顾氏另一名作《洛神赋图》的男冠同（图五）；拓片37幅驾车的四马头上各有两支长穗状装饰物与《洛神赋图》驾车的马头装饰（图六）同，这都是在汉代石刻图像中所不见的。其他各种器物和镜台（参看图七《女史箴图》镜台）、奁盒、树木的描法，特别是画面结构不作一般汉画惯有的单个器物侧影或正影的横排（垂直投影）布置，而采用了有远近的纵深画面（透视）布置，建筑物和方形器物都作三四十度角的投影，在日用器什和绘画基本发展上都和上举顾氏两图极为近似。这些西晋以来新出现的事物和绘画发展的特点，既表现于这座古墓画像中，那么它的建造年代也就不会早于西晋。

如果这座古墓建于西晋这一推测不错，则对已发现的画像石墓年代划分和晋代历史文物研究上是有益的，不但不会因此减低它的文化价值，而且会大大地增加它的重要性。

173

（原载《考古通讯》1957 年第 6 期）

辽宁考古发现述要

文集编者按：本文原系发表于《辽宁日报》学术版的三篇文章。此次编辑文集时合为一篇，并重新拟了一个篇名，将原文章篇名作了小标题。

一、原始时代的辽宁考古新发现

辽宁是我国历史悠久、文化遗产丰富的省份之一。除了史籍所载，地上地下还分布着很多的古文化遗址、古墓葬和古建筑，以及种类繁多的古文物。而一门新兴的学科——历史考古学，就是以这种由历史上各个时代的人类遗留下来的文物古迹为研究对象，来复原、再现当时的社会面貌，物质文化，与人类的精神状态等，以创史之所无，补史之不足，正史之谬误。因此，它日益成为我国历史科学不可缺少的一个重要构成部分。解放以来，我省的文物考古队伍，在党和政府的正确领导下，伴随着省内社会主义经济建设的突飞猛进，按照"重点保护、重点发掘，既对基本建设有利，又对文物保护有利"的文物方针,积极配合各种工农业基本建设工程,大力开展了文物保护和考古发掘工作,取得很大成就。从1949年起,截至1961年,12年来,据不完全统计,在全省经过调查发现的古文化遗址已在130处以上,其中发掘了24处;调查发现的古墓葬在3000座以上,其中发掘了1500多座。总计获得石器、青铜器、铁工具、陶瓷器、金银器皿及装饰品等文物达100000余件。这一系列的新发现、新收获,不论是对研究我省的地方历史,还是对中国通史、东北古代少数民族史以至诸如物质文化史、工艺美术史之类专史的历史考古研究,都提供了极为丰富的实物例证。从而,使那无限光辉的古代文明展现在人们的面前,重新散发着它固有的光芒。

现在回顾一下过去12年的工作,从辽宁历史考古研究角度出发,就其荦荦大者,按其时代,分述如下。

辽宁存在过原始公社制度。研究原始社会时期的辽宁历史,其最主要的科学根据,就是地下出土的考古资料——因为当时还不曾有文字记载。所以,在这一历史阶段上,地下考古资料才起着创史的重大作用。

我省最早在什么时期有了人类的活动,它的答案也只能从地下的发现中寻求解决。因此,1957年在建平县南地乡发现的旧石器时代"建平人"上臂骨化石,就不能不说是解放后我省文物工作中的重大收获之一。与建平人化石共存的,还有大批哺乳类动物化石,均属地质学上更新世晚期。由于这一发现,就把辽宁的远古历史由书籍的几千年提早到五六万年前,并首次证实我省确曾存在过一个漫长的旧石器时代的文化发展阶段。它的发现,对于了解更新世晚期我国古人类的分布,具有重要的科学意义。

"建平人"过着原始氏族社会的群居生活,当时的动物群,有蒙古野马、野驴、披毛犀、转角羊、盘羊和古野牛等。这些动物,现在不少已经绝迹,其中有些种类就曾是建平人的狩猎对象。根据这个时期的一般社会发展程度推想:栖息在我省西部地区的原始建平人,当以从事渔猎和采集植物为生,农业还远没有出现,生活艰难而不安定,他们只有结成集体,共同劳动,共同向自然界做艰苦斗争,才能生存下来。

此外，同年在康平发现的可能被当时人类拿来作为骨器使用的上有人类加工痕迹的"四不像"鹿角化石，1958年在建平县南城子发现的几件打制的长条形石片，以及去年在本溪谢家崴子洞穴对岸河曲台地上，发现一批具有相当原始打制技术特点的手斧、砍砸器、边刃器等，也都是令人注意的。但这些打制石器，究竟是属于什么时期的，还有待于进一步探查和研究，才能确定。

新石器时代，是原始社会的繁荣发展时期。农业、纺织、家畜饲养、磨制石器、陶器，普遍出现了，它的遗迹遍布全省。1956年在喀左县小转山上，考古工作者揭开了一处原始社会晚期的氏族公社居住址。几座圆形房子的石基址、炉灶、窖穴等还保存较好。窖穴恰被后来的一个西周初燕国铜器埋藏坑所打破，遂得以证明这遗址的年代下限，可能距今已有3000年了；要早也有早到4000多年前的可能。这是我省目前唯一有考古断代层位根据的原始公社遗址。出土的磨制石斧、双孔石刀、绳纹灰陶鬲、磨光黑皮陶豆，以至火灼卜骨等，都表明它和黄河流域的龙山文化，有着密切的关联。

10多年来，属于这一类的文化遗址和遗物，在朝阳、锦州、阜新三个地区广泛发现，大大丰富了我们的认识，它们的文化面貌基本是同一的或一脉相承的。尽管由于不同因素的影响，显示出一些差别，例如建平县北热水乡遗址里发现的黑彩红陶片，与内蒙古赤峰红山后发现的相同，具有中原仰韶文化影响的因素；而朝阳长立哈达遗址里发现的红彩黑陶片，则与辽东半岛大台子山发现的几乎完全相同。我们具体研究时自应注意。锦州山合营子小山遗址，是1957年发掘的。它与喀左小转山子的遗址，具有不少的共同点。也发现了卜骨、骨笄、骨针和蚌器。朝阳长立哈达遗址，是在平原上发现的，前后经过数次调查，它的面积很大，文化层相当厚，并出土大量的石斧、石铲、石耜、石刀等农业生产工具，是一处相当典型的原始村落遗址。1956年在建平郎家营子遗址中出土的完整石犁，全长42厘米，是目前发现中的最大一件，标志着当时的农业发展水平。根据今天的认识，在旅大地区占有主导地位的新石器时代文化，也是属于这一系统的，但它和山东地区的"龙山文化"最为密切。特别是山东发现的白陶鬶、黑陶器和蛋壳陶，在旅顺老铁山、金县四平山和大连文家屯等地都曾出土过。

根据以上这些发现，可以明确知道当时我省的西部、南部，就已经是这一文化系统的分布区，就已经是各民族的活动范围了。而它的影响所及，不仅波及全省，而且直达吉林、黑龙江两省以及内蒙古自治区的若干地点，从这里，人们可以看出我国古代民族文化在这一地区的发展、演变、影响和推动邻族文化发展的迹象。

在老哈河流域的丘陵地区，在辽河中上游的草原地带，还出现了一些主要从事畜牧生活的氏族和部落。1956年在新民偏堡发现的一处出有细石器、小石斧、红陶器的沙丘遗迹，就属于这一类文化，虽然不够典型，时代又较晚一些，但就其分布和文化特征而论，却是一个前所不知的新发现。最近在阜新四合水库、李家沟和彰武县小青沟，也有此一类文化遗物的发现，出土的好多件完整陶器，更为这一文化的系统和性质提供了据以研究的线索。

一些反映农耕兼渔猎经济生活而又在文化性质上自成系统的一类遗址，近些年，在浑河中游、辽河中上游及其若干支流的两岸台地或山坡上，普遍有所发现。出土的遗物是以大量夹砂粗褐陶，素面无纹的鼎、鬲、豆和扁横耳大罐为主。与史书印证，当和肃慎、夫余两族有关。其中的鬲、鼎、豆和一些磨石器，就是龙山文化影响下的产物。

为了配合桓仁水库工程，1956年起，在浑江中下游进行大规模的考古调查，发现的新石器遗址达50余处，文物2000余件。以用于农耕的打制细腰石锄和用于沉网捕鱼的石网坠最为常见。在发现的陶器中，鼎鬲之类是绝无仅有的。其中除了一二地点有所不同之外，都属于一个文化系统。还有一种当时人们曾拿来用以粉碎粮食的鞋掌形磨谷石和石磨盘，在桓仁、本溪也发现了，它是这一类文化所独有的遗物。再一个文化类型，是以大量多样的豆、环状横耳罐、平底大器为主要特征，鼎极稀少，而鬲在这里是完全见不到的。最有助于这一文化深入研究和剖视当时社会生活面貌的，就莫过于1956—1957年在抚顺莲花堡小山上发掘的一处遗址。与石制生产工具同时伴出的还有一批汉式铁农具，计有镰、抓镰、锄等，均系生铁铸造。它的时代相当于战国、西汉之交，说明这个部落已经和当时居住在这一带的汉族人民有了密切的接触往来，吸收了汉族先进的文化和生产技术，这对于他们农业生产力的提高、原始社会的解体，无疑是起了推动作用的。以上这两类遗址，根据初步研究，认为很可能是属于濊貊族系统的文化遗迹。

至于这一时代的墓葬，虽说发现不多，但却有一些是比较重要的。分析起来，它们的类型大体有四：一是石棺墓，在本溪小市通江峪和抚顺大伙房均有发现。前者是一单人仰身葬，双手合于胸上，足下放置殉葬品，计有敛颈横耳壶、敞口横耳钵、石网坠等器类，还出土有小猪骨骸一具，从其文化性质上看，则是东北石棺墓系统中首次发现的新类型；后者除了石斧、石凿、粗陶罐之外，更出有双范合铸的小青铜斧1件。二是土坑墓，在锦州山合营子遗址中曾发掘了一座，葬的是儿童，它和遗址是同一时代的；在辽阳亮甲山发现了六七座，据知其中的两座，曾出有青铜短剑，并与原始陶器共存，其文化性质还有待深入研究。三是所谓积石冢，旅大、本溪都有分布，最近在本溪谢家崴子发现的一群，都位于太子河河谷台地临河一面的高地上，从地上封石观察，其中有的可能早到新石器时代，不过还没有进行正式发掘。四是所谓"大石棚"（俗呼"姑嫂石"）的巨石建筑物，四面立以巨石为壁，上覆以更大的巨石为顶，很像石棚，故名。它主要分布在旅大、复县、盖县、海城一带。1958年以来，曾屡次进行调查，在庄河、岫岩也发现了一些。现已有不少理由可以确认它是一种巨石墓。高句丽的地上大石室墓，很可能与这种巨石墓文化有关。

这几种类型墓葬，时代大都较晚，有的则应划入青铜时代范畴，就是说，已经处在阶级社会的前夜了。

所有这些或早或晚、经济形态有别而又具有不同文化性质的各类遗址和墓葬，所反映出的历史面貌，不仅意味着原始社会发展的不平衡性，而且也意味着族别和文化关系的复杂性、多样性。可以认为：在我省，当华夏族的原始公社生活约于3000年前基本结束时，东胡、肃慎、濊貊等少数部族的原始公社则仍往下延续了一个或长或短的时期，但大都在春秋战国之际解体，个别的部族则结束于2000年前。而且是在华夏族——汉族先进文化的影响推动下加速了前进，相继进入了阶级社会。这个基本历史事实，对于具体探讨我省各族原始社会的发展、解体历程，以至他们的历史文化，是有指导意义的。总之，我们认为，用地下的考古发现来复原、再现原始时代的辽宁历史，这样的时候已经到来。

二、周汉魏晋时代的辽宁史迹

从公元前20世纪起，在我国黄河流域，原始社会逐渐解体而为奴隶社会的夏商王朝所代替的时候，辽宁地区基本上还处在原始公社阶段。商文化遗址在我省虽还未曾发现，但从喀左县小转山子的原始遗址所揭示的文化面貌上看，却和商文化有着某种联系，特别值得注意。

后来，周灭商，封建诸侯，召公奭被封于燕，史称"北燕"。它的封土北到哪里？文献却没有明确记载。有些学者推测它只能在今长城以内，甚至不能越过滦河下游以东，只是到了战国时代才跨过今长城以北，建郡于我省的西部和南部。这几乎成为定论。不过，这个"定论"却为1955年我省喀左县海岛营子小转山出土大批西周燕国铜器这一新发现所打破。1956年，我省博物馆文物工作队曾对埋藏铜器的地点，加以彻底清理。

这批铜器是出在一个长方形的窖藏坑内，仅完整器就有郾侯盂、鱼父簋、鸭形尊、史戊卣、戈父庚卣，以及罍、壶、甗、盘等14件。其中的大甗是烹饪器，簋、盂是盛食器，罍、卣、壶是盛酒器，盘则是盛水器；而且造型优美，端庄厚重，今虽翠锈斑斓，昔必莹亮可鉴，体现着当时青铜文化艺术的高度发展水平，闪烁着那时劳动人民的无穷智慧与创造才华。这实在是我省地下史书的一页重大发现。铜器中最重要的一件是郾侯盂，底铸有"郾侯作馈盂"五字铭文。郾就是"燕"的古体字，意思是说"燕侯作了这个盛饭的大碗"。从其形制和花纹上看，都可以断定它是属于西周初期铸造的。其他如史戍卣、贯耳壶、蝉文盘等，还都仍然保存着殷代风格。鸭形尊的造型也别有风趣，头部昂起，嘎嘎欲鸣。这一组铜器，经过专家研究，公认是西周成王时代的作品。那么这位"燕侯"指的是谁呢？据史书说，当时召公奭留在朝中辅佐成王，是他长子到燕国就封的。我们虽不能以此断定这个燕侯盂就是召公长子铸的，但它们是西周的燕国重宝，却是不成问题。这样，这个发现就重要了。请想，这批青铜器即出于今长城以北的辽宁喀左，那也就同时说明当时燕国北境所及的范围，起码包括这个地区在内。证明当时我省西部地区，正是燕国的东北疆土，在"普天之下，莫非王土"的西周王国版图之内。

其后，经春秋而战国，过去了700余年，大约到燕昭王时代，燕国又强盛起来，继续向东北开发，设置了右北平、辽西、辽东等郡，并在沿边修起了长城和障塞。因此，社会安定，农业有了很大发展。像襄平（今辽阳）这样初具规模的城邑也出现了。这一时代的村落遗址，在朝阳、锦州、辽阳、鞍山等地皆有发现；其中以锦州大泥洼和鞍山羊草庄两遗址较为重要。在这些文化遗址中，铁铸农具普遍使用，而且还深入到毗邻的少数民族区。例如在抚顺莲花堡以石器为主的古遗址中出土的一批铁农具，尤其是铁镰，就和河北易县燕国下都城址出土的相同。去年在本溪通江峪古文化遗址中采集的几件铁镬，也是和石器共存的。这些发现，具体地说明了燕国文化对浑河、太子河上游地区人民生产生活上的巨大影响。当时流通于燕国的一种刀形铜币——"明刀"，普遍出土于我省，它们当初大多是成堆、成捆或成罐地窖藏在地下，有的一坑多到数十百斤。其中时而还伴有燕国另外的两种铜币——"襄平布"钱和"一化"圆钱。1960年春，辽阳县下麦窝村发现的一大罐布钱，内中就有不少"襄平布"，因它是在辽东首府襄平铸造的，币面上有"襄平"二字，所以叫襄平布。凡此都是研究当时人民经济生活、文化传播、历史地理等方面的好资料。

不过这个时代的燕国墓葬，发现的还不很多，沈阳大西边门战国墓，是我省发现最为典型的一座。它发掘于1958年。墓作长方形，棺外套椁，内葬1人。椁前小土龛中出陶制明器一组共5件，计壶2、鼎1、盘1、匜1。这座墓的构造、葬仪和明器，与中原战国墓基本一样。由此可知，远在2200多年前，沈阳地区的居民已经过着和中原相同的生活了。另外，还有称为"青铜短剑墓"类型的一种墓葬，从1958年起，先后已有三次重要发现：这就是朝阳十二台营子、锦西乌金塘和旅顺后牧城驿的三批石墓。它们都经过正式清理，资料完整，出土品丰富，而且它们恰好一在大凌河流域，一在小凌河流域，一在辽东半岛，分布地域辽阔，增加了重要性，为综合研究提供了便利条件。墓室均为石砌，长方形，一般埋葬2人；出土的文物中，以丁字形青铜短剑和多纽铜镜最具有代表性，是构成这一考古学文化的重要内容。在旅顺的一座墓中，出有明刀钱，一件东周式铜戈则出于锦西的一墓中，成为研究这种墓葬年代和文化关系的指针。另外，这种铜剑，在海城大屯、辽阳亮甲山和韩夹河、锦西寺儿堡以及沈阳市郊和市内也零星出土过。至于它们到底属于古代哪一个民族文化系统的遗存，还仍然是有待继续深入研究、具体分析的。有的考古学家主张它们是东胡族的文化遗物，甚至进而推论是属东胡族的乌桓人，我们深不以为然。但我们认为有两点可以肯定的是：（一）这一物质文化中的丁形剑、多纽镜等一系列青铜制品，是在中原殷周青铜文化影响下出现的产物。它只是向一个特定的方面发展了、演变了，从而成为一个具有若干地方特点的文化分支。（二）这类丁形剑、多纽镜，过去几十年来在朝鲜和西部日本有过不少发现，虽然它们的时代大都较晚，形式变化也较大，但它们有力地说明了日本上古青铜文化的渊源、演进，是受到中国古代文化影响的。至于中国古代文化影响，如何远达海东，传播路线如何？文化类型的变化怎样等，都成为长期以来迫切需要解决、需要证实的一些重要学术问题。因此，我省这几批墓葬文物的发现，在考古学上就具有相当重要的意义。

秦始皇统一中国，分全国为三十六郡。今日辽阳，仍旧是辽东郡的首府——襄平。一件稀有的兵器——秦"中平城"款铜戈，就是解放后在这里发现的。当时通行全国的大型半两钱，在我省各地也常有出土。不过秦代国祚很短，保存下来的史迹文物，自然也就不多。

汉王朝统一全国之后，辽宁地区，仍属辽东、辽西两郡，右北平、玄菟郡的一部分和东汉改设的辽东属国。到魏晋时期，郡县虽有些分并变动，但疆域是大致相同的。这一段时期较长，又当祖国文化发展的上升时期，历史遗迹和文物，在我省其丰富的程度蔚然可观。

对于这一时期的郡县城址，通过10多年来的不断调查、勘探和个别试掘，已获得了不少足为进一步发掘确定的线索。其中和文献印证相符的县城址就发现6处，即北镇大亮甲（当时称无虑县）、台安孙城子（险渎县）、辽阳亮甲山（居就县）、绥中古城寨（阳乐县），以及发现不久的安东瑷河尖古城（西安平县）和凤城大堡古城（武次县）。这些古城内，都散布有不少绳纹砖瓦、灰陶器片、五铢钱等；也出土了一些铁工具和兵器。有的附近还分布有汉代的古墓群。这些城址将来进一步进行发掘研究，可以预言，对汉代辽东辽西两郡政治经济发展和历史地理的了解，将会提出极为珍贵的材料。

关于汉辽东郡襄平城址的位置、规模问题，也由于解放后在辽阳城外四周进行的考古工作，得到了明确认识。十几年来，我们在旧城外的三道壕、鹅房、南林子、徐往子、白塔公园南，先后发现或发掘了汉代村落遗址和大批汉魏古墓群，而旧城内迄未发现一座墓葬。由此不难测定，当日襄平城和现在辽阳旧城的位置以至大小规模，都是差不多的。这都不能不说是历史地理学上的重要收获。

当时的襄平，是一个人口十分稠密的城市，是古代东北的经济、政治和文化中心，也是汉文化向东北发展的基地。因此，分布在这一地区的文化遗存十分丰富，考古工作的收获更是相当惊人的。根据发掘的一系列居住遗址和古墓葬，考古工作者复原再现了不少有关这个地区的历史图景和当时各阶层人民的生活场面。下面介绍的就是其中的一个距今2000年前的农村情景：

这个农村位置在汉襄平城北郊大梁水（即今太子河）西岸一片冲积平原上。村中有一条7米宽的铺石大路打这儿经过，又分出另一条路转折向北伸展。当时路上一些对开的大车，往来各走一辙，畅行无阻。这村子占地约1平方公里，可以看出一家一户的宅院，三三五五，分散而居。房屋以木柱土墙为主，有的用大石做柱脚，用砖石砌墙基，上加瓦、草和苫的房盖。规模大都简陋狭小，差不多每个宅院都有炉灶、土窖、水井、厕所。多数都在厕所旁边设有猪圈或牛马栏，饲养牛马牲畜，作为耕地或搬运动力，储积厩肥，以便粪田。宅院多向南开门，每户宅旁有菜园，设有水井，以便打水浇菜。井有陶管和木干的两种，一般深到4.5米。村中还有七八个砖窑，每窑可烧长方砖1800余块，也间或烧造日常生活上用的陶制器皿，一部分当商品卖出。这是农村中的小手工业，也是副业。各户居住的宅院中，都出土有犁铧、耧脚、锄头、铁铲、铁耙、镰刀等铁农具和车马具，可以充分看出，每户都自备有一整套小农生产设备。农民们就是用这些生产工具，在自己的小块田地上，一年到头忙碌着。西汉社会繁荣的经济基础，就是由这样劳苦的农民创造的。

当时人死了，就按宗族关系集中埋在村西边的大片墓地里，比较有钱的人，可以买一副木棺加木椁和一整套陶明器，来安排所谓死后的阴间生活；钱少的人，就买一口薄木棺材，加上几件明器。一般都是夫妇合葬在一个棺室内，男的在右，女的在左，以示男尊女卑。小孩死了，根据宗法制度，不许葬入先人的墓地，只能另外集中埋在村北头的荒地里，形成了一大片密集的儿童墓场。葬具多用几个破陶锅、陶盆、瓦筒接合起来，把小孩尸身套进去埋在地下，称之为"瓮棺墓"。这一墓地世世代代沿用下去，就形成了有墓数以百计的大墓群。至于广大的穷苦人民，一生衣食不足，死了也就草草掩埋了事，黄土一堆，久已不存，现在也就无迹可寻了。

到了西汉晚期，尤其在王莽时期，由于阶级矛盾激化，暴发了农民大起义，再加上高句丽人反抗王莽镇压所引起的动乱，使辽东郡治安紊乱，生产破坏。大约这个农村，同其他千百个农村一样，就在这时渐归衰落、荒芜，终变成一个地下的瓦砾废墟。后来到魏晋时期就形成了乱葬墓地。

2000年来，这个村落废墟一直埋在1米深的地下。1955年，辽宁省博物馆文物工作队为配合基本建设工程来到这儿，发现并发掘了这一废墟的主要部分，这就是有名的辽阳三道壕西汉村落遗址。并且是我国第一次大规模发掘的一处。在一万多平方米的发掘面积上，清理出6户居住址、7座窑址、11眼水井、两段全长约190米的石铺大车道路。又在遗址西面发掘了西汉棺椁墓群一处；遗址北头清理出同一时代的儿童瓮棺墓群一处，出土完整的童棺300多个。结果，这个西汉村落居民们生产、生活、死葬的一切真实情况，就大白于世了。汉代到底是封建社会还是奴隶社会？在历史学界中正是一个颇有争论的问题。但是，这个地下发现的遗址却充分表明了当时分散的个体小农经济的生产方式和生活状况，从而给西汉属于封建社会的学说，提供了考古学上的有力论据。它的发现，引起国内历史学界和考古学界的普遍重视，也就是理所当然的了。

十几年来，我省一批批汉魏两晋墓群的发现和大规模的清理发掘，就为研究这一连续发展阶段的辽宁历史，积累了大量的用之不尽的一整套资料。1954年和1955年春，在辽阳东南郊鹅房水渠工程中，抢救清理了数十多座西汉初期、中期以至晚期的棺椁墓。1953年春，在鞍山市沙河东地为配合窑场建设工程，清理了400多座砖墓和石墓，主要是属于东汉初期和中晚期的。同年，还在海城大屯附近清理了同时期的墓葬80余座。翌年又在辽阳县唐户屯、桑园子太子河筑堤工程中清理了汉墓200多座。此外，在辽阳大林子、徐往子、亮甲山、南雪梅各村，也先后调查发掘了几群东汉墓。1955年夏，更在辽阳北郊三道壕发现了以石板墓为主的一群魏墓和晋墓。去年在喀左县三台子村西汉墓中出土的彩绘陶器，则具有较典型的中原文化特色，并有助于对辽东汉墓演变过程的研究。锦州和旅大两市汉代贝墓的发掘，也是很重要的。统计前后发掘的总数已在1300余座以上，考古工作者业已对这些墓的基本构造、葬制、随葬品，以及它们的分布情况、墓群的性质，都作了较为全面和具体的研究，掌握了从西汉到魏晋各个时期的墓葬发展及其演

图一　家居宴饮图

图二　车马出行图

变规律。它们的大体情况是：在早期，多以土圹木棺椁葬为主，出有彩画陶明器；之后，以夫妇合葬砖室墓为最普遍，模型类明器为多，井、灶、食器十分齐全，有的还殉葬些五铢钱、铜镜等；至晚期，石筑墓渐多，家族葬流行起来，陶明器逐渐减少，增加了釉陶和青瓷器，而在大墓出现了彩色壁画。在沿海地区则常有用贝壳埋棺的。其次，通过这些大墓群的考古研究，也了解了当时辽东居民生养死葬，主要保存着中原的固有习惯，但也具有不少地方特点。它们除了反映贫富阶级这个通有的不同之外，也反映了时代上的变化和城乡上的差别。同时，这种成千上百墓葬的存在，又可以看出那时我省人口的分布和密度，以及人民对辽宁地区大力开发的业绩。如继续对这些墓葬所能反映出来的社会生活、阶级关系、宗法制度、文化艺术水平以至人们的意识形态，作一些综合性的探索，那无疑会提供出更多的实物例证。

汉代厚葬，魏晋薄葬。这种时代风尚的转变，实际是当时社会生产萎缩的反映。在魏晋时期，一方面，凡是普通的墓葬，都很狭小，结构简单，遗物不多；出土的货币，也质量粗恶，种类杂乱，反映了当时的社会动荡不安，经济混乱，人民生活陷入困境，而另一方面，却出现了统治阶级留下来的封土高大、构造复杂、彩梁画壁的大壁画墓。这表明了阶级矛盾和对立日益尖锐，暗示着农民起义风暴就要来临的时代特点。

驰名中外的辽阳壁画墓，就是此中之荦荦大者。自解放以来，一共发现或发掘了10座。计属于东汉晚期的有棒台子墓；汉魏之际的有棒台子2号墓、三道壕窑业四场车骑墓、南雪梅墓；魏晋之际的有窑业二场令支令张君墓及1号、2号墓、焦化厂墓；晋代的有上王家墓。另外道西庄的一座壁画墓，时代待考。这10座墓都是大中型的石椁墓，系用巨大石板和柱枋筑造，上盖下铺，石灰勾缝；平面略成方形或丁字形、工字形，都具备棺室、耳室、墓门和前廊等四个部分，构造宽敞复杂。墓上原有高大方锥形封土坟头，今已大多不存。

壁画都直接画在墓内石壁上，有的是几壁相连的大作，内容丰富多彩。

图三　骑吏仪仗图

图四　舞乐杂技图

187

其中像车骑、仪仗、宴饮、乐舞、杂技、仓廪和庖厨等图面，形象地反映了汉晋贵族豪门在宫室、舆马、衣服、器械、丧祭、食饮、声色、玩好各方面穷奢极侈的生活。如"家居宴饮图"（图一）：堂上朱幕高悬，夫妇对坐宴饮，短几横陈，杯盘前列，奴婢打扇传食，奔走左右，生动逼真地传出了贵族家庭生活气氛。"车马出行图"（图二）：则有主车、从骑的分别。仪仗队行列整饬，都是戴兜鍪、穿重甲，手执兵器的武士作先驱，宽衣博带的文官作后队。车马驰骋，旌旗招展，无不各尽其妙。尤以"骑吏仪仗图"（图三）最为豪华，统计全队，人173名、马127匹、车10辆。那种连骑结队、横冲直撞、路断行人的气势，俨然乎像一幅统治帝王出行的卤簿图。"舞乐杂技图"（图四）：可以考见当时管弦乐队的组织和箫、琴、琵琶、树鼓等古乐器的形制。至于旋转杯盘、舞弄车轮、跳丸、倒立、反弓等表演节目，更是我国杂技史上卓越成就的具体形象。这些壁画还保存了不少装束服饰上的宝贵材料，如男子的冠帻、长袍，妇人的裙裳、簪帼，以及舞女丫髻低垂，乐人绿衣拂地，无不形象逼真。"仓廪图"和"庖厨图"也一再出现在壁画中。仓前有小吏监守，恶犬旁伺，反映了统治阶级的搜刮贪婪。厨房虽有繁有简，但都是横枋上悬挂海陆食品，或宰割蒸炙，多人忙碌。最繁的一幅画面，有23人在为主人准备饮食，有宰猪、锥牛、解兽、褪鸭、切肉、炙燔、臼粉、沥汁、汲水、添薪、涤器等一系列的繁忙劳作，如实地再现了一些人民群众的劳动形象，构成了汉晋社会生活细节上最生动的一段小景（图五）。食物的种类则有甲鱼、猪头、鸡、雉、兔、猴、心肺、小猪、鱼、肉等10余种，可见墓主人生前在饮食上是如何"穷山海之珍奇，图一人之口腹"的穷奢极侈。此外，还有门卒守犬、鞍甲武器、连璧流云、日月饕餮等图像和图案。画幅上也有的题有"魏令支令""公孙夫人""议曹掾""大婢常乐"等墨书题字，都给壁画内容、书体演变、墓葬年代鉴定上，提供了便利。

这些壁画是古典现实主义的杰出作品，艺术价值是很高的。这些无名的人民画家们用极简洁精确的手法，极真实的形象，概括有力地把墓主人重要

图五　庖厨图

生活部分表现出来，他们善于处理大群人像和多样事物，用丰富多彩的丹青妙笔在巨大的画幅上造成了一个极富韵律的乐章。如单马在行进中的奔驰腾骧、舞轮盘旋的紧张惊险、堂上主人的严肃、厨夫的繁忙、门卒的威猛，以至旌旗飘扬、衣带当风，都是动静相乘，得心应手的。云气图纹的描写，用简洁的线条、鲜明的色调，画出了大气磅礴、烟云变幻、波涛激荡的神情，表明汉晋人对自然现象最富变化的云，体会得十分深刻。在画面的取材和结构上，在技法的制造上，在多种色彩配合的使用上，可以看出我国古代绘画优良传统的特有风格。每当我们看到这1700年前的优秀作品，就不能不以祖国古代艺术的高度成就而自豪，也不难了解魏晋南北朝以来，我国绘画多方面的发展，自有它雄厚的基础。

在当时，这些壁画固然是封建社会的产物，它给统治阶级服务，但在今天，它却大大有助于我们对当时社会生活、文化制度和绘画艺术的研究，成了一批极可宝贵的文化遗产。在党和政府加意保护文物的政策下，这些壁画墓，早已作了妥善处理，并于1961年又被列入国务院公布的第一批全国重点文物保护单位，采取了更严密的保护措施，组成了专门机构来保管。

三、古代辽宁境内的匈奴、鲜卑和高句丽族的文化遗存

秦汉以降，我省境内的辽西、辽东两郡北边长城一带塞外之地，就是北方的游牧民族——历史上著名的匈奴、东胡及其后裔乌桓、鲜卑人的历史舞台。他们在这儿生息、活动和战斗，与毗邻的汉族有密切的接触往来，酝酿和产生了许多为古代史家所记载下来的历史事件。魏晋南北朝时期，在辽东，以襄平（今辽阳）为据点，出现过公孙氏的割据，公元238年公孙渊为司马懿所灭；在辽西，以龙城（今朝阳）为据点，出现过前燕、后燕、北燕的割据，公元436年，北燕为拓跋魏所灭。这个时期，郡县有了一些变动，东部设有辽东属国，西部设有昌黎、营丘、冀阳、建德诸郡。及至5世纪初，玄菟、辽东两郡竟为逐渐强大的高句丽族占据。在这500余年的历史

长河中，辽宁一直是以上各族势力互相消长、互相融合的重要地区之一。这些历史事实，为解放后12年来的省内几批地下考古发现所充分证实，一再补充，而益加丰富了。这就是：西丰西岔沟西汉匈奴文化系统古墓群、北票房身村晋鲜卑部族墓葬，桓仁高力墓子村早期高句丽人的积石大墓和抚顺洼浑木村中晚期高句丽墓地等数以百计的墓葬发掘以及各地高句丽山城址和居住址的调查。

匈奴，是我国古代北方的一个游牧部族，一向过着猎禽兽、逐水草、食肉衣皮的迁徙生活。秦末汉初，在冒顿单于的统治下，逐渐强盛，发展为一个奴隶制的国家，东进击灭了东胡，占有今内蒙古自治区的西拉木伦河，并占据我省的辽河上游地区，而与涉貊相邻；南面则与西汉北边各郡接壤。1956年，考古工作者在西丰县城西五里乐善乡西岔沟小山上发掘的一处巨大墓群，经过数年研究，我们认为它应当属于匈奴部族集团的一个公共墓地。由于墓地恰恰位于当时辽东郡长城之北，因此它对研究古代汉族文化与匈奴等游牧民族文化的交流，就有相当重要的意义。

墓群占地8000多平方米，一排排、一列列的墓葬，沿着岗势的起伏，形成一个很大的弧形分布面。估计原有墓葬将近500座，其中经过清理发掘的计63座，都是长方形土坑墓，排列有序，头向西，埋葬一人。出土的随葬品，大小共13850余件，有兵器、马具、铁工具、陶制器皿、金玉服饰品和种类繁多的汉族文物，从各方面反映了这一部族的生活方式和文化面貌。有的墓出土长短兵器、马具以及较贵重的服饰品，有的墓只出土一只粗陶罐、一副铁刀锥和一点零星服饰品。这原是由于死者身份和地位的不同而出现的区别。同样，在墓地占用、排列上也存在着较明显的阶级分化的贫富对立的若干倾向，很值得注意。数以百计的墓内都葬有兵器，其短兵有刀、剑，长兵有矛、铤，远射器有矢镞——特别是史书上常常提到的匈奴人爱用的"鸣镝"，也被发现了。它是一种响箭，在铜制的球形矢头中，有几个小孔，射出时遇风而鸣，以为信号，故有此称。又发现许多兵器上残留着当日屡经战斗的斫削痕；若干兵器使用残断了，又经过再次锻制、装柄或作他用的痕迹，至今都清楚可认。加上出土不少的马衔、马饰，马的头骨、颚骨、牙齿，就不难看出他们是一个马上为家、骁勇善战的部族，长于在一望无际的草原上，飞马急驰而又准确地弯弓发箭。

出土品中，有20余面透花铜饰板（是皮腰带上的一种饰具），具有很高的造型艺术水平。它们上面大都铸有浮雕式的双牛、双马、双羊、双驼、犬马、犬鹿、鹰虎等动物图案，或作双畜相偎，温静相处；或作两兽猛扑，纠缠死斗。其间筋肉表现、动作姿态是那么雄健、生动、富于节奏，处处显示出一种粗犷奔放、简练有力的独特风格，有的加以镀金，光华富丽。这种令人惊叹的艺术，不但足以表明这个部族的创造力，而且令人信服地说明他们所摄取的题材，是如何紧密地与自身的游牧生活以及和他们畜养猎取的草原动物息息相关的。还有几件上面铸有骑士出猎和骑马战士执剑捉俘虏的图像，直接把他们的社会生活和战斗场面如实地描画出来，尤属珍贵难得。

伴随出土的大量汉族文物，有铁工具、陶器、兵器、马具、铜镜、佩饰、货币等等，在很大程度上反映了这一部族和西汉王朝的历史关系，反映了和汉族人民的密切接触。还应说明：墓地所在的地理环境，正是山区、平原和草原三者的邻接地区，正是游牧和农耕地带的连接点。它的西面是内蒙古自治区，由此而经蒙古高原、准噶尔盆地、南西伯利亚，以至高加索和乌克兰，就是众所周知的绵延不断的欧亚大草原地带。这个地带，乃是上古的游牧世界。匈奴族统治着这个地区的大半，西丰正是它的极东一角，又当西汉辽东郡塞外，成为他们的一个贸易地点和军事要冲，是完全可能的。也因此，他们和辽东一带汉族的接触、交往势必很频繁，本墓地出土的若干汉族文物都和辽阳（当时的辽东郡治）发现的相同，而该族的一种有乳点纹装饰的陶器也在辽阳三道壕西汉村落遗址里出土过。这就不能不予以相当注意。

根据史书记载，汉初匈奴"诸左王将居东方，直上谷以东，按濊貊、朝鲜"。西丰一地无疑被包括在内。至汉宣帝本始二年（前72），遣五将军领兵10余万骑出塞，匈奴远遁，自此"匈奴遂衰耗"。（均见《汉书·匈奴传》)西岔沟古墓地时代的下限及其被弃置，也约当此时。我们觉得这种吻合，倒正好概括地暗示了西汉历史上匈奴和汉族势力的消长。

当然，这些说明，还只是我们的初步研究和看法，虽然有的学者主张这一部族是东胡人、乌桓人或鲜卑人，可是没有提出什么令人信服的理由和根据。争论是存在的，而且正在进行中。但是，经过一再研究，我们还是坚持了我们的看法。不论如何，西岔沟古墓群的发掘，是我国近年考古工作上的一次重要发现，却是无可置疑的。

鲜卑，是东胡族的一支，也是一个游牧部族。其中慕容氏一族原居辽西，公元3世纪时，在我国东北部建立了前燕国，奄有今辽宁大部。1957年，在北票房身村发掘的三座石墓，极有可能是这个部族的遗留。它的发现，引起了历史考古界的很大兴趣，直到目前还是该族文化唯一的考古发现例证。

墓葬均系石筑单室，长方形，坐北朝南，左右相排，相距都不远。第一、第三号墓出土的随葬品有灰陶罐、小型"位至三公"铜镜、直柄铁刀、五铢钱等。第二号墓更为重要，葬有二人，推测当是夫妇合葬。仅金饰品一项，就出土40余件，可见墓主人的身份比较高，有可能属于贵族阶层。金饰品共分两组，最引人注目的是花树状冠饰，用黄金薄板制成，形似花枝上伸四展，垂以金叶，满枝披拂，其中的一件，原分前后左右4干12枝49叶。如果戴在头上，就会一步一摇，闪闪发光。《晋书》上说，鲜卑人喜戴"步摇冠"，可能指的就是这种头饰。在同族的另一支吐谷浑部人里，则称之为"金花冠"；而与鲜卑族同属东胡部落后裔的乌桓族妇人，也有"发髻着句诀，饰以金碧，犹中国之有冠步摇"的记载。可见，他们自古以来就有以金饰冠的风俗。此外，还有花蔓状金饰条、新月形嵌玉金饰件、透雕龙凤金饰方碟、金发钗、金镯、嵌宝石金戒指、缠丝金珠、大小金铃等。这些纯金工艺品，或镂刻、或镶嵌、或缠丝，玲珑巧丽，很是别致，为晋代汉族墓中所不见。然该墓出土铁刀、五铢钱和铜镜，都是汉族文物，这也看出他们和汉文化密切的关系。

高句丽，自称出自夫余族。我省的浑江、富尔江一带，是他们的发源崛起之地，于西汉末建国。据古文献记载，高句丽始祖朱蒙创业时，曾"至淹㴲水"，又"至卒本川，观其土壤肥美，山河险固，遂欲都焉，而未遑作都室，但结庐于沸流水上居之，国号'高句丽'，因以高为氏"。按淹㴲水，有人说即今浑江，沸流水即今富尔江。到东汉、曹魏时，这里仍是他们主要的根据地。由于长期受到汉文化影响，国势日强，遂得以西据玄菟、辽东两郡，达二百数十年之久。考古发现证实了历史记载的正确。

我省的文物考古队伍，从1956年起，相继于浑江、富尔江两岸的高力墓子、连江、雅河口、拐磨子、古城子、野猪沟诸村，发现了高句丽墓群数十处，大者二三百座，小者一二十座，都相当密集。墓室大都建在地上，全用石块构筑，并以石块封顶，这是这一民族独有的筑墓特点。过去关于高句丽族墓的葬制、分期及其分布，多未明了，通过近几年的调查发掘，才基本上掌握了这个民族的墓葬规律。

其中以桓仁高力墓子村发掘的古墓群最为重要。它们主要分布在一条南高北低的长岗上，有积石冢墓、阶段式墓、石冢墓、土冢墓、小石板墓五种类型，这种分别主导于阶级地位的不同；尤有岗上的大型积石冢墓，占有特殊的地位。它们共有30来座，从岗顶开始下排数列，正中两大列，各长80余米，都是10余大墓衔接而成，是我们前所不知的，显然这是照他们的世系和身份排列的，或者表明这一部族的氏族纽带仍然存在着。为首最高的一座，长20余米，它先于地面砌好石台，上置尸椁（当系木椁），并用大石围砌；台周筑围墙一道、圹墙一面；为了坚固安定，底部四角及中间更支以撑石、护石；最后再用大卵石或石块从下往上堆积，直到将整个墓顶封好。《后汉书》和《三国志》都说高句丽的墓"积石为封"，在这里得到了实物的具体例证。出土的文物中，兵器有铁刀、铁矛、铁镞；马具有铁衔镳；服饰有银镯、鎏金铜饰件、铁卡具、玛瑙珠；生活用具有陶壶、陶杯。根据墓构和遗物，可以断定它的时代约在汉魏之际。又据文献记载，桓仁境曾经是高句丽的早期国都所在地，墓地前面隔江不远就是峭壁参天的五女山上的高句丽早期山城址，彼此遥遥相对，当亦不能无关。欲研究千七八百年前的高句丽古史，这一地区的考古发现，就应当是我们注意的重点。

高句丽山城，是我省有名的军事遗迹，在隋唐两代王朝与高句丽的战争中，是一种兵家必守必争的重要据点。近些年来，曾多次对它展开调查，除了桓仁五女山城（有人认为是高句丽早期的尉那岩城）之外，主要的有抚顺高尔山山城（当时称新城）、西丰城子山山城（夫余城）、凤城凤凰山山城（乌骨城）、沈阳陈相屯塔山山城（盖牟城）、辽阳燕州城山城（白岩城）、海城英城子山城（安市城）、盖平青石关堡高丽城山城（建安城）、金县大黑山山城（卑奢城）等等。城墙绝大多数都是用石坎垒砌的。也有少数为土城，多是因山设险筑于悬崖陡壁之上，通常山势悬绝。只有一面为山口，设门坚守，大有"一夫当关，万夫莫开"之势。而城内多为盆谷，至今犹存有建筑址、水池、水门、泉井、点将台等一类遗迹。所谓"点将台"，原是用以瞭望敌情的望台，登临其上，全城在望。出土遗物以砖瓦最多，箭头、刀、铜钱、器皿也常常能拾到。征之史书，在这些城里大都发生过激烈的防守战和争夺战。因此，它对我国古代军事史中有关这一方面的研究，很有价值。

这一时期的建筑居住址，以去年在安东市上爱河尖发现的比较重要，它位于汉代西安平县城址内外，地面分布着大量的红色板瓦和莲瓣文瓦当，有几处相当密集。还采集到有肩铁锄、柳叶形铁镞和高句丽族的陶器口沿。尤其是砖瓦的形制和纹样，与汉族的制品有许多共同之点，莲瓣纹瓦当就是受到南北朝佛教艺术影响的一种物证。

综合上述，这些调查和发掘，大大丰富了有关我省以至东北古代少数民族史的考古研究。从中我们不仅可以看到汉魏晋南北朝以来的匈奴、鲜卑和高句丽人的各种生活场面和斗争图景，而且足可窥见我国古代北方和东北方少数民族在辽宁地区各个不同时期内的发展、交往及其消长的迹象。在这悠久的年月里，各少数民族主要是在汉族人民的先进技术与先进文化的推动影响下，加速了他们的社会前进；而反过来，他们也对汉文化有过一定的影响。虽然有时由于民族矛盾和阶级矛盾的激化，各族统治集团间曾经发生过战争冲突，然而更重要、更基本和更有意义的，却是各族人民的友好往来和经济文化上的交流。而且，各少数民族人民很早以来就与汉族人民长期生活在一起，互相推动，共同开发了这块土地，对祖国文明的缔造做出了应有的贡献。只要我们对上述的一系列考古发现进行详细地探讨，就会充分揭示出这样的历史规律。

（本文与孙守道合写，原载《辽宁日报》1962 年 5 月 30 日，

7 月 21 日、24 日，9 月 11 日）

关于《辽尚昈墓志》的意见

编辑同志：

　　《文物》1962年第11期罗继祖同志《关于辽尚昈墓志的几点考证》一文，读后觉得还有一点值得商量：

　　考证（二）说："志文十八行'县君康氏，即梅棘豆沙夷离毕侍中之孙女也'。梅棘应是部族名。"我们觉得把梅棘定为族名，不如定人名为妥。梅棘当即默记（《辽史》有传），有如下四证：一、志文明说康氏为梅棘之孙女，那么梅棘自然是康氏的祖父；且官至夷离毕，加官为侍中，因而只能是人名。二、从姓名发音上说，康梅棘和康默记同，这种用同音异字记姓名的习惯，在辽代契丹汉人之间，都是常有的。如贾师训又作士勋，耶律乙信作乙辛，肖恒德作勤德，肖虚列作屈烈，王绩作藉，刘云作筠等，不可胜数。三、"梅棘夷离毕侍中"。夷离毕是契丹语名称，系掌管刑狱的司法官。《辽史·默记传》载，"默记神册五年为皇都夷离毕"。辽代侍中一官，多赐给贵近，以表荣崇，大都是无职兼官。接《默记传》："太祖爱其材，隶麾下。顷之，拜左尚书。佐命功臣其一也。"这完全合乎官加侍中的资格，传中失记，当是《辽史》的疏失。四、默记卒于太宗朝，康氏卒于咸雍，上下约距120多年，祖孙三世是可以相及的。

　　此致

敬礼

李文信

1962 年 12 月 2 日

附：

编辑同志：

　　接12月7日函并岑斋、李文信两同志稿件均悉。岑斋同志对拙文作了补充，完全同意。李文信同志指出文中的"梅棘"即《辽史》上的康默记，所列四证非常正确，足证鄙说之误。

　　此复并致

敬礼

罗继祖

1962 年 12 月 14 日

（原载《文物》1963 年第 2 期）

198

博物馆学研究

东北博物馆清理文物工作的一些办法和经验

东北博物馆在清理文物工作中，初步取得了一些经验。兹将其中主要部分分别介绍，以供参考。

一、清理工作的进行步骤和一些技术问题

清理工作的第一步是甄别并处理文物与非文物。目前各地博物馆所藏文物，不论数量多少，由于过去接收、征集时选择不精，遂致瑕瑜互见，真赝混杂。针对这种情况，应组织全体工作人员对所有文物逐类甄别划分。把其中的非文物剔取出来，属于资料性质有参考价值的划入资料部门；连参考价值都没有的赝品或日常用具就按件造出清册，报请上级处理。然后才将甄别后的文物按计划加以登记、整理。

第二步是确定文物分类法，根据目前各地博物馆的一股情况，特拟定：

文物登记分类：

1. 书画类——凡古今名人书画经过鉴定认为有保存价值者皆属之。

2. 丝绣类——凡历代刻丝刺绣织成皆属之。

3. 铜器类——凡古今铜器如兵器、烹饪器、盥器，祭器、镜鉴、权，衡、印、符等及锡铁器精品皆属之。

4. 漆器类——凡历代漆器精品如平漆、戗金，剔红、剔犀，钿嵌等器皿皆属之。

5. 古地图类——凡古代雕版与绘画地图具有重要价值者皆属之。

6. 货币类——凡历代钱币如贝货、刀、布、金、银、铜制各种货币及钞票、泉范等皆属之。

7. 金银珠宝类——凡珍珠、翡翠、玛瑙、珀腊、珊瑚、玳瑁、钻石、宝石、金银器皿以及其他各种珍贵钟表玩物皆属之。

8. 甲骨类——凡殷墟等出土的龟甲、牛骨皆属之。

9. 陶瓷类——凡历代各种陶瓷器及瓦当等皆属之。

10. 景泰蓝类——凡景泰蓝、珐琅、七宝烧及琉璃、玻璃等器皆属之。

11. 雕刻类——凡经过雕刻具有较高技术的物品如玉器、石砚、印章及犀、象牙、角、木、竹等玩供品皆属之。

12. 碑志类——凡古今有名之碑碣、墓志、石刻、造像、石兽、石棺及其他有关历史等刻石皆属之。

13. 家具类——凡各种珍贵木制家具如床、椅、几、案、橱、柜、挂屏、立屏及盆景等皆属之。

14. 服饰类——凡历代服，冠、舄、履、甲、胄及男女衣服外所佩用的装饰品皆属之。

15. 考古类——凡有出土地点，发掘时日，具有考古价值的各种物品皆属之（各物不再另外分类）。

16. 少数民族文物类——凡国内及东北各少数民族的文物皆属之。

17. 革命文物类——凡近百年内各次革命运动的遗物皆属之。

18. 古生物类——凡古生物化石、人类化石、人骨、动物骨等皆属之。

19. 杂类——凡不属于以上各类而具有文物价值可以保存者皆属之。

资料分类：

1. 标本类——凡各种自然生物标本皆属之。

2. 模型类——凡地形、古迹及经济生产建设上各种模型皆属之。

3. 照片类——凡名胜、古迹、历史、时事等照片皆属之。

4. 图表类——凡有关调查、统计等各种图表皆属之。

5. 拓片类——凡碑帖及金石所刻文字和图画、造像等类拓片皆属之。

6. 印刷品——凡木版、石印、铅印、铜版等印刷品，可供学术研究，有参考价值的皆属之。

这个分类法在目前还算切合实际，简便易行，俟将来有了统一的文物分类法时再行变更。

第三步是在登记、鉴定之前，所有比较贵重的文物都应做成木箱或布盒盛放。布盒做软囊，其大小应和文物的大小相称；木箱专装小件或特大件，小件采用多层多装法，即一个木箱分成三层或四层，可装文物由数十件到百余件不等，每层所装文物，应按其大小形状给以一定的位置，做到恰如其分。这样，就保证了文物的安全并杜绝了可能发生的弊端。多层多装法更节省了经费。做木箱、布盒时应由保管部门的人员监督技工执行，随成随收，一次做盒不宜太多，以免发生弊窦或遭受损坏。

第四步正式进行登记、鉴定工作。这一工作是整个清理工作的关键，应该特别注意、认真。卡片记录更要诚实可靠，最初几日可以慢一些，但要踏踏实实，打好基础。

在登记、鉴定工作进行时，必须注意下面几个问题。

（一）来源问题——卡片上"来源"一栏，系指采集、发掘、拨交、捐赠、收购、交换等而言，平时收入文物应按不同的来源记载，整理时则可不拘泥这些，因为所有文物收藏时间一般都较长，如果没有绝对可靠的原始凭证，仅凭一二人的记忆就难免发生差错。唯一的办法是：如果系原来的库藏品，一律盖"原藏"印，如果是整理工作进行时上级拨交的盖"×拨"印。

（二）真假年代问题——鉴定文物真假，是一件十分困难的事，这不仅是因为工具书既不全备，又无科学仪器，同时鉴定人员并不都是样样皆通的全能者，故有时难免众口纷纭，各执一见。在这种情况下，以自由发表意见，大家讨论为宜。如不能得出一致结论，就把各人的意见分开记在卡片的"鉴定意见"栏内。如果遇到一时还不能确定年代要留待日后继续研究的，年代一栏可暂付阙如，在鉴定意见栏内标"待考"字样。

（三）单位和数量问题——文物中单位和数量的牵涉很大，也最容易发生错误。如书画中的屏、联，有的博物馆算作二件或四件，事实上一堂屏可以有四幅、六幅、八幅，对联都是两幅，如果其中缺少了一幅就不能成为一整件文物。因此，以用"堂""幅"作单位为宜，数量栏不填"二""四"而填"一"。但在备考栏中须注明实际数量。其他各类文物也要看具体情况分别作合理的记载。

（四）重量和实测问题——文物的重量一公斤以内以克作单位，一公斤以上以公斤作单位，小件用天平秤，大件用磅秤。实测用皮尺或游标卡尺，一米以内以厘米作单位，超过一米以米作单位。凡一卡片所载文物在两件以上的可以只实测其中一件，但须在前面注明"之一""之二"字样。

（五）品级与估价问题——确定文物品级并估计价格，其目的在于：1. 搞清什么是贵重文物，什么是普通文物，以便保管部门注意，领导心中有数；2.如文物要保险，必须有个虽难十分精确，亦应大体近似的价格。

评定品级和估计价格，可根据文物本身情况，参考该类文物在国内的数量以及解放前后市场上一般的买卖价格综合定出。如各人所见不同，又苦于没有一个既定的标准可循，品级高一点、低一点，价格多一点、少一点也在所不免。事实上有些贵重文物目前也还无法估计其值钱多少，只是为了大体上掌握文物的总值而已。

（六）照相、摹拓和绘画的问题——卡片上有专贴文物照片、拓片或绘画的一栏。大件照相或绘画，小件摹拓，在可能条件下都必须做到。如果有些文物太小或非珍品，限于人力、财力，既不能照也不便摹拓或绘的，可不照、不拓、不画，但应在卡片上注明。照拓工作最好在登记、鉴定前做好。

（七）复核问题——文物经过登记、鉴定之后，为了保证卡片记载完全无误，应逐一查对实物进行复核，如果是贵重文物，复核工作更要仔细。

（八）内部提取文物的手续问题——整理时提取文物，可由鉴定小组长对保管部门负责。文物出库必须填写文物出库凭证，由提取人及保管部门负责人签名、盖章后，始得提取文物。整理后归还仓库，只在原出库凭证的归还日期栏内注明月日，由收件人盖章即可。在登记、鉴定工作进行的同时，保管部门应调整仓库，确定哪一库庋藏哪些文物，应有什么样的柜架，都要通盘打算，适当安排。以便经过登记、鉴定的文物陆续入库，各得其所。庋藏文物的仓库要注意通风、采光和防火、防盗、防潮、防啮、防蚀诸条件。书画、丝绣等软片及漆器，还要风晾，不宜在日光中曝晒，风晾后应加放樟脑粉、DDT粉和烟叶，以防虫蠹。

二、建立保管制度，制定账册表报

根据过去调查，各地博物馆的文物保管制度，一般的都不完善。必须建立起完整的保管制度，统一规定文物收支、登记、整理、庋藏等手续。账册表报也一并制定，其系统如下：

根据这个系统图：平时收入文物，应按不同性质填写收入凭证，即以此作为文物登记总账的原始凭证，同时对所收文物依次编定总登记号。接着进行整理工作，由保管部门会同研究人员作初步鉴定，填写义物整理明细分类卡片，编定分类号。分类庋藏在一定的仓库内。再根据卡片登记文物整理明细分类账。记账要有专人负责。

对外支出文物时，根据卡片选择，按性质填支出凭证，经馆长盖章后提取。根据整理明细分类账和支出凭证的数字每月末填制文物分类增减月报表。文物整理明细分类账的总号一定要和文物登记总账的数字相符，除掉支出数字，即为实际保管的数字。凡支出文物都应注销卡片，另行保管，以备查考。并在登记总账和文物整理明细分类账上盖"注销"的截记，同时在备考栏内注明去向。如系部分支出，则在账上盖"部分支出"的戳记，并在备考栏内注明。

对内研究或陈列文物出库，应填写陈列或研究文物出库凭证。月末填制陈列文物增减月报表，这种对内文物的出库，不算收支。

资料收入也应填收入凭证，只记分类简明账。对外支出、对内出库手续同文物，月末填资料增减月报表。

以上规定适用于平时。清理文物时，为了提高工作速度，可采分类整理的办法，在卡片和文物上同时编定总号、分类号，每一类文物的分类号自成起讫，总号则按登记的次序排列。文物上编号用贴号签和写漆号两种方法。根据卡片先登文物总登记账，登账次序依照总号次序；然

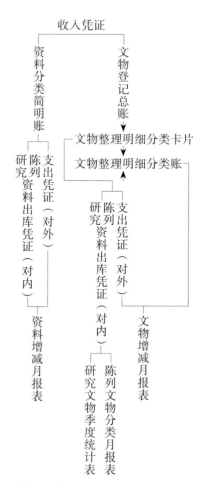

后再登分类账，登账次序依照分类号次序。不能前后颠倒。全部文物清理完毕，账务应即随之完毕，再根据账册、卡片同时填制简明统计表三份，包括类别、总号起讫、分类号起讫、数量、估价、备考等栏。一份报本部，一份报文教厅，一份自存。这样，清理工作才告结束。清理后发生的收支事项，就悉依制度办理，不能沿用清理时的办法。

三、清理工作中的政治工作

根据过去不完全的了解，研究人员中有业务比较熟悉，但观点常易流于偏颇的人，有新从事这一工作不久但已懂得了一些业务并肯虚心学习的人，

也有偶尔涉猎仅仅一知半解或强不知以为知的"假里手"。最突出的是这些人都或多或少地具有抬高自己，瞧不起别人，缺乏互相帮助精神的个人主义思想。因此，整理工作一开始，就必须有计划、有步骤地进行政治工作，加强思想领导。

（一）强调学术研究空气，反对武断自大，反对妄图以一家之言而定天下的恶劣作风——研究人员既有程度不同的自高自大、自以为是的毛病，就必须及时地通过具体工作在思想上启发他们改正错误。譬如东北博物馆整理文物时，有人把玻璃料子看成瓷器；把开金项链看成包金；鉴定一件水晶制品，有人断定是假的，而有些人却蛮横地硬说是真的，等到在日光底下因折光率不同才判断确系赝品时，那个原来硬说是真的人又解嘲似的说："是假的，我一拿到手里就感觉温度不同。"鉴定书画，有人不发表意见，却叫别人先讲，怕自己的正确看法被人学去而不能出别人的丑；两江金石略双钩本七佛偈也因不懂，几乎弄成大海遗珠。问题还不止此，有人参加陶瓷鉴定，自己不懂又不肯虚心学习，不管别人说啥他都说"可疑"，企图以此掩盖自己的无知，而抹煞别人的正确意见，有人向他提出意见，又颟顸地以退出小组来威吓。有的人连个紫沙兽环扁方壶的名都取不上，却煞有介事地说"考虑考虑"。从上述例子中可以看出研究人员的思想毛病是如何严重。为了提高学术研究，加强团结，应注意通过许多有血有肉的事实，揭发他们的错误。耐心地进行帮助，促使他们虚心学习，善于和别人交换意见。并要反复交代文物鉴定工作是对人民负责的严肃工作，如果不懂装懂，任性逞能，将会造成严重后果。他们的思想就会慢慢打通，渐次提高认识。

（二）发挥一切人的长处，百花齐放，万流归壑——有的人以为自己有一点鉴定能力，就孤芳自赏，自命不凡，而别人又借口其人政治落后，把他说成什么都不行；也有人明明懂得一些，却又小手小脚，吞吞吐吐，有意见不愿说，怕说错了被别人找了碴子；也有人自己会干的不愿干，不会干的偏想干，面对工作，嗟三怨四；他们的思想里都有自私自利的个人打算。克服这些毛病之道，应先从发挥他们的长处着手，大胆放手地让他们在工作中锻炼，然后再互相批评缺点。总之，不能因为有技术而放松对他们的政治工作，也不能因为政治上开展较慢或者比较落后而抹煞他们技术上的长处。这样各种正确的意见就得以集中，同志之间的关系就可以改善。

（三）防止因任务繁重、时间紧迫而敷衍从事的倾向——工作中，固然要提高工作效率，但不能单纯地强调工作速度，以免发生马马虎虎，草率从事的偏向。

（四）强调理论与实际相结合，工作与学习相结合，先生与学生相结合——鉴定工作中理论与实际的结合就是书本知识与实物的结合，过去有些研究人员只记住了书本上某些抽象的定义，很少看到实物，通过鉴定工作让他们接触实物，可以大大提高他们对文物的认识能力。在鉴定中，为了求得对一个器物的完全了解，应鼓励他们互相咨询，查对根据，反复研究。这样，就给做助手的学生上了业务课，学生的质疑问难也可以促使先生再考虑、再研究，反过来又提高了先生。同时提高了他们从事这一事业的兴趣与信心。

此外，领导上必须贯彻群众路线，依靠群众，接受群众的合理化建议，发挥群众的积极性、创造性。事先应把要做的工作及要求，交给群众充分酝酿，反复讨论。已决定的方针、办法，应告诉群众让他们心中有数，以便发挥其自觉性。

中层领导干部（指小组长而言）的是否真正负责，具有重大的作用。必须经常检查他们的工作，召集他们开小型座谈会，交流经验，纠正缺点。因为他们的好坏，对工作及其助理人员的影响是最直接，又是很大的。

附各种账册、卡片、表报式样，及说明如下（以下从略——编者注）。

（与张拙之、胡文效合写，原载《文物参考资料》1953 年第 4 期）

记瑞典和芬兰的几所博物馆

1956年9、10月间，我和唐兰同志借参加芬兰举办中国古代艺术展览会的机会，访问了瑞典、芬兰两国首都和另外几个城市，在博物馆业务上得到了不少学习机会。不过我们这次到国外，不是专为了解博物馆的工作，所以参观博物馆的时间不多，对藏品搜集、登记、编目、保管和学术研究都没能作系统了解，有的馆没有看，有的只看了中国文物部分，有的虽然全看了，但时间仓促，也只是走马看花，加以不识瑞典、芬兰文字，收集到的参考资料很少，了解得也差，因而记录下来的也是不全面、不深刻的印象，仅可作为一个粗略轮廓，提供给研究者们参考。

我们在瑞典首都斯德哥尔摩参观了博物馆9所；在芬兰首都赫尔辛基与古城土尔库、新兴城市拉阿底三地参观了10处。两国的博物馆在经营管理和形式种类上大致相似，说是属于一个体系。一般都建馆较久，规模较大，瑞典的更为发达。各个博物馆往往有其独特的优点和风格，在布置陈列方面富有创造精神，善于利用自己的历史条件，因地制宜，发挥教育社会公众的作用。他们多年来积累的经验，有的值得我们目前参考；有的对将来有用；有的是一些在人家具体情况下的好办法，强行移植是无益而有害的。正如周总理所说："每一个民族，每一个国家，都有它的长处，都有它值得学习的地方。"当然，对瑞典和芬兰两国的博物馆，我们也应当本着这一基本精神来进行了解和研究。

一、瑞典国家博物馆

瑞典首都斯德哥尔摩是一个沿海多岛的美丽都市，是北欧的风景线，有"北方威尼斯"的称号。它的建筑物和艺术文化设施也比较讲究。据我们所知，各种性质的博物馆共有15所，我们前往参观的共有9所。国家博物馆在斯德哥尔摩市中心区最繁华的一条街上，前后左三面环海，隔水不远与王宫相望。馆舍是二层大楼，内外有不少雕像和浮雕装饰。馆后和馆右有一段树林和花圃，道路曲折相通，海洋边有小船码头，便于游人散步或闲眺。馆内陈列室很多，除瑞典本国历史、文物和艺术品外，也有外国文物。我们为时间限制，只参观了远东部分和库藏中国书画。远东部分共有五六个陈列室，有中国、朝鲜、日本、印度、伊朗等国物品，其中以我国的文物为最多（有一部分运往芬兰参加赫尔辛基"中国古代艺术展览"尚未运回）。计列有青铜器、陶瓷器、雕刻、绘画、陶俑、漆器、镜鉴、金银器、染织、木器等数千件。其中如战国时期戴帽有腰佩跪持双筒铜人像、山东武梁祠画像石刻、北朝大石狮和南朝陵墓石辟邪、北魏大型石造像都是优秀的文物。所藏宋、元、明、清书画有百余件，其中明、清两代中有较好的作品。陈列室用陈列柜架把高大房间隔离成小间。柜架朴素，陈列得稳妥，大件不易损伤的文物多露出陈列。室内和柜架都设有电灯，光线很好。资料室藏有远东各国各种图片资料，供人参考研究。每星期有定期为群众鉴定远东文物的时间，也可讨论有关这类问题。该馆研究人员不多，工作却很活跃，在中国历代陶瓷器、金银器、绘画等方面的研究，有很好的成绩。编印有说明书和各类藏品目录，并多附有文物图片，单页的文物图片、照片种类更多，很便于参观者选购。

二、历史博物馆

该馆在斯德哥尔摩市东区，与国家博物馆和北方博物馆距离不远，和远东博物馆的馆舍相连。馆舍是专为博物馆设计的一幢有长方形庭院的三层环状新式建筑。一个楼角上有方形高塔，外形很朴素庄严。内部的采光、防火、陈列柜架和参观路线等设计都很考究。这个博物馆虽以陈列瑞典历史文物为主，但也有一部分巴比伦、埃及、希腊、罗马和中国的文物。陈列室占用两层楼房，各室大小不一，互相通连穿插，运用得比较灵活。历史遗物的年代，大体是按石器时代、铜器时代、铁器时代分的。实际年代的推定是：瑞典的旧石器时代约为公元前100万年；新石器时代约为公元前2000年；铜器时代约为公元前1000年以前；铁器时代是由公元时开始的。陈列品数量很多，上古期多为考古发掘材料，中世纪以宗教材料为多，近世多武器、服饰、珠宝、金银器、雕刻、绘画、货币、徽章等。陈列上的几个特点是：

第一，陈列品多，有的按照出土多少或品种、产量等为比例来陈列的；出土多的物品除选典型品陈列外，旁边往往堆一大堆或垛一垛。这样就可以看出哪种生产或生活是主要的。

第二，多用复原陈列法（景观陈列性质），如陈列古墓、教堂、贵族生活场面等。有的整个复原，有的复原一部分。全陈列室内部的修造、装饰、色彩、光线，常依陈列品内容来决定，所有陈列室并不都是千篇一律的。

第三，多用壁窗式柜陈列，不给人柜架的印象。窗面玻璃上端稍向前倾，没有反光。窗下加横柜，柜前加木栏杆，较栏绳为牢固。

第四，主要采用柜内荧光电灯照明。这虽然是北欧昼短夜长，日光太弱，不得不用人工光线，但灯光便于控制，对陈列品的保护又有好处，同时柜内光线较室内光线稍强，也引人注意。此外，他们在细小物品或花纹、织

历史博物馆主楼

历史博物馆墓葬陈列

纹等细微的物品上，多使用一面凸起的扩大玻璃镜；物品的背面或底下用反光镜返照，便于人们仔细观察研究。说明的文字较少，也较简短。图表少而精致，多用玻璃和透明胶板、塑料等材料雕刻而成。该馆印行有三四种文字介绍各种文物的小册子和图片，便于观众参考。馆前大路旁设有广告塔，塔内陈列有几种美丽的陶瓷器模型，塔上安有灯彩文字，昼夜向群众宣传。这一点，是别的博物馆所没有的。

三、北方博物馆

　　该馆在历史博物馆南方一个小岛上，有桥与市街相通，它的东边不远就是瑞典人民最喜爱的斯康生露天博物馆。该馆是斯德哥尔摩有名的博物馆，馆舍是专为博物馆设计的建筑，四层高楼，上面五个尖塔采用传统的古堡形式，建造得很古雅。周围有树林、花坛、铜像、喷泉等，交通也很方便。楼内正中为高大宽敞的大厅，大厅四周的三层楼都是大小陈列室，四角有楼梯可以上下互通，参观路线顺序是非常明确的。所谓北方博物馆，实际就是搜集、陈列北欧四国——瑞典、芬兰、丹麦、挪威各国的古代文物和近代工艺美术品，当然，陈列品是以瑞典为主的。陈列品数量很多，由国王到平民的衣食住行、生活习俗、宗教艺术、武器、车马具等大致都有，都以文物艺术品的种类为纲，下按年代陈列的。中央大厅陈列一位国王造像和车马具、兵器、冠服等大件物品。楼上各陈列室也多用复原陈列法，如艺术家、文学家、音乐家的住室，贵族的客厅和饭厅，平民的住宅和饭桌，古代室内家具陈设的配列等等，都极力恢复原来形状。不仅仅所有陈列品如此，就是屋壁、天花板、地板、门窗以及花纹、色彩、光线也都各有不同。物品陈列得多而密，如陶瓷器除在饭桌上摆有成组的以外，柜架上还陈列着不少成套的。衣服也是上面挂着一部分，下面堆叠着一堆。陈列品一部分用壁窗式陈列柜，一般柜架也简素实用。照明完全采用灯光，室内光稍淡，柜内光较强，观众从柜外见不着刺目的灯光光源，因此光线均匀柔和，并且使陈列品的轮廓明确；有的物品采取正面采光，有的则是从几方面来照明的，但光线又有强弱不同。这些细致的灯光处理，对于处于斯堪的那维亚自然条件下的博物馆是非常必要的，也是他们陈列设计上的特点。这些特点和历史博物馆相似，但又具有各自的长处。馆内除大厅有四人看管照应外，楼上基本没有人看管。该馆印行有印制精致的几国文字的说明书、画片、照片和介绍各种文物艺术品的小册子20多种。

四、远东博物馆

该馆址在历史博物馆前方，实际也可说是历史博物馆所属的一个部分，馆由汉学家高本汉领导。楼上下共有陈列室五六间。我们详细参观了馆里的主要陈列中国文物部分。陈列以年代顺序为纲，分类陈列着中国古代文物，仰韶文化遗物一大批是安特生运去的，齐家、半山、马厂、辛店、寺洼、沙井各地出土品都有，并有墓葬出土人骨和随葬品的复原陈列。商代有青铜器、雕花白陶、石刻、骨刻多种。周代青铜器更多，按容器、兵器、车马器、杂器、镜鉴、带钩等分类陈列。辉县出土漆花铜环木棺是较大的东西。北方系铜器（即所谓鄂尔多斯式或绥远式铜器）陈列的也不少，计有：容器、刀、剑、兜鍪、各种各样鸟兽斗争饰版及杂器等。唐代以后多陶俑、陶瓷器等。这个馆出版的馆刊，已有28册，是有系统地研究中国文物的刊物；另外，也印行有小型图录。参观群众不太多，它是一个具有专门性质的博物馆。听说他们最近又计划把国内的中国文物集中起来，成立一个中国博物馆。

五、人类学博物馆

在斯德哥尔摩市东郊，邻近技术、海军博物馆，已有50多年历史，过去一个时期由斯文赫定领导，现在馆长是孟太尔先生，他们都曾到中国来过。

从这个博物馆可以初步了解世界各民族的文化。该馆有三层楼房两座，极为宽敞。收藏有非洲、亚洲、美洲、欧洲各地有关人类学的材料，也使用了不少考古材料。其中属于中国的有汉族、满族、蒙古族、藏族部分，也有日本爱奴（虾夷）、朝鲜、印度的文物。美洲的有加拿大、阿拉斯加、墨西哥、古巴、秘鲁、印加、玛雅各种族器物。因材料很多，不能全部展出，所以常常调换陈列品。现在陈列的中国资料计有：汉族、满族、藏族、蒙古族方面的生活器皿、生产工具、宗教信仰、生活方式、艺术创作、建筑样式、游艺种类以及日常衣食往行的细节等。陈列方法多种多样，有的用实物，如农业工具、手工业工具等；有的用模型，如承德喇嘛庙、满族家庭生活等。模型和复原陈列部分是大型布置，或陈列实物蜡像用灯光照明，使观众从一窗观览。有的用图画或几种陈列方法组成一个陈列。斯文赫定在新疆发掘出的文物，准备不久将和印度文物一同展出。这些出土物中有新石器时代石器，塑像残件、汉晋简牍、纸绢墨迹、丝织品、壁画残片、铜器、雕花木器残件、货币、玻璃、玉石饰品等数百件（多见于斯文赫定所著"楼兰"一书中）。据馆长说，馆收藏有中国历代官、私印300多颗，但尚未进行研究整理。该馆出版学术书籍不少，关于中国的有"新疆考古""蒙古石器时代""新疆地质""楼兰"等，其他小册子、画片、图片等也有几十种。

六、豪尔乌尔遗宅博物馆

这是一所私立近乎艺术性的博物馆，在斯德哥尔摩市中心区，原是贵族豪尔乌尔住宅。豪尔乌尔生前收藏各国武器和艺术品很多，死后其夫人继续搜集。最后把所有房产和收藏品全部献给公众（折合时价7万英磅），辟作博物馆。住宅宽敞华丽，三层楼十几个大小房间摆满了文物。所收文物有各国武器、陶瓷器、雕刻品、小玩具等；绘画多17世纪作品，荷兰画占大多数。中国古代文物约千件上下。陶瓷器有殷周绳纹灰陶鬲，汉魏自然灰釉高温硬陶，老越窑青瓷，北朝灰青、灰黑瓷，唐三色釉器和白瓷器，宋元以来的瓷器较少精品。青铜器多是安徽寿县一带的出土物，青铜器多小件，共350余件，有殷周秦汉各种兵器、车马具、铜带钩、铜镜、灯盏、簪环、杂器、嵌件等。铜镜中有一批是由日本古物商中山商会买得，传出土于朝鲜，所以定为朝鲜王氏高丽时期文物，实际是金元时期的中国东西。这个私人的博物馆印有和原物差不多大的全部藏品图版目录，极为豪华。可惜精品较少，参考价值不大。馆也印行各种说明小册和图片、照片等。

七、尤金王子画廊

这个绘画馆在斯德哥尔摩市内一个小岛上，在斯康生露天博物馆东方约1公里。原为尤金王子住宅，王子死后葬在附近，宅园就原样保存下来，作为一个向群众开放的绘画馆。王子是瑞典较有名的画家，生前搜集的近代欧洲绘画数百幅，雕刻品数十件，连同他的生活家具、器皿、服玩、画具及作品和半成品、壁画等都布置在两层楼中。陈列布置得很精致，各室的处理都各有特点，多种多样。馆址在一小岛南端，岩石和树林中小径互通，雕像、花坛点缀其间，景致幽美，夏季参观的游人最多。出版有说明小册和画册、画片多种，参观人可以任意选购一辑或一片，极为方便。

八、夏宫中国宫

瑞典国王避暑的夏宫在斯德哥尔摩市西郊的一个小海岛上，宫蓼规模很大，建筑华丽，内外有大群铜、石雕像。周围有树林、花园、喷泉等。因为国王不常来住，所以对群众开放。有一组建筑据说是仿照中国样式造的，叫中国宫。这座宫殿，左右两长廊各通一方亭，实际很不像中国建筑。其中的装饰陈设器物等多是中国产品，但也有仿制品和日本器物。陈设品年代大体在清嘉庆、道光之间，有不少清初瓷器。有作清代装束的彩塑泥人大小多种，高达0.33米以上，造型设色都精致美观。还有着绣衣靴帽高1米上下的清

夏宫中国宫内部情况之一　　　　　　　　夏宫中国宫内部情况之二

代男女人型。玻璃画多小幅，其中作乐女子半身像多幅，画得极生动。壁上用的绢地五彩通景壁纸，画百鸟朝凤和花卉图案，都是民间流传的作品，国内很少见到。这些都是研究清代中前期民间艺术的贵重资料。该宫也印有说明书和多种照片出售。

九、斯康生露天博物馆

该馆在斯德哥尔摩市中心偏东的一个小岛上，与北方博物馆、尤金王子画廊和国立大马戏院邻近。这个露天博物馆已有七八十年的历史，是这类型博物馆的创始者，也是斯堪的那维亚半岛上最大的一个馆。该馆把国内各地最典型的农庄、小农住宅、各种手工业作坊、商贩市场、教堂等原模原样地迁移到馆内集中保存。馆占地很多，陈列内容极丰富，总计全馆共展出了187个项目。这些原状复原在几平方公里的山岭林木之间的大小建筑，连带着生活器皿、生产工具等，可以活生生地看出当时农村的经济生活和精神生活面貌。在一进馆门就可以望到教堂和钟楼尖塔，接着是三座高大的风磨磨房。西面走入小巷尾是一家保持古代传统的手工业玻璃作坊。一座古老的木叠大房后，堆满了大大小小上千的烧黑了的木质玻璃器范。屋内煤炉两座，一家老少男女五个人正在创造玻璃器；两个工匠、一个辅助工、一位女人卖产品，另外还有一个小孩子。产品多旧式壶、瓶、杯、碗、小玩具等。买票后可以入内参观，也可以当场买玻璃器留作纪念。继续向前走可以看见好几座规模不小的地主庄园和低矮的小农住居群。富有者的宅院，内外部都富丽堂皇，穷苦农民都是小木房、木窝棚、露天石炉灶，形成了一个强烈的对比。在这里还看见了一位画家的住宅和留下的遗物。小市场和工商业小巷的当中，有一座古老教堂。院门左边摆着铁的布施箱，门右有带锁链的铁手栲和木脚栲。不用再进教堂门，你就完全可以知道当时宗教僧侣是作什么的了。看完这些陈列以后，可往北部和东部看动物园。园中有各种禽兽，也有牛圈、羊栏和鸭池。特别有趣的是瑞典北部物产的扁角驯鹿、白熊和海豹。

斯康生露天博物馆农民宅院之一角

斯康生露天博物馆
雕版印刷作坊

斯康生露天博物馆地主宅内之一景

园中畜养的野鸡、野鸭、孔雀、松鼠等小禽、小兽已习见川流不息的游客，能够"招之即来，挥之即去"，人们对它们也非常爱护。在小道上走的时候，会不经意地见到几座有石碑的木墓，也能看到水车和风磨。几尊古老的铁炮陈列在面对海上的崖头。在一家农民宅院的木篱旁排列有很多大石块，细看才能知道那是瑞典出产的各种矿物标本。在入门不远处有一座民族音乐厅，每逢星期日在这里演奏瑞典民族传统的乐曲和表演民族服装的舞蹈。附近有茶店和食堂，出售典型的瑞典饮食，男女侍者都穿着色彩鲜艳的传统的民族服装，在一定的季节里，这里按照瑞典传统习惯举办一种赛会，会上有各种有趣味的活动。几台自动收费的大型望远镜，置在高敞的山头，投费后可以自由眺望。儿童游艺场在馆门里的右方，孩子们可以骑象、骑马、坐古老的小火车，冬季坐驯鹿牵挽的雪橇和各种有趣的活动。馆内有邮局、银行、公共汽车站、租车场。门门售票处出售带照片和地图的各种文字的说明书。这个有趣的博物馆，不但很为斯堪的那维亚各族人民所喜爱，据说最近西欧各国也风行仿效这种博物馆的兴建。

十、芬兰赫尔辛基国家博物馆

该博物馆在赫尔辛基市中心区国会大厦附近，它已有50多年的建馆历史。馆址是一座有方尖塔的大楼，是赫尔辛基著名建筑之一。门首有黑熊雕像，庭园花圃中有该馆创办人铜像。楼内大厅画芬兰史诗壁画，附有各种雕刻。馆内共有陈列室64间，陈列品以芬兰的为主，有考古资料、中世纪史、民族文化三大部分。考古部分由公元前7000年的打制石器起，有新石器时代、铜器时代、铁器时代的各种质料的发掘品。也陈列一部分西伯利亚出土的所谓北方系青铜器，夹杂有中国唐、宋时代的铜镜、带铐等多件。他们在这一部分中很注意各个不同时期人们的生活改进、技术发展和艺术创造等成就。陈列的办法和瑞典的几个博物馆的特点是相同的。中世纪史以宗教文物为多，贵族的生活用品较少。最好的要算民族文物部分，凡是芬兰的农民、

芬兰赫尔辛基国家博物馆

牧民、渔民和各族的生产、生活、习惯、风俗、服饰、玩具等，都按地区系统地加以陈列说明。农民住宅作原状陈列，衣服、首饰品用等身大的蜡像陈列，家具用成套的复原陈列，并作成一个由古到今的演进系列。陈列室采用灯光照明，柜架相当讲究。博物馆出版不少专报和多种图片。这个博物馆和赫尔辛基大学历史系有密切关系：博物馆考古工作负责人兼任大学历史系教授；大学历史系主任人类学工作者又兼负指导博物馆民族文化工作的责任。这种灵活办法，在专业人员少的国家是很合适的。该馆正有计划重新建一座新馆，据芬兰教育文化部长说，现正考虑究竟是建一座大馆好，还是建几座小馆好。虽然建什么样的馆尚未决定，但可以肯定新馆的规模一定是比现在的大。

十一、赛欧拉沙里露天博物馆

该馆设在赫尔辛基市西海湾中的赛欧拉岛上，有长桥与市街相连，创建已50多年，现仍继续发展。据说这个露天博物馆是仿照瑞典斯康生博物馆的形式创办的，把芬兰各个不同地区的农村住宅及一切生产、生活设备，集中地重建在这里。计共有庄园、宅院、小木房群等十几处，规模很大，它具体生动地表现了芬兰封建农村的面貌。其中有地方庄园、牧师住宅、小农木房、木椽窝棚、农村教堂、风磨、望楼、门楼、船棚、坟墓、路表等。地主庄园中备有寝室、客厅、厨房、儿童室、小姐室、工作室。东西厢或分别建有长工住室、库房、造酒场、磨房、面包房、沙乌拉浴（芬兰浴）室、马厩、牛圈、猪舍、羊栏、工具室，附带有桔槔井、木柴垛、木篱笆等。房屋中都原模原样地安排着桌椅、柜橱、炉灶、锅、壶、杯、盘、刀、叉、床帐、陈设、被褥、衣服，以及纺车、织机、农工器具、风俗宗教琐细物品，无不完备。小农多是木房一间，内容简陋，和地主庄园显然不同（导引人员说，大型的极典型的庄园多就原地保存）。各宅院都有人经营说明，并出卖说明书和照片、图片。此岛远离闹市，古松茂密，红天竺成林，远望可见芬

赛欧拉沙里露天博物馆地主庄园一角

兰湾的岛影船帆，宅院木房都错落在岩山坡脚之间，通以两侧花草纷披的曲径，风致极为清幽，所以四季多有游人。星期日游人更多，特别是学生多集体来过农村生活。在夏季也有人在博物馆的教堂中举行婚礼。赫尔辛基市民对它的喜爱是可想而知的。

十二、农业博物馆

农业博物馆在赫尔辛基东北部旧赫尔辛基城附近的海湾旁，为赫尔辛基大学农学院所经营。建馆的目的在为教学参考和学生研究，所以馆址远离市中心，靠近农学院。馆有50多年历史，馆址是25年前修建的一座中型楼房。楼房虽为新式建筑，但却采用了芬兰农村木叠房子的传统形式，甚至木板门、门环、铁锁都是古老式样。馆东小山林木，黄紫秋花，远与农村相接。西有苗圃和海岸芦塘，隔海与赫尔辛基相望，环境很好。室内是按芬兰各个不同地区的农业工具类别、运输工具发展、农村手工业情况、经济关系、耕作方法、土壤、气候、作物改良、分布等分别布置的。由最古老的伐树烧荒、松土犁地耕作开始，直到后代，都用各种原来的农具在大地模型上表现陈列出来。凡耕种、除草、肥田、割草、收获、打场、收存、加工等工作无不齐全。此外如农村的造酒、纺织、木工、铁工、制油漆，以及各种手工艺如筐笼、毡呢之类的制造工具和成品，也有陈列。交通工具，可看出由拖架、板轮车、辐条车发展而来；独木舟、舢板船、小艇和雪橇陈列也有多种，并且都能明显地看得出地主和小农生活上的不同。房屋陈列有大地主贵族的、小地主富农的、小农的三个。在贵族兼地主的物品中有一种指挥杖形的雕刻木杖，刻有花纹标帜或图案，杖内有小空腔，用装信令之类文件通知他的佃农或农奴，这是他们一种权力的表示。又有一种穿系成组的长短木条式合同，它的用法是地主存一半，发给农奴一半。农奴作一日工就在木条上刻一记号，年终对合同，看劳役是否服完。后来这种原始合同逐渐演进为以文字为主的契约书。农村铁匠作坊用原有木屋炉砧工具等作复原陈列，小屋内装有照明电灯。在实物陈列以外，采用了很多土壤、气候、农作物、农具使用、耕作法、房屋建筑、手工品产地等的分布图表，也有几个电光图表和不少照片及小型插图。标题和文字说明较简要。这些复杂的科学图表是在对群众开放的博物馆中看不到的。

十三、炮台岛陈列馆

炮台在赫尔辛基市南2公里的海湾中连接着的两个小岛上，南对芬兰湾海面，在海防地位上非常重要。创建于18世纪初，经历过几次海战，是芬兰有名的史迹之一，堡垒以岛上岩峰石崖为基础，用大块花岗岩筑造，高大厚重，曲折环绕两岛，中有石桥相通，堡外有兵舍、教堂、钟楼、船渡、纪念碑等多数建筑纪念物，规模十分宏大，修缮保护得也很整齐。有大小铜铁炮百余尊，较小的仍在古堡墙顶原来炮位上，炮口对向海面；巨大的附有部件和轮座，多陈列在湾口岸上（其中有一尊大炮是日本明治时吴港所造，有较长说明牌，可惜我们不懂芬兰文，不知何以在此）和堡垒四面墙脚下。参观人买票入岛，炮台上可以自由参观，但如欲进陈列馆参观时，须另买门票，办法很灵活。陈列馆系利用南面岛上古堡石屋一部分做成的。楼上楼下和廊路中，分别陈列着当时战舰上使用过的各种仪表、工具、枪炮子弹、将领照片、笔迹、遗物、海战图、有关的战争绘画等多种。规模虽不太大，但布置得很有系统，可说是个短小精悍的陈列馆。标题和说明书都很简要，并有说明员为观众讲解。人们可以在观览炮台之后，详细知道它的光荣历史，知道先人如何在此英勇地捍卫着自己的领土。堡外峰岩秀丽，各种常绿树和垂实累累的红色天竺树错落其间，磴道、花坛、草坪纵横宛转，像精致的花毯图案，远望又是海天一碧，浪花溅石，景色分外动人。这个古迹名胜文物相结合的小岛，是芬兰人和外国旅行者很喜爱的游览区，航艇每30分钟就往返一次，参观人终日不绝。星期日外地的参观团体更多，赫尔辛基市民有一些在此过整天野外生活的。

十四、赫尔辛基画廊

该画廊在赫尔辛基车站对过，和艺术学校在一起。馆舍是四层大楼，建筑雄大，立面装饰很华丽，是赫尔辛基市有名建筑之一。左右庭园有艺术家和人物禽兽等铜像多座。陈列室分占两层楼房，大厅天井有大型芬兰史诗壁画和各种雕像。陈列品都是19世纪以来芬兰艺术家的作品，有雕刻和绘画两类，看到的约计二三百件。绘画数量多，质量也较好，还有几位有国际声誉的画家的作品。雕刻品有木雕、石雕、铜像三种，近几十年的作品占多数。我们参观时，正赶该馆开"法国近代绘画特展"，陈列品数百件，多为印象派、立体派、象征派、未来派等各种新画派的作品。因为我们没有欣赏它的能力，也就看不懂。芬兰近年很流行这些绘画宗派，所以在赫尔辛基是常能看到这类东西的。在作品处理陈列上，基本上是绘画雕刻分别陈列，按年代先后处理，但也有时因地制宜地绘画中夹有一两件雕刻。采光主要用壁窗和天窗光线，不大量用电灯照明，与其他古物陈列大量用电灯不同。陈列有说明人员解说，馆也出卖该馆印制的各种画册、画片和研究书籍。

十五、阿拉比亚陶瓷厂陈列馆

陶瓷厂在赫尔辛基市北郊海湾旁，占地面积约180亩。建厂将近30年，是芬兰唯一的一个近代化的陶瓷厂，也是欧洲大型陶瓷厂之一，产品70％出口欧洲诸国。全厂职工有1500人左右，主要原料来自英国。工厂规模很大，我们参观了成型、挂釉、印花、雕塑、新品设计各车间，也看了烧成车间和陶瓷品陈列馆。了解到：这个陶瓷厂的机械设备半系自制品，半为入口货；技术上受德国的影响很深，也仿烧多种日本瓷；仿我国景德镇的半脱胎、玲珑瓷、窑变红、芸豆红、孔雀绿等釉色也还不错。动力主要用电力，一切较大较重的劳动多用机械。挂釉、喷釉有的半机械化，有的用手工。美术瓷品

阿拉比亚陶瓷厂仿照中国瓷制的玲珑瓷碗

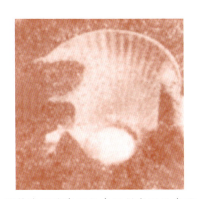

阿拉比亚陶瓷厂仿中国制半脱胎瓷碗

227

的描画、雕刻、塑造、堆贴、花饰等都由专业工人用手工进行。烧成窑系隧洞式，窑洞中铺设铁轨，车上设耐火砖柱和砖板构成的高架，可以装列大小瓷坯。烧成车推进空气室，逐渐前进，约经30分钟的烧成，即由窑室另一端出窑。这样川流不息地装窑出窑，烧成得很快。瓷器有一次烧成各色釉色的，有成品加花加金再烘烤一次的，也有先烧素胎然后挂釉或加花再烧的。陶瓷陈列馆的陈列面积很大，包括日用陶瓷、美术陶瓷、卫生建筑、医疗理化陶瓷等约数千件。陈列品以该厂历年产品为主，也有一部分外厂瓷品和芬兰产的玻璃器。展品由质料上看，有陶器和瓷器两类，从用途上看，有日用器皿、美术陈设、特殊陶瓷三种。釉色种类很多，有有光和无光的两类。陶器特点是多薄胎，制作精致。瓷器以仿我国的玲珑瓷和半脱胎器最为有名；脱胎瓷碗，其薄可透指影，玲珑瓷彼国呼为"大米瓷"，传说中国原用大米制成，故名。其他仿制我国的窑变红、芸豆红、孔雀绿、建盏、吉州盏、法花三彩、青花、五彩之类多略具形似，但在技术方法上已有一定成就。他们并把古代江西吉州窑器常见的木叶贴花法推广使用在各种釉色的装饰美术瓷上，这也是值得注意的。该厂制出的各种壁饰瓷版、挂屏、瓷像和建筑壁面装饰等，都具有芬兰的民族传统特色。陈列用的柜架台座都朴素简洁，瓷品的陈列处理多以用途为组，成群成队地展出，有的还标出试制年月和作者。这虽不是一个面对群众的博物馆，但在芬兰陶瓷发展史的了解上是重要的。

十六、拉哈底城艺术馆

拉哈底城在赫尔辛基东北方约55公里，居民50000余，系新兴的一个城市，仅有50年的历史，但都市规划建筑都是现代化的，市内只铜石雕像就有15处，可见它是个年轻而美丽的城市。该城有三个博物馆：历史博物馆正在筹备，民俗博物馆还不健全，只有艺术馆久已开放。该馆有陈列室六大间，陈列品仅绘画、雕刻两种，多18、19世纪以来芬兰人作品，外国作品很少。陈列的绘画不到100幅，多中、小幅，油画最多，有不少19世纪芬兰名画家作品。其中有苏联大画家列宾的小幅油画和水彩人物画稿两幅，很受重视，雕刻品比绘画少，也多小品。该馆9月曾举办了一个小型中国艺术展览会，展品百余件，都是芬兰现代版画家杜赫格先生去年访问我国时的搜集品和中国朋友相赠他的纪念品。计有战国、汉瓦当，汉画像石、空心花砖等拓本，清版《芥子园画传》，荣宝斋各种版画，也有清代刻花铜炉、端砚、礼墨和近代雕漆瓶、白玉炉、竹根酒杯、芙蓉石雕刻人物像等多种。这个特展在去年9月16日开幕，开幕典礼很隆重，邀请我们远道来参加，杜赫格先生也很热心地亲自前往。开幕时有拉哈底市副市长亲自参加，共有文化、艺术、新闻界人士40余名，该城艺术协会主席致开幕词，唐兰同志在会上也讲了话。这个特展的规模虽不大，内容也较差，但却很能引起芬兰人民的重视。在招待我们的宴会上，艺协主席和博物馆馆长都表示愿搜集一些中国古代艺术品在博物馆中陈列，请我们帮助他们实现这个愿望。同一天，在芬兰北部另一个较大的城市里，也举办了一个与此相似的中国艺术展览会。这都说明了芬兰人民对中国文化艺术的爱好和中芬友谊的不断增进。在几万人口的城市中，有这样一个艺术馆，它又能随时做些特展活动，已经不错了，若是历史馆和民俗馆相继健全起来，这个城市的博物馆事业的前途就更远大了。

十七、土尔库城教堂博物馆

土尔库城在芬兰西南端海岸边，是芬兰的旧首府，也是赫尔辛基以外最大、历史文化最悠久的都市。这座古城有各种不同性质的博物馆5所，限于时间我们未得参观艺术馆，古船博物馆也仅在旁边走过两次。这是非常遗憾的事。古尔库教堂在该市中心区河东，有1000多年的历史，经过后世扩建，规模是很大的。教堂内保存了原来的一部分，铺地石用的不少刻字古碑，也都加以保护。教堂的二楼是教堂博物馆，陈列了有关这个教堂发展的一些资料和文物，其中有模型、图表、宗教法器、仪饰、僧侣冠服、经帙、雕像等百余件。这里面包括了1000多年来的织染、刺绣、金银镶嵌、锻铸、绘画、镶刻等技术文化，各项陈列品都有或长或短的说明文字，任人参观。导引的芬兰朋友说，看他们的教堂就是看他们的历史、看他们的文化，这话是不错的。能利用这种宗教条件，给群众一些历史、技术和爱护文物的知识，也是个较好的办法。

十八、土尔库旧城博物馆

该馆在土尔库市中心区河东的一个小山上，是1927年土尔库大火灾仅存的一小部分市街，后来保存下来，做了一个博物馆。据说那次大火是斯堪的那维亚古今唯一的一次大火灾，把土尔库市街全部烧光，不得已才把首府迁到现在的赫尔辛基。这个大火没有烧掉的小街道，共存有完整的院落9个，不完整的院落7个，每院住有二三户到四五户不等。大都是手工业作坊和家庭手工业者的住宅。这个130年前的小巷，原模原样地摆在那里：低低的木板房、小板院墙和镶花铁件的木板门。天然石块铺的走道和台阶，一家接一家地拥挤在一起。从巷口望进去，可以先看到木柱上挂的方形路灯。也可以看到各户门首高高悬挂的皮靴、钟表、面包等各种各样生意的招牌。我们初到这条小巷里，几乎忘了它是一个博物馆。其中住户好几十家，主要的小商贩的手工业有：杂货铺、木匠、镟匠、印刷、装订、釉陶、织布、薄铁、金银器、钟表、彩花壁纸印刷、缝衣、皮鞋、面包等作坊。此外还有一些民宅和一个大学生的单身宿舍。每一户屋内都保持原样，外部有必要时就按原有形状和质料及时加以修缮。在杂货铺里摆着货架，货窗上面罗列着上百种的各样商品，屋梁上也悬挂着各种货色。账桌、钱箱、各种账本和账中记载的年月、货色、价格以及墨壶、羽笔，无不完备。屋梁上挂悬着大型天秤，柜台上放着五种大小不同的砝码。天花板上高挂玻璃灯罩，说明夜晚还在营业。金银器作坊的工作台上可以看到几百种大小不同的工具：举凡熔金、展板、拉丝、捻线、錾花、透刻、镶嵌、点翠、镀金等工序中必要的工具都有。只制造金银器用的内外花模型就有好几百件。产品的原坯、半成品

土尔库旧城博物馆外景

旧城博物馆杂货店一角

旧城博物馆木工作坊内部

和成品也都保存了不少。钟表制造作坊器具更多，砧、锤、锉、凿、刀、钻、钳、卡以及各种半机械、半手工的器具，多不知名称，有的极为细小。墙上、桌上有各种挂钟和座钟，柜匣有各式怀表。未完成的钟表零件如发条、牙轮、针、摆等数量更多。在一般民宅中可以看到：厨房里的面包炉、铁锅、食桌、杯盘等食器。寝室里有各种衣帽鞋袜和佩饰品，也有花毯和长绒毡；床帐、壁橱、桌椅、灯烛以及小孩子摇篮，也都位置自然。待客室多有刻花木椅、柜橱和暖炉，壁上挂有相片或玻璃画幅，烛台和座钟常常在一起。这些手工业作坊在一定的节日里，都有年老的老工匠来表演100多年前怎样制作釉陶器、织布、镟木器、印刷版画和书籍等等。仅举这几个例子，可以十分了解到这个博物馆内容是如何丰富，如何吸引人了。该馆印有成本的介绍说明书和图片，各院有管理人员兼为观众说明。这是一个受人喜爱的博物馆，也是一个善于利用特殊条件创建博物馆的典型。

十九、土尔库炮台博物馆

炮台在土尔库市西南端，大河右岸，面对土尔库港湾海面，地形极为重要。它有1000多年的光荣历史，经历过无数次战争，也有过修补和扩建。它是用大块花岗岩和石灰建墙，以烧砖为内壁，粗大木材为梁的长方形堡垒，高达6层，雄伟厚重，是土尔库最负盛名的古迹。近两年来正在进行修复上部，工程很大，也极为细致。修复是根据文献资料和它本身所余下的残迹以及参考同类建筑样式来进行的。壁画尽量保存，并保存了几处名人题字。为了一劳永逸，他们把原来木梁、地板等木质构造部分都换为钢骨水泥，但仍取原来形式，外用木板包镶，看来和原形无二。有的改为厅堂，梯道也加上扶栏，以便应用，这是一种较好的修复方法。在这个古堡中设有土尔库市历史博物馆，陈列室20多间，分别陈列有关土尔库市历史发展的一切资料。这些资料都分类按年代先后陈列，主要的有：历史人物、宗教遗物、生活器具、衣饰、织绣、陶瓷、雕刻品、绘画、建筑残件和少数考古材料；其中有

旧城博物馆制陶作坊内部

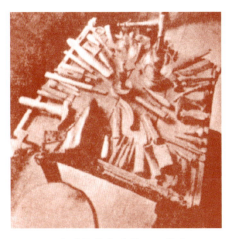

旧城博物馆皮鞋作坊工作台

不少是外国的输入品，也有一些清代初中期的青花和五彩瓷器。陈列品的布置比较密集，柜架朴素，是灯照明，标题解说也都简要。并发行图片、说明书和关于古堡的专篇论著。堡下层有茶点服务部，游客可随时入内休息吃茶。这个古堡中的茶点部使用的木桌、木凳、火炉、橱架、铁制花枝式烛台都是古代形式。女侍的明艳衣服也是17世纪土尔库城妇女们日常穿用的形式，真是古香古色，参观者仿佛是进入了古代的土尔库城。

参观了瑞典和芬兰的一些博物馆后，我个人产生了个几个感想：

1. 瑞典、芬兰博物馆中大多有外国文物艺术品的搜集和陈列，像瑞典人类学、远东、埃及三个博物馆又是专门搜集陈列外国物品的。因此想到我们若为了不孤立地进行中国历史研究，给大、中学校师生外国史教学上的参考，供艺术家，建筑师的创作观摩，把我国历史科学研究领域扩大，就有必要早日考虑成立搜集陈列外国艺术品的博物馆，或在有条件和必要的博物馆中，建立外国文物艺术搜集陈列部门。

2. 瑞典、芬兰的博物馆由形式、性质到内容陈列方法等，都是多种多样，不拘一格的。经营管理上有国家、城市、学校、工厂、教堂之别；形式上除一般博物馆外，又有露天、旧城、古船、古堡、炮台等多种，在搜集重点、主题表现、资料组织和美术加工等工作上，都各有自己的一套，其相同处有理所必然的道理，并非互相抄袭，有特点的也不是标新立奇、哗众取宠，又能抓紧一切有利条件和机会，因地制宜地发挥每一博物馆的优点和特点。

3. 在陈列展出上，他们一般都采取固定陈列和临时特展相结合的方法，来适当地解决陈列组织不能常变而群众又要求内容常新的矛盾。陈列方法多种多样化，也是解决这个问题的辅助办法。

4. 从他们的陈列资料具有很大的时代系统性、地域完备性和科学性，可以充分看出，他们的陈列展出是在有计划的考古发掘、资料搜集和科学研究的基础上完成的，这种有计划的发掘搜集研究工作，值得我们注意。

5. 瑞、芬两国对古代文物和古建筑保持工作非常重视，古堡、炮台在不断修缮，百八十年的一片里程碑要迁入博物馆保存，旧风磨、古钟楼都加以保护。现在我国农村不断发生破坏古墓葬和遗址事件，通都大邑也有拆除古代建筑和毁灭文物的新闻。过去北京市曾把西长安街两座保存完好的元代砖塔拆掉，这种砖塔若留在街心作史迹保存，可给北京市增加很大历史光彩，是全世界都市发展史上从所未有的好条件；但我们都市计划部门和文化部门却作了这样惊人的处理。不久前北京市又把景山门西明代一组好典型的建筑拆下，还不知将作如何处理。我们痛感到我国文物保护工作需要加强，大力宣传，防止破坏；不得已需要拆毁的也当慎重考虑，以免古代文物和建筑纪念物遭受不应有的损失。

（原载《文物参考资料》1957 年第 2、3、4 期）

博物馆事业和考古工作应该得到重视

　　考古学是历史科学的一部分，它为历史研究提供地下资料，也为博物馆积累陈列品，通过博物馆的陈列，向广大人民进行马克思列宁主义的历史唯物主义教育及一般科学技术知识和爱国主义教育。它们在我国社会主义文化教育事业中占有一定的重要地位。解放以来，在党和政府的关怀下，这些工作有了很大的发展，也取得了不少成绩，以我个人二十多年博物馆工作的经验来看，这几年来的工作成绩可以说超过了过去几十年的工作总和。因此，我完全相信党不仅能够领导革命胜利，也能领导好我们的科学研究工作。不要马克思主义思想指导和党的领导是错误的。但是，我们工作的现状远远落后于我国社会的大发展，距离党对于我国科学在12年内赶上世界先进水平的要求那就更远了。在这种情况下，一方面需要我们加倍努力工作，一方面需要领导的大力支持和帮助。但我认为领导上过去对这个工作的重视是不够的。主观主义、官僚主义、宗派主义的毛病也是有的。在这"百花齐放、百家争鸣"的时候，我对领导提出一些意见作为参考。也算我对党的整风学习，进行自我改造。大家动手来拆掉党群之间的墙。我的意见有下列几个方面。

一、对知识分子的信任问题

中国共产党从来对旧知识分子就很重视，帮助他们改造、教育，安排他们的工作，照顾他们的生活，可说无微不至了。但是有一点，我认为在过去做得还是不够的，那就是信任问题。一般知识分子对党所要求的不是高官厚禄、荣誉地位，而是把他们当作自己人，给他一些工作的条件，在党的领导、鼓舞下，发挥他应有的作用，给人民多做一些事情。也只有这样，才能加深他的主人翁感觉，发挥他的积极性和创造性。

党在这些具体做法上有时还很不够，有的知识分子待遇很高，但很少听他们的意见，在各方面不给他们以足够的信任，意思表现为"多给你钱，你就多做事，少管些别的事"。这样就给他们一种感觉：只有共产党员才是国家的主人，知识分子自己像是被雇佣的人。自然就产生了自卑感，有意见也不提，积极性就很少机会得到发挥。领导的官僚主义、主观主义、宗派主义的缺点也得不到批评。党群之间的深沟高垒也就筑成了。

我们单位过去这一方面的问题虽然不多，但也不是没有的。比如有些外宾来了，有些知识分子就不能去迎接，甚至于把一些人临时放了假，或请他们不要接近外宾的活动范围。四五年前还有过一位党支书检查知识分子私人信件的事情，在法律上可以说是一种违法乱纪的行为，已超出党领导职权以外。

以我个人来讲，中央文化部在1954年原计划让我参加博物馆代表团赴苏访问，当辽宁有关机关了解我的历史材料以后，不知什么原因，就没有让我去参加。那时我已被选为辽宁省第一届人民代表大会代表，我的历史材料经过审查，认为是合格的。此前我们单位的党支书也宣布过我的历史结论，也没有问题。我认为出国似乎是没有问题的，但却就这样莫名其妙地被取消了。在这一次以后我就感觉到党对我的信任还是不够的。当时在情绪上很有些波动，后来事实证明，这只是办事的人主观主义造成的错误。但在当时的影响是不好的。今后希望上级党和领导同志注意这一类问题。

二、上级领导对博物馆事业关心不够

近年来博物馆的事业虽有很大发展，但多在摸索中前进。我们感觉到自己水平低、力量薄弱，希望上级深入了解，具体帮助。但省文化局很少听取我们的意见或下来具体检查工作，因而我们得不到更多的指导和帮助。有时一年也不见局长到馆一次，甚至于科长也不来，也很少召集我们领导到局里商谈工作。党总支书记是什么样的人，谁也不认识。除了发生事故或者是中央有了特殊指示而外，省文化局领导从来没有和知识分子谈过知心话。在周总理作了关于知识分子问题的报告以后，文化局王力明副局长找各单位的知识分子谈了一个上午，但谈得既不够深，也没有解决什么问题。看起来好像是一种官样文章。

博物馆的研究工作是博物馆工作的原动力，它需要一定的图书资料和工作条件。我们馆现在图书资料很少，但现在全年图书购置费只有2000元，每月除订购报纸期刊及少数一般的新书以外，便无剩余。要想购买国内的大部图书和国外必要的书刊，就不可能。这样就给研究工作造成很大不便。过去研究员七八个人合室办公，工作条件很差，也影响工作。至于对研究员的生活照顾，也是不够关心的。博物馆家属宿舍很少，多数研究员的住房小、挤，有两家则是三代同堂。最遗憾的是有一位研究员，因为他爱人在某机关作医生，他家就住在那个机关的家属宿舍里，后来他爱人转到别的医院去工作，他因为无房可搬，竟被该机关诉之法院，法院几次找他去出庭受审，影响也很不好，今春这几位研究员的住房问题才由文化局代为解决了。

文化局的主观主义、官僚主义作风也很严重。现举一件事情来作例子：原辽东辽西两省各有一个博物馆筹备处，并省以后，合为辽宁省博物馆筹备处，分在安东、锦州两地办公，二三年来举棋未定。大家情绪消极，没有事情做。1956年夏局里决定将这两个筹备处并入东北博物馆，并拟将历史艺术性质的东北博物馆改为地方志性质的辽宁博物馆。但这样重大的事情从没有向东北博物馆人员透露过消息，两个办事处人员也都不知道，更没有向专业人员征求过任何意见。直到中央文化部召开全国博物馆会议时，我和东北博物馆张馆长随同省文化局戚副局长赴北京开会途中，在火车上才把先已印成的改革方案给我们看，据说是征求我们的意见以便在会议上讨论决定。我们明明知道这种办法在我省博物馆的发展前途上是不够合适的，而以东北博物馆藏品、研究人员及设备等条件改为地方志博物馆更不恰当，但事已至此，我们也就很难发表什么意见。幸而在会议上大家都不同意这种办法，才没有实行这个方案。我认为这种工作作风是应当改正的。

三、对文物工作不够重视

我省对文物工作不重视表现在以下几个方面：

第一，全国除极个别边远省份以外，各省都设有文物管理委员会，专搞文物保护清理工作。文管会多至近百人，少亦一二十人，下有考古队等组织，专门负责基本建设中的文物清理发掘工作。有的省文化局内设有文物科。在古文物分布比较集中的地方，如河南洛阳，则同时有好几个文物机构在那里工作，其中仅由省文化局领导的文物队第二队就有队员数十人。而我省基建规模如此浩大，各处文物破坏的事情屡有所闻，我也几次向省文化局领导建议成立文管会，中央文化部也同意我省成立，但几年来始终没有解决，影响了文物保护工作的全面展开。

第二，文物工作队被看成可有可无的机构。

我省仅有的一支文物清理发掘队伍——东北博物馆文物工作队，不但没有逐年壮大，相反地是日渐枯萎。我省几年来基本建设全面开展，水利工程也正在大规模地进行。文物保护清理工作的要求越来越迫切，在这种情况下，文物队的业务人员却由十四人减至九人，经费也逐渐缩减。这就造成了人少事多、工作质量粗略，野外发掘还顾不过来，更无余暇进行室内整理研究工作。工作人员水平的提高，新生力量的培养就更成问题。这种种矛盾都不好解决。另外对队员的安排也很有问题，有时把编余和病弱、没有地方安插的人不管他对这个工作是否合适或有无兴趣就往文物队送，领导上简直把文物队看成一个可有可无、杂乱无章的地方。

第三，文物遗迹不断遭到破坏。

在这种对文物工作不够重视的情况下，势必造成大批重要的文物遗迹的被破坏。现举几个例子：

在西丰县姜家街西岔沟有几百座可能是属于匈奴族的墓葬群，这是中国从来没有发现过的研究匈奴文化的重要材料。当地农民为了挖掘金质首饰，竟把几百座墓群全部破坏，掘坑几百个，土地被翻了几遍，几百农民在那里不停息地掘了一年多。有时夜以继日，点着蜡烛挖掘，卖零星食品的小摊贩聚成闹市。这种惊人的大规模的破坏是前所未闻的。在破坏开始不久，该县畜牧场场长李柏梁把情况反映到省文化局，局里却并没有派人去，不久县里又来人汇报这个情况，并带来一部分文物，局里也未请专人鉴定，仍未派人前往，遗迹就遭到了彻底毁灭的厄运。（详见《人民日报》1956年11月30日7版孙守道文）博物馆研究人员去西丰县看到了这个遗迹被破坏的情况以后，很惋惜和愤恨，向省文化局作了汇报。施局长竟说："这样破坏没有什么了不起的。"我们认为一个省的文化事业的领导对这事竟采取如此不负责任的态度，对文物保护工作是不利的。此外，凌源县三家子有辽代墓葬破坏拆毁，建平张家营子、朱碌科，新民巴图营子等地辽代墓葬遭到了破坏，文物受了损失，辽阳县南雪梅汉魏壁画墓，岫岩马厂沟壁画古墓，北票县北朝墓也都遭到了破坏。最近省人代会敖代表发言中也说到了"朝阳县关帝庙的文物和凤凰山上的三座辽塔和汉白玉观音像也都受到损失，应加保护"。

由于省文化局对文物保护工作不重视，市县也就更不重视。并且对文物法令政策的认识也很模糊。我们到西丰县县委联系回收被居民掘出的文物时，负责人竟说，"你们应该给百姓钱，你们自己掘不也要花工钱？"北票县文化科则有人说："可否把农民掘出的金质文物变卖，用作县文物普查经费？"由此可见他们对文物工作的认识是何等错误了。此外大伙房水库淹没区分布有不少墓葬和遗址，按惯例发掘费应由水库工程局供给，但该局借口节约，不给这笔经费，省文化局、抚顺市文化局几次向他们联系，现却还在扯皮，未得解决。如果这些遗址墓葬不能及时清理，水库放水以后可谓冤沉海底，永无翻身之日。这些事情都反映了我省很多有关机关单位对文物法令的执行是很差的。

（原载《沈阳日报》1957 年 6 月 3 日）

文物研究

沈阳清故宫卤簿仪簿物小记

卤簿之称，创始于汉，其名称由来，说法不一。或谓卤者大盾也，乘舆兵卫，以甲盾为外卫用备前驱，其次第数量，皆注之簿，故有是称。此一说也。或谓卤者盐也，天子驾出，以卤水洒路清尘，武卫仪从之，记注以卤地为始事，故称卤簿。此又一说也。君之车驾之导从仪卫，本在防范不虞，故出警入跸，翊卫极严，卤盾之说，较近事理。且卤地清尘之说，诸史无文，殊不足取也。卤簿不啻为君主居行之卫队，虽有大驾、法驾等大小规模之不同，历代损益因革之微异，而其内容组织，不出下列4种。

一、为五辂、车舆、导从各车乘属之。

二、为武术、锁弩、弓矢、刀盾、戈稍等各队属之。

三、为金鼓、锣鼓、号角等乐队属之。

四、为仪仗、扇、盖、幢、幡等仪物属之。

其为用也，乘舆出则武士先驱，仪卫后从，卤簿队内，比之禁中。常朝或朝会，则陈列于殿庭。古谓之充庭，后世谓之陈设。驻跸之行在亦然。唯天子外出，恒视仪性质之轻重为隆煞，故有大驾、法驾之分。且君主家族，以及王公百官皆有之，不过礼示尊卑，递次减等而已。

此种封建时代遗物，今日观之，本无再顾之价值。第以君主政体结束，此种事物不能再有，故清代卤簿实为二千年来最后之遗存。吾人今日并不惜此种古物之不容，实觉历史遗物之可贵。此清代卤簿仪物在历史文化上，殊有其特殊可贵之理也。

一、清代卤簿制度

清制，皇帝卤簿分为四等，大驾、法驾、鸾驾、骑驾是也。大驾卤簿用于朝祭，行驾仪仗用于巡行皇城之内，行幸仪仗用于时巡省方。又稍革前代典制，天子外不得称卤簿，故皇太后、皇后前陈设者曰仪驾，皇贵妃、贵妃前陈设者曰仪仗，妃嫔陈设者曰采仗，亲王至品官、公主、福晋至命妇曰仪卫。

乾隆一代，国富民丰，木兰行围，四方巡幸，登泰山，上五台，屡访江南之烟水，数巡东北之旧京，奢大铺张，不知底止。故于十三年十月论曰：“古者崇效飨则备法驾，乘玉辂，以称巨典。国朝定制有大驾卤簿、行驾仪仗、行幸仪仗，其名参用宋明以来之旧，而旗、章、麾盖，视前倍减。今稍为增益，原定大驾卤簿为法驾卤簿，行驾仪仗为鸾驾卤簿，行幸仪仗为骑驾卤簿，合三者则为大驾卤簿，南郊用之，方泽以下，皆用法驾卤簿，五辂均仿周官及唐宋遗制，金、玉、象、革、木，各如其仪。乘用自今岁南郊始，光昭羽卫，用肃明禋，谕所司知之。”（据《清会典》卷五礼典嘉礼五）

此谕虽称“稍为增益”，实际大驾改用前朝三驾卤簿之全数，将旧制卤簿各降一等用之，实增二倍以上。言行未符，可见其虚饰增华，以崇祀明为口实，而自尊奢大之伪迹。概括为表，以见其实。

乾隆十三年改定卤簿制度表

	旧制	新制	用途	新制大驾卤簿之实
1	大驾卤簿	法驾卤簿	方泽以下祀用之	
2	行驾卤簿	銮驾卤簿	省方巡幸等用之	统三驾为大驾用于郊天
3	行幸仪仗	骑驾卤簿	同上	

所定四驾卤簿之概数，大致可想而知。兹举大驾略数以见其余。

大驾卤簿玉辇一乘，玉金象革木辂各一乘，为辇辂者六，拂尘、提炉、香合、盥盆、唾壶、水瓶、马杌、交椅、红灯，属日用物者十八事。仪刀、鞭豹尾枪、殳、戟等一百三十八为武器导盖，曲盖、翠盖、龙盖、芝盖、华盖五十九，方伞八，扇有双龙、单龙、寿字、孔雀雉尾、八銮等，为数七十六，长寿、紫霓、羽葆，为幢者都为十六，幡十六事，有信、绛引、豹尾、龙头杆四种。教孝、表节、明刑、弼教、行庆、施惠、褒功、怀远、振武、敷文、纳言、进善，为旌者二十四。八旗戏骑、前锋护军等纛一十四。五彩金龙纛四十，黄龙大纛二，为纛者计六十六。瑞禽、灵兽、四神、五岳、四渎、五行、八卦、云雷日月、二十八宿、出警、入跸、门旗、金鼓、翠华、五彩、金龙、小旗等，为数百四十一。金节四。仪锽氅四。属古典仪饰武器者，钺十六，星十六，卧瓜十六，立瓜十六，吾仗十六，御仗十六，引仗十六，数凡一百零二。静鞭四。宝象五、导象四，仗马十匹，为兽者十九。计其事物之总数，为七百零一。卤簿车驾、仪仗、金鼓、号角之制造，设有各局专掌，初归工部营缮司，顺治十八年改归工部都水司。凡遇制造修理，该部差官监督，依式成造无备，进送銮驾库收贮供用。其器仗大小、材质、色彩、文饰、做法，均有定制。四驾卤簿，各有不同。工部定有"乘舆仪仗做法"，乾隆定有"皇朝礼器图式"（今日均有刊本）。故制造必依式合法，不得忽略草率。其工以木作为多，雕镂致饰，百物象生，工多细巧精致。次为织绣伞盖、幢、旌、幡、旗、氅、纛之属，均以五彩金、银、绢、绣为之，针绘描，艺文碎彩，章饰天成，工料之费，颇为巨数。次为金铜，次为髹漆、宝玉、翠羽，则属点缀而已。凡此诸点，在工艺美术上观之，甚可珍贵。盖当时既为皇帝法物，选工择料，各堪代表一艺之精。非可与民间零星故物等量齐观也。

卤簿车驾仪仗之使用，专由銮驾卫奏请，指挥陈设行用，其经营管理，各有专司：

1.左所銮舆司训马司，执持进退，各有专员，经管辇、辂、轿、舆驾马匹。

2.右所擎盖司弓矢司——经管伞扇、刀、戟。

3.中所旌节司幡幢司——经管幡幢、小旗、龙纛、金钺、杖马。

4.前所扇手司斧钺司——经管扇、拂、炉、瓶、盆、合、机椅、星、杖、静鞭、品级山。

5.后所戈戟司班剑司——经管禽兽、四神、五兵、四渎、二十八宿等旗、立瓜、卧瓜、吾杖。

6.训象所东司西司——经管宝象、引象、贴金宝瓶座。

7.旗手卫司右司——经管金鼓、号角、钲板。

卤簿车驾，执事官校尉等员额大致如下：

1.亲军74名——司执豹尾枪、方天戟，佩撒袋大刀，服衣帽鞍马。

2.请桥校尉368名——司轿舆诸事，衣红衣绿带，帽加铜顶，插黄翎。

3.执驾校尉286名——司机、椅、炉、瓶、灯、拂之属。红衣绿带，青帽铜顶，黄翎。

4.上三旗蒙古号手30名——司吹蒙古号角。

5.左右中前后五所校尉1843名——司请辇（信按、运辇、抬轿、扶轿之类），执驾各差。

6.训象所喂象校尉232名——司喂育仪象。

7.旗手卫校尉428名——司请辇、执驾诸差，衣红衣绿带，青帽，铜顶，黄翎。总计3261员名，再加扈从王公百官诸执事、亲军卫士、帐幄牛羊食物供顿诸给役、地方官员乡约之属，其动员为数之大，真超过所谓千乘者矣。至若省方巡幸水陆之资、辎重日需行宫官舍之铺陈、沿途尖顿之调备、随驾内官之要索、土方长吏之奉迎、消耗地方财力，至为可观。自谓升平之象，实伏破败之机，有清国势之衰，此亦一因也。

二、沈阳清宫卤簿仪物之一斑

沈阳清故宫卤簿仪仗法物之用，当在太宗朝。盖清太祖以女真渠率，受明羁縻，握东边山林生产之富，得抚顺马市交易之利，恩结同气，武威别部，先收东海诸族，继灭扈伦四国，北结三卫蒙古，南与朝鲜委蛇，本部统一，邻交渐睦，羽翼既成，衅明起事，势所当然。以雄悍族游猎之长技，济以山川要隘军事地理熟谙之便，萨尔浒一战，40万明军四路败衄，开大清统御中原200余年之基础。故太祖一生，注全力于内外诸军事，虽建国称元，即位告天，而以光复大金为口实，仍未敢公然轻慢朱明宗主国之地位。按老城宫室之遗址，不异东北农村大户一院落，辽阳东京城址，较之太子河西都司城郭之规模，悬如天壤。盖草创之始，具体而微，卤簿仪饰之虚文，不遑讲求。则太祖朝11年中史无卤簿、法物銮驾之记载，当以此故。及辽西败绩，伤愤而死。太宗继位沈阳，化家为国，始有图大之心，举凡朝仪礼法，均以《皇明会典》为准，自无文采，引用汉人，学步大国，亦事理必至者。故太宗于天命十一年九月嗣位告天，受贺"具法驾设卤簿"为清代之仪饰虚华者，仍甚简略，其时天子卤簿，以史无明文，其详不得而知，观其所定京官仪卫，叮略窥其实况，《大清会典·礼制下》曰："凡京官仪从崇德间定，固伦额驸，彩画云红伞一柄、豹尾枪二杆、旗六杆、红杖二杆，其执事人役、青衣红带、青毡帽、银顶，上插红翎，城内止排伞杖；超品公和硕公主额驸，金黄伞一柄、豹尾枪二杆、旗六杆，城内止用夜不收二名、后随人十名；民公郡主额驸，金黄伞一柄、豹尾枪一杆、旗六杆，城为止用夜不收二名，向随人八名；都统精奇尼哈番、尚书、县主额驸，金黄伞一柄，旗六杆，城内止用夜不收二名，后随人六名；内大臣、大学士、副都统、护军统领、前锋统领、侍郎、郡君额驸，旗六杆，城内止用夜不收二名、后随人四名；一等侍卫、护卫、参领、前锋参领、县君额驸、学士、满启心郎、郎中，旗四杆，城内止用后随人四名；二等侍卫、护卫、乡君额驸、佐领，汉启心郎、员外郎，旗二杆，城内止用后随人二名；三等侍卫、护卫、军校、主事以下官员，许随从一人。"

崇德旧仪简素至此，且伞以彩画，旗无文饰，豹尾一枪，原非古典，推其原始，不过随俗成礼，略备一制而已。百官仪定制如此，天子大驾，理亦甚简可知。

顺治际，中原鼎沸，借助明讨贼之机会，却据禹甸四百州之疆土。正位有明旧京，做中国最高领主，紫盖黄旗，心随战车步骑而西，盛京故宫所存大驾法物，必为破旧残余，或简陋不足以示人之一小部分而已，顺治三年、六年、八年、九年，康熙元年、三年、四年、五年、七年、八年，虽历有增益，渐趋繁缛，然盛京旧内，迄无再整法物之文。康熙三次东巡，省方谒陵，雍亲王一次代谒祖陵，皆当以行驾仪物往复相随，亦无留置故宫之理。雍正一代不兴土木，亦无巡幸谒陵之典，是盛京旧内所存卤簿法物，自清帝入主中原，迄雍正之末，有损无增殊为昭然也。

乾隆一代，国内升平，四邻宾服，恣意游乐，尤喜文饰，十三年更定卤簿制度，不守家法，肆意增益（已见前引大驾卤簿）。故南巡北狩、拜山谒陵、牙羽车骑、扈从兵卫之盛，为旷古所无。雍正六年，虽定盛京文武百官朝贺照在京文武级序班，实不过年节万寿望空拜而已，大驾卤簿仪仗，礼不得有也。及至乾隆四十八年，始定盛京朝贺章服，详定仪注。清《文献通考·王礼考二》引第四次东巡谒陵奉安册宝前之上谕曰：

"此次前往盛京遇陞殿庆贺行礼，所有随从王公大臣，具着穿蟒袍补褂，毋庸携带朝服，其盛京官员一著一体穿蟒袍补褂行礼。至尊藏册宝行礼时，亦并著蟒袍补褂。"续为盛京朝贺仪注曰：

"盛京朝仪：皇帝至盛京，扈从之王公各官咸朝服豫至大清门候驾，入陞崇政殿赐茶毕，皇帝入宫，各退。——右恭迎圣驾入宫。

次日旦陈法驾卤簿于崇政殿前，陈中和韶乐于殿檐下二层阶台下之两旁，陈丹陛大乐于两旁乐亭。（乾隆八年——信按初次东巡之年）——奏请建设盛京乐悬，以中和韶乐一分，丹陛大乐一分留盛京礼部衙门，朝贺时乐部会同礼部恭设。设诏案表案各一于崇政殿东之南，及设黄案一于丹墀之上，内阁学士恭奉诏书，安置于殿内东边黄案上，——右陈设。

鸿胪寺官引随皇子以下各官，俱蟒袍补服，和硕亲王以下，入于皇太后行宫，按翼排立。文武各官，及朝鲜使臣于大清门外排立，执事官豫设皇帝拜褥于皇太后行宫外正中，本部堂官奏请皇帝俱礼服出宫，于东旁门内乘舆。本部堂官前引至皇太后行宫门外降舆，东旁立，本部堂官转传内监，清太后陛座本部堂官引皇帝至拜褥上立，王以下文武各官俱向上立。鸣赞官奏跪拜兴，皇帝率皇子王公行三跪九拜礼兴。文武各官及朝鲜陪臣于大清门外随行礼。礼成，本部堂官引皇帝乃至原位立，转传内监奏请皇太后还宫。本部堂官奏礼成，引皇帝还宫，昏退（以上系乾隆十九年定。信按为第二次东巡之年）——右朝皇太后仪（以下序班，宣表，各节略）。据此可知乾隆东巡至盛京故宫之次日，行朝贺礼，"陈法驾卤簿及乐悬于崇政殿前"。其中和韶乐及丹大乐，为乾隆八年初次东巡特备陈用者，法驾卤簿或亦此次所备。朝贺仪虽为十九年第二次东巡所制定，然第一次亦皇太后（钮祜禄氏凌柱之女，康熙五十年八月十三日生乾隆于雍邸。乾隆即位，尊为皇太后，四十二年崩，寿八十六岁，前后东巡二次）。大行朝贺礼，亦曾大设卤簿乐悬，受王公百官朝贺。且乾隆更定四驾卤簿之后，盛京旧内法物，已不适用，其所陈设者必为新制无疑。由此数端观之，盛京所存卤簿法驾，以乾隆时期者为多，前此故物或藏而未用，或已残坏大半，所遗无几矣。"

残遗各物列后：

1. 属辇舆者步舆1件，鞍勒2件。

2. 属御用物者交椅2座，提炉杆2支。

3. 属仪仗者立瓜、卧瓜、钺、五色金龙小旗杆（长短2种）、戟、信幡、传教幡、黄龙旗、戏竹、吾伏、豹尾枪、告止幡、龙凤扇、导盖、曲盖、节。

4. 属乐器者，画角4件、黑漆描金，小铜角14件、纯铜制，大铜角7件、纯铜制，蒙古角4件、纯铜制，柏板4件、中2件、小2件，笙6件，伏1件，龙笛8件，篪2件，管2件，大伏鼓2件，排箫2件，金口角8件、纯铜制，行鼓2件、上面尺二寸、下面四寸半、高尺三寸。

此种之卤簿仪物，原本收贮于大政殿后銮驾库，后以库舍倒坏，移置东西七间楼下，选稍完整者分陈于凤凰楼门及各宫，以此在制度上既非一朝同时之物，又非乾隆前三仗，及乾隆十三年后四驾卤簿之全，可谓零星故物，杂然并陈者。

概括诸物观之，在时代上有顺治以前、乾隆以前、乾隆十三年以后三期之别，例如戏竹一器为顺治乾隆卤簿制度所无，其为第一期物可知，五彩金龙小旗杆，有长、短二种，少长者与乾隆定制符，而短者当系乾隆以前物。乾隆十三年四驾卤簿之导盖曲盖、九龙盖，均绣金龙，翠华盖，绣孔雀翎，紫芝盖，绣芝草，五色花盖，绣五色杂花，五色龙盖，绣五色龙，如曲盖之制，其文章以绣而有定形，现存盖中，多为采织瑞草及四季花文者，其文以织而无章，当属中期物无疑也，其余仪仗多与乾隆十三年定制符，与顺治物多不合者，其为第三期物可知，且此期物较多，盖一以仪物繁多，一以年代较近，易于保存而多遗也。总而言之，崇德卤簿，史无详记，以理揆之，同时制者必多，所用满文必为无圈点之老满文，以现存物比观皆非是，盖顺治前法物，遗存绝少矣。

在制度上观之，属顺治以后，乾隆以前（中期）者，多行幸仪仗，若旧行幸仪伏鼓二面，上面经尺二寸，下面五寸八分，今以清工部营造尺校之，虽略违此数，然大致相符。仗鼓，蒙古角、画角亦为行幸仪中物，此皆比参旧史，可得而知者。除上记外，其物虽旧，为乾隆新制未加改变前，今日仅在物质上，已不能辨别其新旧者，当亦有之，然大致以乾隆新制之大驾卤簿物为多。中和韶乐之钟鼓乐悬，为乾隆期物，已见前文，其余乐器若小筝、方响，既不合古制又非雅乐中所应有，不知何以故宫有此，故老相传筝为太祖所创，方响为后世荐入者，事或近之，今日乐悬建鼓前陈列一器，形

252

如一大瓢篅，质似木瘤尖底无文，旁雕莲花，而鬃以采漆，其为盛物之器甚明，然历来沿称古乐器，器返置而莲文侧生，既违制器装饰之意，发声亦无制乐之理，然史无其文，传说有据，明知误谬，不敢递改。连类书之，以候博雅。

至由卤簿仪物之文化史上观之，其来甚古，百增益甚渐。推其原始，多为实用物。如伞盖为御雨热，戈盾弓矢为防不虞，旌节为信物，吾杖为卫护，立瓜、卧瓜为骨突杖之演变，戏竹杖，出于宋打杖而或谓源出于汉代被除不祥之桃苪者（乡友孙雨甗君说）。后则仪力相剑，作之以木，不求始原，每失形伪变有不能说明其意者，若星杖、殳杖是也。他若旗、扇、麾、氅渐务虚华，均成无味之华饰，以表皇帝之尊严华贵而已，实无更高含义于其间也。

时间仓促，书图不便，若详查清实录老档等，当更明了确实，至诸物名称、用途，别具说明书片，此不详记。

（原载《东北文物展览会集刊》1947 年 10 月 10 日）

古代的铁农具

一

　　过去在古器物收藏陈列机关和著录图书中很少见到铁制品，较古的铁制农具更是百不得一。打算通过生产工具的形式、效力，来了解一些当时农业生产情况是不大可能的。其所以如此的主要原因：一则是古器物学家只注意于他们认为珍贵的"吉金贞石"和器物铭刻花饰的研究，忽略了朴素实用、创造人类生活财富的铁制农具；二则这种工具多在生产过程中消磨毁灭或改铸重锻，即偶有遗存，也易于朽坏。这次"全国基本建设出土文物展览会"中，出现了时代明确、出地清楚、前所少见的大批铁制农具，虽然还是地下宝藏被发现的万分之一，又各大区发现品中陈列出的一小部分，但给我们研究古代农业经济史提供的丰富材料，是比出土几件商周铜器、唐宋名瓷的作用不知大了多少倍。伴随着祖国大规模基建工程的开发，这种地下历史资料将会源源不断地出土。现把战国、秦、汉时期的发掘品，略加分类说明，作为我们类聚整理和比较研究的一个开端。

二

由战国到汉代的铁农具46件，可分类如下表：

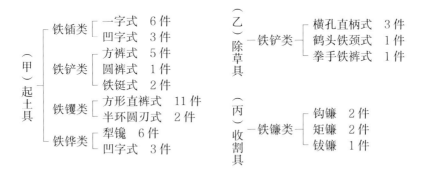

这个系统分类表的目的，只是为了说明方便，并无什么更高的科学意义。在器物功用上说，古代用具单纯简陋，往往一器可兼数用，如锸、铲可代锄，镬可代铧等。在名称上说，一种器物演变出另一种器物的初期，其器形往往同祖形相似，如两刃锸进化为犁，其铁口演变为铧等；此外又有古今的变易，地方的俗称，有的一器多名，有的同名异器，复杂万端：都使我们在分类说明上很难能做到名实相符，部类清晰，减少错误，所以这仅是 个尝试而已。

臿，俗作锸，为插地起土具，也是穿削具，器如直柄木锹（现湖南长沙有用长方板上加横把，下加横铁刃的工具，也可参考），刃端加一平齐铁口，实木锹和铁锹的中间形式（锸尖现两刃的，汉时的人通呼为铧，别入铁铧类）。其铁口有一字式凹字式两种，皆一面立体范，一面平板范所铸成，最宽的宽21厘米，最窄的宽18厘米。器体轻薄，纵窄而横宽，容木质的沟槽较浅，恐只能作起土、穿土、培土之用。郭宝钧先生定辉县战国墓出土此类器物为锄。但此次所见铁锄有横孔直柄式、鹤头铁颈式、拳手铁裤式多种多件，就暂把它定为锸类。

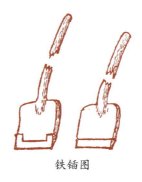

铁锸图

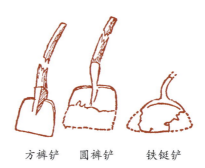

方裤铲　　圆裤铲　　铁铤铲

铁锄图

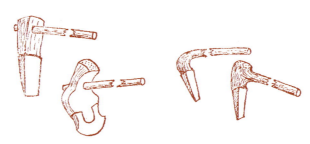

铁锸装柄图　铁铲装柄图　　铁锄装柄图　铁钁装柄图

铲，属锹类，用途与锸同。一种方裤式：形如"空首布"古钱形，下为平刃，铲身上有扁方孔，多双合范生铁铸成；出土最多，最大的宽2厘米强。一种圆裤式：熟铁锻造，前有较小的半月形箕状铲身，后有向上微斜的圆铁铤，似有圆裤，但因残断，已很难判明了。

镢，重型开土具，与锸、铧为一类，所以也兼作手犁用，全形作板楔状。此式器物世俗多称斧、锛，但由生铁非木工用具（但刃部宽薄的也很可能是锛斧残器）。一种半环圆刃式，为木镢的生铁口，其形制和装柄方法与凹字式铁锸相近，但由四川成都市郊青杠坡汉墓出土陶俑残片证明，确为长柄木镢刃部而非凹字式铁锸。这类器物的木柄，有三种安装法：一、用木柄一端横穿木镢身，成十字形；二、用曲木一端装于直裤内；三、用丫木切短一枝装于直裤内。现在乡村中的锛锄仍保存着这种装柄法，实在它仅仅比新石器时代套装或夹装石斧柄进了一步，是极为原始的。

铧，发土绝草具。由两刃锸——手耕用耒耜上的耜齿进化而来，到了牛耕时期，其形加大，渐渐增加了附件——一面翻土的犁碗，两面拥土的蹚头，犁镵生铁铸造，有三式：一种汉器，河南洛阳市出土。器为直角两刃铁口，刃宽约5.3厘米。形式较为原始，与辉县战国铁犁同（见郭宝钧《辉县发掘中的历史参考资料》，《新建设》1954年3号）；一种汉器，甘肃古浪出土，长宽约20厘米。一面板平，一面凸起，加大了犁底空槽；又一种汉器，2件同形，出北京市郊清河镇。铧身尖端稍反曲，两面都有菱形凸起的犁底槽。竖长8厘米，横宽2厘米，犁底槽口6厘米。推测木犁很小，当与今日耰铧相近。犁耕，亦作镜，古名犁叶，陕西俗名逼堵。一件汉器，出甘肃古浪县陈家河台。仅存大半段，长宽19×27厘米，器体作薄板状，形如杏叶，与今日木犁上使用的相同。

锄，亦作鉏，古名兹基。去草疏苗具。器式有三类，均生铁铸造。横孔直柄式的三件：一件出热河兴隆县，战国器。薄板锄体，作平刃短圭形，近背部有横方孔可装木柄。一件出辽宁海城县，亦战国器。锄身用长方形平板状，中央有纵起脊，近上端有方孔可装柄。一件出河南洛阳市，汉器。锄身平刃，长方薄板状，上部有稍曲而较锄身为窄的立方孔，可装木柄，鹤头铁颈式的一件，熟铁锻造，汉器，出陕西临潼县。薄板状锄身，纵长13厘米，刃宽16厘米。肩部宽6厘米，上边有纵孔，装圆裤式曲铁铤（现名锄钩），正是所谓鹤嘴锄的一种（有人说这种铁锄的年代当晚于两汉，但刘熙释名已有鹤头的记述，年代似乎没有可疑）。拳手铁裤式的一件，熟铁锻制，汉器，亦出临潼。锄身薄板状，作拳手式。后有方形直裤可装柄。刃宽仅13厘米，当属于短柄的耨锄类。

镰，收获具，器式有三类：钩镰，古名式钩。二件均汉器。锻制，形式略同，陕西长安县红庆村出土。内曲刀身，背有起脊，尾部可夹装木柄。大的镰身宽3.5厘米，全长34厘米。矩镰三件：一件单面范铸（由铸范推测），铜铁质不详，有"右口"二字铭款，为战国器。铸范出热河兴隆。刀身内曲，背边上面起脊，刀基部有夹木柄的刀尾（如戈内）。一件汉器，熟铁锻制，出辽宁海城大屯汉墓。刀身尖部微内曲，背有起脊，基部上面有卷棱，沿卷棱内面为夹装木柄部件。一件，汉器，熟铁锻制，陕西长安红庆村出土。刀刃横直，背有起脊，基部向下微斜却作磬折形的板平部分可夹装木柄。刀身长32厘米，刃宽3.5厘米。钹镰，俗名芟镰。一件，汉器，熟铁铸造，出四川绵阳。镰身窄长方板状，两面刃可左右横割，而尖端平齐，基部有方形直裤，微上翘可装长木柄。现在多有这种长柄芟镰割草，古代用于收获，曾见于四川成都扬子山汉墓画像砖的秋收图中。

三

这46件铁农具中，属于战国时期的有凹字式铁锸2，方形直裤铁铲4，横孔直柄式锄2，矩镰1，共计9件。其余37件都是汉代遗品。由战国到汉的五六百年中，这些农具无论在形式上、大小上，或制造技术上看：仅只汉代不见了铸镰，同时也出现了锻造的圆裤式大型铁铲（铁锹），其余各器基本上都是相同的，这种现象有力地说明了当时农业技术和农具的改进是非常缓

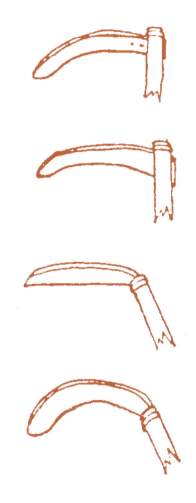

铁镰装柄图

镰
陕西长安红庆村出土

钩镰
陕西长安红庆村出土

镰
辽宁海城大屯出土

钩镰
陕西长安红庆村出土

铍镰
四川绵阳出土
（前端折曲失形）

镰
（由铸范翻型）
热河兴隆出土

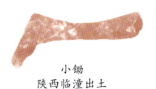

小锄
陕西临潼出土

一字式锸
河南洛阳出土

锄
（由铸范翻型）
热河兴隆出土

铁铧
甘肃古浪陈家河台出土

凹字式锸
河南洛阳出土

锄
河南洛阳出土

镢
四川广汉中心乡出土

持镢陶俑片
四川成都汉墓出土

慢的。

在铸造技术上看，两个时期器物的铸造法，都有较为原始的单合范（一面立体范，一面平板），也都有较为进步的双合范（有接榫的两半范），在数量上汉代单面范铸造的器物较少于战国，同时熟铁锻造的器物普遍使用，是个显著的进步。但在每一类或每一种器物本身上还找不出显著的演进例证。

由于铁口木器的大量存在，可见先秦时期是以木制农具进行生产的。各种农具体形薄小，效力低下，也标志着在这种原始耕作下的生产力是较低的。北京清河镇出土汉代铁铧宽仅2厘米，长8厘米，显然不是畜耕用具而还停留在人耕阶段。四川绵阳出土，长柄两面刃镰（艾镰）使用于收禾，可能是还没进行垄耕，仍在野地漫种才能出现的景象。

器物分布是南到楚国长沙，北达燕国渔阳、辽东，西至汉代的武威，表现了当时农业经济的普遍发展。器物虽有某种程度的精粗不同，而雕范熔铸的工业技术却大致相同；器物造型、使用方法和效能也都一致；十分鲜明地看出在秦代统一全中国以前的各种文化，特别是生产技术文化，仍然是很一致的。

这些初步估计，是仅就农具本身观察推论的结果，若再把与农具共存的其他多种手工业工具，描写农工业生产的画像石画像砖加以研究，则这些估计当会增加更多的实证。

这篇短文的目的，在于介绍一些有关农业经济史上的参考资料，希望读者不要因分类说明和估计中存在的许多错误，而把提出的原始史料价值看轻。

（原载《文物参考资料》1954 年第 9 期）

上京款大晟南吕编钟

　　上京款大晟南吕编钟是辽宁省博物馆藏宋金史上的一件重要文物。它不但铜质精纯、形式古雅、花纹巧丽动人，更引人注意的是它由北宋首都汴京皇家乐队的乐架上，辗转流落到北边疆阿什河（古多译作按出虎水，即金源）边一座佛寺里的遭遇。通过这件铜乐钟的产生和迁转，可以了解女真的统治者如何入侵中原，北宋统治机构如何溃灭的　些历史情况，是靖康之祸的一件历史实物见证。

　　钟系青铜铸造，全高27.9厘米、身高22厘米、口径18.4厘米×14.9厘米、厚0.7厘米。双龙纽，钟面铸蟠虺纹。属于椭圆桶式乐钟形式，一面铸"大晟"（图一），一面铸"南吕中声"篆文（图二）。是宋徽宗所制新乐——"大晟乐"里的编钟之一。它以12个为一编（前代也有9个、13个、16个为一编的），分两层悬挂在一座下有蹲兽、上饰羽毛的华丽钟架（虡）上，钟身大小不同，发音有高有低，所以叫编钟。这种宋代编钟悬挂在乐架上的具体图像，在宋代画家李公麟《九歌图》、马和之《诗经清庙之什图》等作品中，都有过表现。"大晟"是徽宗创置掌乐机关大晟府的标记，"南吕中

图一 大晟南吕编钟（正面拓本）

图二　大晟南吕编钟背面铭文（拓本）

声"指的是音律高低。钟唇下边有"上京都僧录官押"一行小字刻款（图三），按"上京"是金代最初的都城会宁府（今黑龙江省阿城县白城），"都僧录"是当时各京的最高僧政机关。据旧史记载，金代正隆、大定间，女真统治者为了更多地剥削人民，有官府专卖铜器，民有旧铜器须交官府检验刻记，否则就作为私铸处罪的规定。因此知道这口北宋皇家大乐队的乐钟，是流落到金代上京境内一座佛寺做了佛教乐器之后，才刻上"上京都僧录官押"铭款的。它一直流转在哈尔滨一带，解放后才辗转归入了辽宁省博物馆。

宋徽宗赵佶临朝掌政，正是北宋王朝"日薄西山"的黄昏时候，农民不断起义，邻国西夏、金国内侵的压力也天天加深。他在这"危亡无日"的紧急关头，却要文饰太平，命文武百官，重制新乐。立"乐器制造所"和制作铜乐器的"铸泻务"，制造景钟八鼎和大晟乐器。设"大晟府"，添置大群职官来管理国家乐政；并亲自撰写《大晟乐记》（文载李攸《宋朝事实》），夸耀自己治内修外的"至德"。"大晟乐"就是在这种时势情况下生产的。

徽宗议定新乐，虽非当务之急，但北宋当五代变乱之后，典章制度很杂乱，音乐教育和音乐艺术，确实都衰落到不堪地步。甚于宫廷大乐也组织凌乱，乐器残缺，有的乐器是乐师自备，演奏者多强拉农民和商人充当。奏起乐来，歌声不谐曲谱，舞容不应乐拍，音韵淆杂，声同哭泣，实在已不能起音乐教育效果。经过这次大乐改革，对继承古代音乐传统，起了一定的积极作用。大晟新乐的制定，从崇宁元年（1102）开始，由宰相蔡京领导专设机构"讲议司"来讨论进行。中世纪音乐理论巨著《乐书》二百卷，就是在这次音乐学术讨论中，由礼部员外郎陈旸在第二年提出来的。但最后却采用了蔡京推荐的江湖术士魏汉津所谓"皇帝声音是音律标准，皇帝身体是尺度依据"的谄媚说法，用徽宗手指骨节为寸，开始了宫廷大乐乐器的制作。崇宁四年（1105）在汴京南郊设立一所规模宏大的铸造场，先铸"帝鼐八鼎"。帝鼐也叫景钟或景阳钟，后来改称隆鼎。它的特点是：悬垂为钟，仰置为

图三　大晟南吕编钟背面口沿铭文（拓本）

鼎。身高九尺，可容九斛，外饰九龙，并刻有长篇铭文，特建九成宫来安置它，移动时需万人牵挽。这虽然可能有些夸大，但铜钟是史无前例的巨大，恐怕也是事实。据说炼铜时用玉屑为熔剂，铜质极为精纯，音韵清越，是乐律之祖，只在皇帝祭天时演奏。其他新乐中的钟、磬、笙、竽、琴、瑟等器的音调，都须依它而定；所以新乐又称鼎乐，徽宗命名"大晟乐"，并自夸为"宋乐之始"。大晟南吕编钟在这时候也就铸成了。乐成之后，在崇政殿陈列新乐器，并出古器使百官比较观览，当场试奏。又把新乐颁行全国，不论公私乐队、歌场、学校，只用新乐，一切旧乐都被禁断。不久，通令太学生，学习大晟雅乐，亲往检阅。并把成套的宫廷大乐，礼赠给邻国朝鲜。谁料想，不出二十几年，金兵侵入汴京，他却和"景钟八鼎""大晟乐器"一同被掳走了。

在铸铜工艺不大发展的北宋，为什么会铸出这样精致而又合乎古代传统的乐钟？这除了"大晟府制造所"和"铸泻务"是中央官工厂，只求铸件质量好，不计成本高低而外，恐怕与当时十分发展的古铜器搜集研究这门"古器物学"有很大关系。北宋在徽宗朝以前，曾出现过几位启蒙的青铜器研究学者，留下过不少精湛著作。刘敞的《先秦古器记》、黄伯思的《博古图》、李公麟的《古器图》（又名《考古图》）、吕大临的《考古图》，多是图文兼备，考说谨严，使研究青铜器形成为一种专门学科。在这种风气影响下，徽宗也以皇帝的权威，极力搜集，先得古铜器6000余件，最后积累到25000余件，特建宣和殿收藏，可说是一所世界最早而又最丰富的青铜器博物馆。他在大观元年（1107），命王黼仿李公麟《古器图》撰成《宣和殿博古图》，是一本很有名的古铜器图谱。因此，宋代研究乐律和铸造乐钟，多用出土的周代乐钟做标本，这自然比文字记载拟制的乐钟，增强了很大的传统依据和科学性。

早在至和二年（1055），潭州（今湖南长沙）送上浏阳县（今湖南浏阳市）所得古钟，政府命送官乐机关太常府，留作研究乐律的参考。当时乐官李照将铸乐钟，政府发下大批铜料，铸泻务（铜乐器铸造工场）工人在废铜料中得古编钟一件，上有铭文，其形侧垂。不敢毁坏，也送藏于太常乐府；后来胡瑗改铸编钟，就用它做模型，只把钟纽改使下垂。到徽宗朝，他本人知音好古，制作大晟新乐时，就更加重视古乐钟的搜集和研究；不但注意到造型的规制尺寸，并且深入到音律和和声的试奏考定上。大晟编钟的铸造，就是按照当时瑞州（今江西高安）出土的一件乐钟作样模铸成的。当时瑞州上缴一批古铜器，内有一口乐钟，看铭文是春秋宋成公所铸造，徽宗原本是以瑞亲王继承帝位的，他觉得"瑞""宋"二字，是他做皇帝的征兆，所以就用这口乐钟，做了铸造大晟乐钟的标准；现存上京刻款的大晟南吕编钟，具备春秋铜钟特点，原因就在这里。徽宗对大晟乐钟的乐律校定工作也是非常关心的。宣和四年（1122）洪州奏说丰城县（今江西丰城）农民锄地得古编钟，大小九具，声形制奇异，钟上各有篆文，用《考工记》验证，制度与古代相合，使乐师试奏，音韵也合乎乐律，遂命画图保存。当时刘诜做大晟府典乐官，对音乐很有研究，徽宗特将自己内府收藏的两口古乐钟交出，供他试奏研究，以便校定大晟乐律，使能符合古代传统，把音乐质量逐步提高。

宣和七年（1125）十二月，金军两道南侵，汴京吃紧，于是停罢祸国殃民的花石纲、各种土木工程和冗滥机关，"大晟府"也在这时被裁撤，徽宗在几天之后，也把帝位让给了他儿子赵桓（钦宗）。靖康二年，"景钟大乐"同徽钦二帝和他的宗族亲属，以及北宋王朝历代搜刮聚积的珍宝财货、法器文物，都被金人掠走。这是有名的一次史无前例的文化灾难。计从崇宁四年大晟乐制成，到靖康二年景钟大乐被掠走，在北宋宫廷前后使用大晟编钟约22年，是和徽宗二十五年帝位相始终的。

关于"景钟八鼎"和"大晟乐器"被掠经过和运走情况，旧史有所记载。靖康元年金人攻破汴京，除俘虏人民、搜刮金银之外，书籍、印版、仪饰、法器、法书、名画和天下州府地图等，也是掠夺重点。关于掠运宫廷大乐方面的记载有：靖康二年正月十六日，掠运"教坊乐器、乐书乐谱"；二十九日，掠运"大晟乐器"；二月十八日，掠运"景阳钟虡"；这件"大晟南吕编钟"大概就是靖康二年正月二十九日金人所掠"大晟乐器"中的一件。金人掠运的法器文物，数量很大，当时分装2050辆大车，四月由汴京同押着徽宗的大队，一同启运北上，五月十九日运抵燕京。运到的财货器物，一半赏给从军将士，一部分存放于燕京官库，宋帝后所用的车络仪饰，都弃置于延寿寺。现在北京故宫保存的我国最古石刻文字的石鼓，就是那次金人从汴京运来的。也有一些像佛经印版等文物，都运往中京。另一半器物运送上京，"上京款大晟南吕编钟"大概就是这样流落到上京会宁府境内的。

　　大晟乐钟流落金国的，恐怕数量不少（听说北京仍有几件）。这种北宋皇家旧乐钟，为金国佛教寺院所利用，也是势所必然的。金代泰和元年（1201），义州开义县（今义县开州屯）净胜寺，存在铜钟一口，相传是宋徽宗宫廷中流落出来的，视为镇寺之宝，医巫间山诸大寺有意夺取，寺僧特立"志钟碑"（此碑现存开州屯古寺），告诫后人不得转卖。碑文说："寺钟、铃、钹、鼓，无虑百色，而钟为大，得之于宣和玉宇之间，诚寺之镇也。"这一段宋徽宗宫廷乐钟流落在辽西地区佛寺中的记录，足作"上京款大晟南吕编钟"流转到黑龙江省阿什河边这一故事参考。

1963 年 2 月 16 日

（原载《文物》1963 年第 5 期）

奇情逸趣　信手而得

高其佩指头画琐谈

　　清代绘画史家张庚，在《国朝画征录》里记述高其佩的指头画时说："高且园善指头画；画人物、花木、鱼龙、鸟兽，天姿超迈，奇情逸趣，信手而得。"这个评语是极其恰当的，看高氏作品越多，就越觉得他概括得正确。高氏生在清代初期，那时候的绘画界，正受着复古画家董其昌的广泛影响，以四王吴恽六家（王时敏、王鉴、王原祁、王翚、吴历、恽寿平）为领袖，以临摹古人为能事，满足于笔墨技巧，墨守所谓南宗门户，虽都继承了元人传统技法并有所发挥，获得了不小成就，但这种千篇一律，仿效前人的所谓正统派创作风气，也给绘画艺术发展，带来了消极作用。在这种时代背景下的画家，能够不随流俗，也就算很不容易；若再能够推陈出新，独树一帜，扩大祖国绘画表现技法，创立一个新画派，影响当时，远及后世，这若没有极大的独立卓行胆识和反抗时代精神，是办不到的。况且高氏与他的前辈八大山人、石谿、傅山、石涛等人不同，这些画家，都是前朝逸民，或者是帝子王孙，在国破家亡之后，有的落发当和尚，逃遁于荒山野寺；或隐居土窟，终身不出去做官，他们把满腔民族正气，反抗情绪和愤世嫉俗的胸怀，寄托在画面上，是完全可以理解的。像高其佩这样一个世代居官的"关东从龙"子弟，情况就大有不同；他年青的时候，就敢于在当时画坛上目空一切，擎起一杆大旗，我们今天欣赏了他无数杰作和揣度当时客观情况之后，怎么能够不对这位创造力很大的天才画师，发出无限的崇敬心情呢，也必须承认高其佩是清代杰出的伟大画家。

现在谈谈他的指画创作和意境风格。

高氏指画是千古没有的创新。由于他不同常人的性格、天才、学识和阅历，总的形成了他超出时辈的创作思想；反映在画面上，也形成了他自己的独创风格。在当时虽不为正统派画家和少数士大夫文人所重视，但一般人却是非常喜爱它；而且当时就有很多人学习仿效，像朱伦瀚、李世倬，都获得了这门专业画家称号。他在五十多年的创作实践中，给我们留下了十几万幅丰富多彩的指画（估计笔画数量较少，但也达到了很高的艺术水平）。这些写意作品，不仅仅以新奇的指触墨趣和神形兼备见长，更主要的是意境高超。他的作品有的着墨不多，便觉烟云满纸；有的点染一角，却觉余意溢乎画外。所以满幅指痕，点画越密，越显得层次谨严、幽邃曲折，不觉其多；三五指头物象，空白留得越多，越显得天地辽阔、情趣无尽，又不觉其少。至于云水变幻、山川阴晴、鸟兽习性、虫鱼生机，凡前人所难于着笔的奇情逸趣，他都敢大胆加以描写，达到"天姿超迈"的地步。并且既能够避免千篇一律，满幅陈规的公式化；又不流为残山剩水，荒凉枯寂的简单化。物象空间的布置、形质、神态的表达，都经过千锤百炼工夫；所以格调才都是那么爽朗健康，那么清新、自然，简劲而又生气勃勃地动人心弦。这种以自然为师、写神为主、画境空灵、格调清新的作风和不受古法拘束走自己道路的创造精神，给扬州八家，特别是他的后辈高凤翰（南阜），学生李鲜（复堂）及黄慎（瘿瓢）等以很深的影响。

高氏画艺，为什么能够达到"天姿超迈，奇情逸趣，信手而得"这样精湛境地？解答这个问题的关键，不在乎笔画还是指画的同不同，不在乎工笔还是写意，也不全在乎线条、彩色等传统技法的熟不熟；最主要的原因应该是：高氏的天资高、基础厚、阅历广、观察细，有独创精神。这样再经过画家的艺术加工，胸中既有成竹，又能即景生情，随意挥洒；作品上当然就淘尽了陈规旧套，意境全新。这就是这位画家绘画艺术获得成功的根源。

高氏个性强，一生言行常常不同世情苟合，这样就注定了他做画家的命运。他出身辽东世族，生活中具有朴质刚方传统，弓马诗书又是汉军八旗青年子弟的基本功，这种家庭传统和教育，养成了画家文武通材的素质和豪迈倔强的性格。他一生虽都是过着官场生活，既做过地方的所谓"父母官"，也做过不小的"京朝官"，而且有时候还常在皇帝跟前行走；但他并不热衷于仕宦，更不因此就以高官显宦为可敬。相反的，常常以画家和诗人自居，什么人求画都给画，而且一生从不用自己的作品去给高官贵族送礼讨人情。有时对名公巨卿还大胆地加以讽刺和嘲弄。康熙四十九年做浙江温处道的时候，给朋友扇上题《好鸟弄春图》说：

　　好鸟到枝头，弄春炫华羽，柳花犹未飞，桃红落如雨。年来巨卿曹，遗疏踵抄纸，好语枝头鸟，人事尚如此。

又题《溪桥古木》图说：

　　有径缘山脉，无人问水源。津梁在路者，不入画家门。

对当时贪婪无能的高官贵族，以鄙视的口吻，给以无情笑骂。甚至对他的朋友和哥哥文渊阁大学士其位，也都有所不满。他题雁阵断句说：

　　两立不齐朋友路，一行叫破弟兄关。向者题画，比有深慨，今岂无之。

他一向不趋炎附势，不畏惧豪强。他虽然也浮沉宦海，不能跳出官僚生活，但确是一位有正义感的人。在任刑部右侍郎时，审理川陕总督年羹尧贪赃卖官及致死无罪男妇老幼786人一案，亲往现地调查了解，不怕得罪当朝显贵，主持正义，终使恶官受到应得处分，人民沉冤得到昭雪，当时称为快事。他对当时饥寒交迫的人民抱着深切同情。曾把流浪讨饭吃的饥民，画作《饥驱图》来讽刺所谓"康雍盛世"和"为民父母"的贪官污吏。这显然是代表穷苦无告的人，向黑暗统治提出的控诉。所以他官至总督的堂弟其倬看了这幅画，也自愧于心地题诗道：

> 绘人绘只躯，瘠饿如有声。知兄非善□，中具饥溺情。深抱我恻恻，宁嗤彼营营。官斋展是图，心疚若有撄。（《味和堂集》卷六）

正因为如此，所以他虽以父亲为国死难的功勋，做了州、道、巡、按、侍郎、都统等文武官，但宦途并不穿通，老年更坏。因之，他对当时的炎凉世态和反复无常的人情，有了极度的敏感和恶感，以致亲不亲、友不友地落落寡和，知音很少，生活也弄得很困窘。他堂弟说：

> 我兄英磊人，绘事挺拔俗。浮沉人海中，众态幼寒燠。惵惵五十秋，坦坦额不戚。退食屋打头，芜疱烟不续。（高其倬：《味和堂集》《且园七兄笔画》）

他自己题峨眉山菩提树上善变五色的寄生花也感慨地说："卉生、托根树上，其花善变五色；图此以见人情趋时，物亦难免。"又题《原啸图》说："怒能振地啸开天，猿豹豺猩敢并肩？只是如何客伥鬼，致令媚术古今传？"来痛骂当时趋炎附势、见利忘义、为虎作伥、仗势欺人的贪官污吏。刑部侍郎撤职后，雍正帝出了《海阔天空》《鹤鹿同春》之类的不少题目，要他到圆明园的如意馆（御用画家集中创作的地方）里给他画画。但又不要他随便画其得意的指画，却偏偏要这个七十多岁的老头子，戴着老花眼镜给他画像四五十岁人那样的工细笔画。本来他一向认为谁强迫他作笔画，是对他的不礼貌，特别是老年时，不是十分心投意合的亲友，他是不画的。曾有一颗印章作"偶然用笔"，就表明了这个态度。所以这道"圣旨"对高其佩来说，不是光荣，而恰恰是个很大的压迫和污辱。他虽不敢公然反抗，低头完成了这个"应制"差使（据北京故宫博物藏《鹤鹿同春卷》看笔意和高氏不同，估计是请人代画的），但在他精神和艺术良心上，却不能不说是一次严重屈辱。看高其佩题他的笔画诗和他自己劝儿子不要学指画两事，就可了解到他内心的一些情况。高其佩题《且园七兄笔画》：

> 万状露端倪，十指任沾浊；一一富生趣，不为法所局。方其得意时，墨洒遍巾服。泰山小秋毫，况复系荣辱。此幅独用笔，义于故旧等。（见前括注）

高璥要学指头画，像北宋画家米友仁那样，继承父亲的家学，他却力劝不要学这一行，免得受污辱，说：

> 家孟性荦近，颇拟小米续，严命禁勿为，当鉴颜公辱。（高纲题《柳莺图》诗，见真迹）

本来儿子能够继承家法，在常情上说是件好事，应该奖勉，而高氏却断断以为不可，可知他对如意馆给皇帝画画的事，是多么痛心了。他七十多年的一生，受了不少世态炎凉和官场污浊的痛苦，虽没有"足破蛮烟瘴雾（他题画语）"的办法，但他还是满不在乎地"我行我素"，毫不低头。他自号"铁岭冷汉子""古狂"，并用"生涯素发知（印）"来自相宽慰；看起来这不是"挂羊头卖狗肉"地来骗人，确是他个性真实概括。在这一点上，有些和杰出的文学家、《红楼梦》作者辽阳曹雪芹相似，说他俩是清代辽宁出身的两面文化旗帜，似乎不是太过分的。

画家一生，宦游各地，走遍了大半个中国，看了很多祖国的伟大河山和地方风物，体验了东西南北各地不同的生活，这种生活广度很广，观察深度很深的经历，对他的绘画创作，提供了大好条件。换一句话说，他有机会向大自然学习，这就是古人所说的"师法造化"，他自己所说的"欣于所遇，妙合化权（印）"。他生于江西建昌府（今南城），在这个盱江沿岸的江城，度过了他童年的朝夕；八岁开始学画，也在这里。他父亲天爵殉国后，这个十几岁的孤儿，就随着祖母和叔伯生活，指头画的创作，大概也在此时。小住过滇南，见识了不少亚热带的花木鸟兽，后官宿州七年，回北京任工部郎。任浙江温处道七年。前后任官四川八年。雍正初回京任光禄寺卿，不久升刑部右侍郎，曾往川陕审理案件。四年后革职，任都统行走，曾随雍正帝到热河木兰围场打猎。后入圆明园如意馆做画师，二年后出典新军。雍正十二年卒。概括画家七十多年的一生，他居住或旅行过云南、福建、山西、蒙古等十三四省，可以说瓯江潮、峨眉云、滇池月、塞上风雪，样样他都亲身经历过了。至于像金焦之奇，三峡之险，苏杭烟雨，幽燕云树，以及长江、黄河、鄱阳、太湖、雁荡、匡庐、太行等名山大川的佳景名物，都是他的天然画稿。所以冯沧趺他的指画扇册说：

　　　其中山水、人物以及花鸟、竹木之类，一经点缀，便觉生动毕肖；
　盖其阅历多而蕴酿深了也。徒以钩勒渲染见长者，敢望其项背耶？

这里指出的"阅历多而蕴酿深"，正说明了"读万卷书，行万里路，多识草木鸟兽之名"对高其佩的绘画成就，占有多么重要的地位。

　　高氏的绘画理论见解很高，这从他作品的题语和印章上，可以看得很清楚。现在就根据这些材料，做个初步探讨。他主张向传统技法学习，是为了古为我用，不是给古人当俘虏。一方面要"玩味古人""不敢有己见"地学得古人长处；另一方面又要"自我化故"（画说）、"逢源脱拘束"（高氏训子语，见其子纲题画诗）、"我自为我"（印语，下同）地"挽绳墨以作画"，能够食古而化，不可拘束于古人理法规矩之下。所以他的几百幅笔画、指画山水，从不沿用古代名家布局通常用的"下近为主、上远为客。在下近处作树石屋宇，在上远处作峰峦沙岸"（指头画说语意）的陈腐公式。他主张向大自然学习，虽然必须做到"得树皮石面之真"；但必须以"机先"为主。即以体会自然奥秘和主动掌握自然情态为主，既要反对机械的客观反映，把自然事物形象搬上画面了事；又要反对脱离自然，采取纯主观的创作态度。总之，他主张画中要有自然形神，也要有作者意境；但不要有纯客观的自然形神，也不要有纯主观的作者意境。必须画家和自然结合起来，统一起来，这样既能得到"妙合化权"的自然真趣，又能表达"我自为我""莫非我画"的画家意境和特点。所以他题《独骑看山图》（李初梨同志藏）时说：

> 指头点黑，每于甲肉相半处自成晴睫，洵非毫颖所能为者；然若有意为之，亦莫可行。
>
> 是知画自画而我自我，离我作画，虽更舍指头与毫颖，应该亦无不可者。

这种画家必须和自然融合，而达到"忘机"（印）境界才能画出好画的主张，不能不说是朴素的现实主义创作的正确认识。

　　高氏对指画这个开宗立派的创造持有正确态度，没做过自我表白的宣传。据说他学画到二十岁，恨不能自成一家，一天梦老人领他到一土屋，四壁皆画，各种理法俱全，恨没有画具，仅见清水一盂，只好用指蘸水练习，梦后因用反映蘸墨习作，就逐步创成指画。当时人把这个创造性的绘画成就，抹上了一层神秘色彩，传为"梦中神授"。而高氏本人却没有"自神其说"地加以唯心主义的荒诞解释，只是说"画从梦受，梦从心得"（印语，下同）、"不过求无笔墨痕""一时游戏""原非有欺人""止此一癖""知笔这难用故单用手"。他这种梦起心关想，指画与笔画不同，本不打算骗谁，自己有这个偏爱，用不好笔才用指的说明和不矜奇立异、自我吹嘘的谦逊老实态度，充分地表明了他实事求是的性格和艺术家风度。其实他在指画上，创造出的一整套甲、肉画塌抹捺等方法，都是毛笔不能表现的独特技法，也给笔画不小影响，确是值得赞扬的。

在创作态度上，他非常严肃认真，直到老死，画无大小，也不论指画还是笔画，都经营布置得很细致，一点一拂都指到意到，有的指不到也神韵具足，少见草率敷衍之作。晚年虽有时要他外甥李世倬代笔，但不是很多的。大幅请人设色，而小幅扇册等，却都是亲手渲染。最大的优点是他没有固定的成稿，像一般画家那样，一个稿子抄来抄去；或者是移东挪西，改头换面，像孩子玩七巧板（偶有像草蝶图这样泛泛画题下，也有物像似的，但不是抄稿）。他画几百幅钟馗像，幅幅神态不同，如像几个人的手笔；画山水也丘壑无或雷同（据《画说》）。所以他刻一颗印章说"臣无粉本"。《指头画说》说"神来之候，动触无机，可一而不可再"，也表明了他这种创作精神。此外，题识的书体、位置、长短、横竖和分行布白的形式，印章的多少、大小、字体朱白和语意内容，都做通盘考虑，使密切从属于作品主题。这样，画面上的画、字、印章，就成为一个艺术整体，使画意显得更为突出。这也是高氏画作上的鲜明特点之一。

高氏又是一位多能画家，既能用笔，也能用指；能工笔也能写意；能画山水动植物，也能画人物、神仙故事和幻想事物。善于学习前人，特别是八大山人和傅山，他是终生仰慕。摹傅山的《三石图》达数年之久，可见他学古人的认真。诗文书法达到了相当高的水平，对他绘画艺术成就，也起了很大的助成作用。他画山水画以大地山河为范本，长于表现自然界真境逸趣，如出天成。技法上不受前人旧法拘束，构图墨法都出自己意，善于以无作有，惜墨如金而画面上又多得大自然充塞太空的活气。所以高秉说："从所画（山水）皆生平经历山川真境，故丘壑无或雷同。指画丛树，俱从江山茂林中得来。绝勿规仿前人，故无步趋痕迹，而得丘壑真趣，如古人但以厩马为师，不以画马为法（指头画说）。"看他下列的几幅山水画，便可证实高秉这个记述的正确。

（1）孤帆图（天津艺术博物馆藏指画册）

纸本，指画水墨。下部中央画高树两棵，萧疏挺秀，枝叶不同。右连空白山冈，后画点叶密林，中露小屋一角。次接石矶、斗坡，指触简洁，近上边横抹一带远山，时断时续，似在山岚江雾的明灭之间。中为迷漫大江，不着点墨。片帆从斗坡后露出，正像顺风驰向中流。山冈上题："数年眼里，近日梦中。"用笔不多，反觉空灵多江山逸致。

（2）长兴山水图（天津艺术博物馆藏指画册，画面25.8×31.5厘米）

纸本，指画水墨，左下画山坡一角，疏林掩映，枯树五七成丛，树干下都横拖长影（《书画所见录》记高氏画《月下古塔》也有黑影）。林后悬崖瀑布，只露一角。坡角下湖波拍岸，浪花回旋，波涛逐渐稀疏，远处茫茫一片，不知何处是天水分界。左角近边题："由长兴金村港，过宜兴县界，有此山水。"

（3）太湖渔船图（天津艺术博物馆藏指画册，画面25.8×31.5厘米）

纸本，指画水墨。湖心渔艇正迎风前进，一人在船尾张臂摇橹，一人船头俯理纲，波涛激荡，风飘衣襟，船行如箭。满幅烟水茫茫，视野无限开阔，小舟如随波浮动。右下角题："乘马太湖之滨，风势可畏。远望渔船，随波上下，一如人之在平陆者，安得如之。"

（4）香山饮马图（天津艺术博物馆藏指画册）

纸本，指画水墨。老人单骑饮马山溪，岸堵屈曲，充水如带。老马弓腰引颈饮溪水，边饮边慢步前行。远处云烟迷漫，无限山影林木，都在苍茫有无中。右上角题："香山之下，饮马清溯，山岚迷前路，不可意测。"

（5）闲眺图（吉林博物馆藏指画册）

纸本，指画彩墨。右上角露出板阁一角，一老翁俯栏眺望，意态闲适。阁外绿树环合，都不见枝干。下有茂密丛树，绿梢偶出于云雾为白云。满幅指墨不多，却觉绿云浮动，生趣盎然。左上边题"游踪曾有此，垂老可客家"五言诗句。

（6）虬松列岫图（故宫博物院藏，立幅，画面 118×58.3 厘米）

纸本，指头彩墨。右下幅作大山坡，空白不加皴染。坡上老松六棵，枝干盘曲，相互掩映，有的枯干如虬龙。树后一带岩峰，上下有人影往还，知岩根有磴道盘绕。松上两峰插天，山隙画二三远岫，透出于苍茫的山岚之上。通幅含蓄幽深，设色淡远雅致，别有一种迎人的清新逸趣。高凤翰在空白山坡下题诗道："老树穿空列岫孤，游人几辈远盘纡。不知何处先生见，画作人间未见图。"

这几幅山水画，除《虬松列岫》立幅以外，都是册页小品，但这些小幅正是他的代表作；由这些旅行或纪游之作的布局、运指、设色和题识上，不难了解高氏的绘画成就，是多么得力于大自然观察和体验，至于像《危梁山阁图》（北京历史博物馆藏）立幅，峭壁错接，磴道曲折相通，连以天然石桥；崖上小阁一间，微隐于疏树林中。景色在自然界中，似乎常见，但一经写入画幅，却觉特别新奇有味。《江亭秋树图》（辽宁省博物馆藏）立幅，古木杈丫，霜叶半落，树下茅亭与桥道接连，寂无人影。表现了满幅萧瑟秋光。《古要幽禽图》（北京故宫博物院藏）立幅，画岩间溪流三折，崖根交错，水流激荡有声。水口旁一石一树，树皮苍古，枝叶稀疏；石上立山鸟，昂首张嘴长啼。满幅指墨不多，但画里反觉幽邃曲折，有不尽的意境。相似有"鸟鸣山更幽"的诗情。《桦壑激流图》（旅顺博物馆藏）立幅，近左方山峡对峙，右方崖壁稍低，崖上疏树成林，中有小阁一间。崖后水波激荡，汇为深潭。上为一片无尽崖壁，水从山峡几经转折下泻，出峡后如万马赴阵，腾跃不可遏制；波涛汹起，浪花飞溅，似能听到隐隐如雷的流水声，如身到三峡。全幅不留天地空隙，反多深邃雄伟感觉，心神似随激浪跳动。高氏山水画，大体都具有上举各例的特点。

高氏的指画写意花鸟虫鱼等杂画，确已达到了所谓"天姿超迈，奇情逸趣，信手而得"的艺术境地。这当然还是和他经历的地方多、生活的体验丰富、物情的观察细、不受古法的限制分不开的。他一向主张一个画家，应当知道一切草木鸟兽的性状和生活习惯，而且要达到精微地步。所以为了画好虎，他曾多次到塞北深山中观察猛虎行动，几乎遭到不测；但终知道了虎的神形特点。他知道宁波蛐蟀与蟹味的不同，知道湖州桑羊初春肥美，知道早起池中鱼苗小虾最活跃；也才都能如实地再现于画幅中。他曾刻有一颗印章作"性周动植"，就表达了这种思想。他劝他大儿子高璥不要学指头画时说："谓凡技成，力须毕生笃。即以兹艺（指画）论，谈何易刻鹄，格物辨毫芒，逢源脱拘束（高纲题《柳莺图》诗句）。"说得就更加明白了。他一生所作动植物杂画极多，大至云龙风虎、奇树异花，小到水虫鱼苗、一花片叶，都能各得神理，与众不同。而且画家自己非常喜爱这些有趣的小东西，可以说是"垂老不倦"。所以他孙子说："偶于含饴弄孙时，戏写人间未画之品及一二罕见之物，解意释闷。""万物之有情者，必皆有神，花木之无情者，亦各有神；公（指高其佩）绘无情有情之物，尽得其神（高秉《指头画说》）。"这种随手描出他人没画过的"生题"和不常接触的"罕见物"，又都能够把神态天趣表现得尽致，这若没有深透精到的观察力和纯熟的表现力，是不能设想的。

（1）枝头小鸟图（天津艺术博物馆藏指画册，画面 25.8×31.5 厘米）

纸本，指画水墨。古柳微斜，垂枝临风摇曳，绿芽初生。枯枝上立小鸟，正在开口歌唱；毛羽光润，神态安闲，表现了满幅春光。左边题："往来湖河之滨，此意颇多。"

（2）芙蓉野鸟图（北京荣宝斋藏指画扇册）

纸本，指画彩墨。右角粉红芙蓉一枝，一叶两花数蓓蕾，半露半没于淡荡的暮霭中。小鸟一只，白毛黑羽绿足，立在斜出枝头。境界十分幽静。左题："曩在滇南，曾见芙蓉如古木。今来瓯，所见更胜之。窗外一枝，池边数朵；野鸟卒至，不知其名。正当风送晚凉，霞飞远岫，诗怀如渴，画意勃然。"

（3）墨竹图（北京荣宝斋藏指画扇册）

纸本，指画水墨。墨竹一竿，枝节苍古，大叶纷披。墨汁淋漓，看上去好像宿雨初晴或晓露未干，枝叶显得湿重低垂，清冷气习习侵人。左题："指头落处，初不知其何所肖，及至成物，自有风骚。倘必曰类那一家，则非所原，非所能也。"

（4）桑羊图（天津艺术博物馆藏指画册，画面25.8×31.5厘米）

纸本，指头水墨。白羊两只，边行边相顾鸣叫，如互相私语。一黑羊在后，背身翘首远望。都长角短足，躯体肥壮。右题："湖州桑羊为美味，余性不食之。初春方啮草芽，便极肥重，想必佳耳。"

（5）蟛蜞（俗名飞蟹）图（南京博物院藏《水中八事》册）

纸本，指画水墨。中画飞蟹两只，上边一蟹仅露巨钳形的前足和口眼。都如在缓缓爬行，瑟瑟有声。题："蟛蜞味不及蟹，然海中食品，独属佳者；八九月间肥大，下月胜于上月；宁郡得者，胜于东瓯。"款题瓯指使。

（6）鱼苗小虾图（南京博物院藏《水中八事》册）

纸本，指画水墨。中央连左角作水草四五棵，嫩叶在水面浮摇，小虾五六只，鱼苗百四五十长，成群结队游向草底，鱼苗大眼细身，张口吸水；小虾在水中自由游行。意境幽静而画中却又极热闹活泼，富有生趣。题："每当早起，此意最多。"册尾一页，画四足水虫两只（东北俗名虾游儿），如在水面上跳来跳去；一角有水甲虫游向水底。都形神逼真。题："静坐鉴正堂，观池中物，适以完册求画，遂图水中八事，以发一笑。"可知此册是在康熙五十一年，任浙江温处道时的作品。

（7）寄生花图（沈阳故宫博物馆藏，画面33.8×27厘米）

纸本、指画彩墨。中画老树杈丫，从树丫上丛生嫩花三枝，细茎小叶，花如山茶稍小。老树嫩花，别有一种奇趣。左题："寄生，托根菩提树上，其花变转五色，蜀中独峨眉有之。图此以见人情趋时，物亦难免。"

（8）佛手图（同上）

中画大佛手柑一板，皱皮曲指，把重黄熟，如有微微香气。左上角题："永宁（川南）佛手较单调中所产独大，清花满室，触算悠然，亦足被蛮烟瘴雾。"

（9）椇树上图（同上）

中画椇树子沿海枝，细枝绿叶，系梢结蔓状果数茎，紫赭色，盘曲如葡萄蔓而较粗肥。左题："棋树子能解酒，谁为狂醉者折赠一枝耶？"此册当是在四川时所画。画家若不目悦而心赏这些川中异物的话，是画不出这些罕见物的。

看了这几幅小画，可知他自称"创匠"是名实相符的。在动物画中，他的画虎也是最负盛名的。大到几尺，小到四五寸，都能在间指墨下，表现它各种姿态和神情。像《饱虎图》（李初梨同志藏立幅），画饱后猛虎，徜徉闲适，实为前代所没有。大诗人兼画家的高凤翰，称为《山君变象图》，并作《且园老人画说》详细记述他如何入山观察猛虎姿态神情，作为画虎的依据。后题长诗加以赞美。可算是高氏画虎的代表作。《水仙雄鸡》（辽宁博物馆藏立幅），写雄鸡欲下跳而又恐惶的神情；《芦雁图》（北京故宫博物院大立幅）画大雁迎面飞来，使人有掠头而过的感觉；《飞燕图》（天津艺术博物馆藏扇面）画群燕翱翔嬉戏，一燕向前直飞，只露双尾，如渐去渐远；《牡丹图》（辽宁博物馆藏册页），画一枝背面牡丹，蒂叶掩映，设色凄艳，像不肯以妖冶颜色示人；这些真可称得是"天姿超迈""前人未画之品"了。

高氏的人物画也具有很高的艺术水平，他虽然以写神为主，但造型结构上也是无疵可议的。并且能以指头写像，达到熟人一望而知是谁的程度；可以说他是神形兼备的人物画家。在主题内容上，他虽画了不少神话故事人物，但却都是用古典浪漫主义题材，来发泄现实主义的情感和积愤。比如他一生画过几百幅钟馗像，不但个个神情面貌不同，而且他精心刻画出来的这些形象，都是人间正气象征，是人民群众的精神保护者；有时钟馗大发脾气，大骂高官或嘲笑用金银向神祈福的"为富不仁"者。这充分表达了画家不满当时的思想情绪（另有专题，此不详叙）。画饥民图为穷苦无告的人民呼吁，对统治者作了大胆讽刺。这种愤世嫉邪，敢于揭发矛盾的精神勇气，现在看来似乎稀松平常，但在当时他正做统治皇帝脚下一名高官，能这样作，该是多么可贵。画云中仙子、水上洛神，虽都指墨不多，眉目止具点画，但都是雾鬓云鬟，衣带当风，很有高雅神情。《采菌图》画老人前行，蓬头旧衣，口角下垂，二目半睁；随二青年，一人替老人持杖，一人手持拾得的蘑菇；都面有饥色。这显然也是一幅别体《饥驱图》了。《出猎图》（辽宁省博物馆藏），画北方部族人携猎狗骑马出猎情景。在秋林叶尽，黄草无边的原野上，一人骑马带弓箭出猎，后随瘦身善跑的猎狗。坐马正急行前进，人和猎狗都回头远望，似有所见；神情紧张，真有深山围场，秋风飒飒，野兽横走的感觉。画家长于骑射，围场打猎是他惯常生活，画得这样情景逼真，也是不足怪的了。

高氏指画对中国绘画技法有不小贡献，他的画风对当时和后世都起过一些影响，特别是在"食古能化"，敢于"大胆创新"方面，值得称赞。可惜的是，在当时正统画风的排挤压制下，对他的创造和作品，没得到公平评价。因此，收藏家认为收藏著录他的指画是俗事，绘画史家呢？有的只称赞他笔画如何清新出众有创造力；有的在小传末尾提一句"他能指画"；也有的抱怨人民群众不懂得他笔画的精妙，偏偏喜爱他的指画为"不识货""不内行"。这阵邪风一刮三百来年，他的艺术光辉自然也就难于显露而受到应有重视了。这次辽宁省博物馆举办他的指画展览，创三百年来没有的盛举，集不少国内名品于一堂，提供了一次了解他、研究他、学习他（虽然也有今天看来不必学的地方）的好机会，观览后写了这篇感想，提法不对头的地方，希望给以指正。

1963 年 6 月 14 日

1973 年给朱贵同志的一封信

朱贵同志：

你的信来了这样久还没回信，真是对不起你。原因是我把信提交给了领导小组，后来没作出明确的决定，现在看来无力去作了解；另一方面你的信上没有注明复信的地址。再加我懒些就放下了。

现在馆事如常，仍展出上文物，年内不打算改陈，来年如何尚未决定。北京历史馆陈列已完成，但未经最上级批准尚未对外开放。我馆能否学这个样板尚不敢定。馆中旧人仍无一人回调，据说文化口人员已经超编了，等候再调。只有王春计前几（天）才由工厂调回。董彦明借用期已届满，不得已请了二十几天假回法库探亲看孩子去了，下步不知如何？

文物队秉琨、玉林、大顺、义田等前半月去赤峰随同铁路工程进行文物清理工作，现在才可能准备开始。

前信告知的玉器很重要，形体是立体的，不便叫"珏"，似可称为"玉虺"或"玉虬"之类。（螭似龙有四足双角，但无鳞、鬣；夔有一足。

此器无足、角，只作蛇形头上仅有一冠，故与虺、虬为近）这种文物在民国时期从赤峰地区曾发现过，汤玉麟在热河时曾收集到两起，一起出土一对与乌丹的大小相仿，玉色青绿，形制完全相同，口、眼、冠、腰中一孔都一致。还有一件马蹄壳形"玉发箍"共同出土。这"玉发箍"是古物商的俗称，应称"玉冠"。但是否真上束发的玉冠，尚须考古上的证明；这是一批；另一批是玉虺一件，比乌丹出土的稍小，形制全同，色少赭黄，也有马蹄形"玉冠"同出，两批只说是赤峰地区出土的，后汤家文物归伪满博物馆，到八一五日寇投降时，这五件东西丢失不存了。当时听赤峰当地人说，赤峰古物商人也收到过这种文物，究竟是哪出土的始终不详细，这次发现倒是个重要事件。不过这类东西中原少见，是否与地方居民有关尚难肯定。馆最近在阜新县虎（胡）头沟（距北票黑城子东方不远）一座古墓中发现小形玉器多件，有玉龟、玉鸮、玉夔、玉棒等，有的与西周出土品为近，这也是中原文化远及我省的重要一例，简报没写，先行奉告。

我的身体还好，最近天气渐寒，感觉呼吸有些紧张，但还上半日班。家中也好，请勿为念。景贤同志和孩子们一体问候。祝你

革命工作顺利前进，身体康宁。

李文信

1973 年 10 月 6 日

编者附记：有关这封信的相关情况，可参见朱贵、徐英章《李文信先生关于红山玉器的一封信及馆藏几件红山玉器研究》（《辽宁省博物馆馆刊》第 3 辑，辽海出版社，2008 年 12 月）